De perfecte minnares

Van dezelfde auteur

Geluksblind

Bezoek onze internetsite www.awbruna.nl
voor informatie over al onze boeken en dvd's.

Marian Mudder

De perfecte minnares

A.W. Bruna Uitgevers B.V., Utrecht

© 2011 Marian Mudder
Omslagbeeld
Plainpicture/Deepol/Nixon21
Omslagontwerp
Bloemendaal & Dekkers, Amsterdam
Illustraties binnenwerk
Yvette van Boven
© 2011 A.W. Bruna Uitgevers B.V., Utrecht

ISBN 978 90 229 9862 5
NUR 301

MIX
Papier van
verantwoorde herkomst
FSC
www.fsc.org   FSC® C013683

Dit boek is gedrukt op papier dat het keurmerk van de Forest Stewardship Council (FSC) mag dragen. Bij dit papier is het zeker dat de productie niet tot bosvernietiging heeft geleid. Een flink deel van de grondstof is afkomstig uit bossen en plantages die worden beheerd volgens de regels van FSC. Van het andere deel van de grondstof is vastgesteld dat hiervoor geen houtkap in de laatste resten waardevol bos heeft plaatsgevonden. Daarom mag dit papier het FSC Mixed Sources label dragen. Voor dit boek is het FSC-gecertificeerde Munkenprint gebruikt. Dit papier is 100% chloor- en zwavelvrij gebleekt en wordt geleverd door Arctic Paper Munkedals AB, Zweden.

Voor Henk

love me
feed me
never leave me

– Garfield

1

MEMORIES

Ik was alleen maar benieuwd hoe het met hem zou gaan. Na al die jaren. Hoe hij eruit zou zien. Hoe het hem is vergaan. Alleen maar dat. Dertig jaar. In dertig jaar kan er veel gebeuren met een mens. Ik was benieuwd hoe hij zich ontwikkeld had, of hij kinderen had gekregen. Eigenlijk was ik vooral benieuwd of hij gelukkig was. Ik heb weleens aan hem teruggedacht. Niet vaak, maar heel soms dacht ik aan hem terug. En een heel enkel keertje dacht ik er dan bij dat ik hoopte dat zijn kinderen hem zouden haten. Dat was mijn kleine wraakfantasie op afstand. Maar vaak dacht ik dat niet. Ik heb al die jaren vrijwel elke herinnering aan hem geblokkeerd. Ik was hem vergeten. Echt vergeten. 'Zou jij nog weleens iemand terug willen zien uit je verleden?' vroeg Anita Witzier een keer aan me toen ze te gast was in ons programma en ik haar tegenkwam in de kleedkamer. Ik vertelde haar over mijn programma-idee: over het opzoeken van oude liefdes met wie je nog een appeltje te schillen hebt. Als donkere variant op *Memories*. Maar ze zag er niets in. Het had een te laag feelgoodgehalte. Bovendien zouden die loslopende 'donkere memories' waarschijnlijk niet mee willen werken. Ja, natuurlijk, stom, zo zie je maar, daar was ik nog niet opgekomen. Dimitri had gelijk, ik ben geen goede televisiemaker. Ik snap er niets van. Het programma had geen schijn van kans gemaakt. Maar het idee liet me toch niet los en zo is het gekomen. Door te veel prosecco in een kleedkamer met Anita Witzier. Ik vertelde haar dat ik al mijn liefdes wel terug wilde zien, maar vooral hem. Om te kijken hoe hij er nu uitzag. Of hij nog steeds een snor had, een strak lichaam, haar. Of dat hij kaal, vervallen en verlept zou zijn. De jeugd poetst zoveel weg. Het komt door de jeugd dat we de verkeerde mensen uitkiezen om verliefd op te worden. De glans van de jeugd verblindt. Dat is fijn van ouder worden. Je gaat steeds meer lijken op wie je echt bent. Alle lagen worden afgepeld. De essentie van je wezen blijft over en die ligt kristalhelder op het gelaat. En daarom wilde ik hem terugzien. Om te zien wie hij was nu hij was ontdaan van zijn glans. Om het goed te kunnen zien. Goed te kunnen bekijken.

Ik heb er nooit aan teruggedacht en ik heb er nooit over gepraat. Ik heb me schuldig gevoeld en me diep geschaamd. Ik heb het mezelf kwalijk genomen dat ik me zo heb laten behandelen. Dat ik me heb laten misbruiken. Ik heb me altijd schuldig gevoeld dat ik niets heb gedaan, dat ik niet ben gaan gillen en gaan schoppen, maar dat ik me als een mak schaap naar de slachtbank heb laten leiden. In plaats van boos te worden op hem, ben ik geïmplodeerd en woedend geworden op de verkeerde. Ik ben woedend geworden op mezelf. Zoals ik verliefd was geworden op de verkeerde, ben ik ook woedend geworden op de verkeerde. Dus we kunnen rustig vaststellen dat keuzes maken in het leven niet mijn sterkste kant is. En dat is uiteindelijk wat je bent: de optelsom van de keuzes die je hebt gemaakt. Ik ben na dertig jaar dus de optelsom van een reeks verkeerde keuzes en gemiste kansen. Want op het moment dat je verkeerd kiest, rent de gemiste kans schaterlachend van je weg, de vrijheid tegemoet.

Een bindingsprobleem. Er ligt een bindingsprobleem ten grondslag aan het maken van de verkeerde keuzes. Het maken van de goede keuze zet je immers voor het blok. Het vraagt van je om je verantwoordelijkheid te nemen, je te binden aan je geluk en voor je geluk te zorgen. En dat is best een klus. Zolang je dat niet doet ben je vrij om achter van alles aan te rennen zonder werkelijk te kiezen. En dat lijkt op vrijheid, maar dat is het niet. Het is angst. En angst heeft niets met vrijheid te maken. Sommige mensen zijn zo bang het geluk te verliezen omdat ze de pijn van het verlies kennen en die nooit meer willen voelen. De pijn wordt weggedrukt en mag niet naar de oppervlakte komen en daarom gaan ze iedereen die dichtbij wil komen uit de weg. Vermijdingsgedrag. Je mijdt het geluk uit angst het te verliezen, dat is wat bindingsangst met je doet. Dat is wat elke angst met je doet.

Ik heb een grenzeloze behoefte aan liefde en een grenzeloze behoefte om lief te hebben. Ik had hem lief. Grenzeloos lief. Maar ook al heb je lief, het helpt niet. De liefde beschermt je niet. De liefde maakt je kwetsbaar en dus doet het pijn: omdat het de oude pijn van het verlies oprakelt. Ik ben ontwaakt uit de pijn. Uit mijn eigen drama. En ik was benieuwd naar de man voor wie ik me in dit drama heb gehuld. Ik wilde hem aankijken om iets over mezelf te begrijpen. Waarom heb ik voor jou gekozen? Was het alleen een kwestie van dolgedraaide hormonen? Is de waarheid zo plat? Of was er meer aan de hand? Met al die vragen ben ik ernaartoe gegaan. Ik was niet van plan om iets te doen. Ik was zeker niet van plan om hem iets aan te doen. Het gebeurde. Ik heb er niet over nagedacht, het gebeurde gewoon. En ik heb er geen spijt van, ik voel me niet schuldig. Misschien ben ik begonnen met het maken van goede keuzes.

Iedereen maakt één cruciale fout in zijn leven en is de rest van zijn leven bezig die fout te herstellen. Het kan zijn dat je van een vader houdt die je liefde niet waard is. Of dat je vergeet je vader te vermoorden. Figuurlijk dan. Vadermoord, heel belangrijk voor je ontwikkeling. Moedermoord ook trouwens. De navelstreng doorknippen met een heggenschaar en op eigen benen verder zonder je nog iets aan te trekken van de vermanende blikken van je onmachtige opvoeders.

Ik heb de fout gemaakt verliefd te worden op Patrick. En ik ben de rest van mijn leven bezig geweest die fout te herstellen door wraak te nemen op andere mannen. Door andere mannen te laten boeten voor wat hij heeft gedaan. Daarom heb ik Patrick vermoord. Het was uitgestelde vadermoord. Broedermoord. Zustermoord. Ergens veel eerder in mijn leven had ik met iemand moeten afrekenen om zonder ballast, zonder schuldgevoel, zonder het gevoel tekort te schieten verder te kunnen. Moord uit zelfverdediging. Maar lieve meisjes moorden niet. En omdat ik geen zin had om te boeten voor iets wat hij had gedaan, heb ik hem laten leven. Ik heb hem vermoord zonder hem te vermoorden. Ik heb hem vermoord zonder ervoor gestraft te kunnen worden. Ik heb iets veel ergers gedaan. Ik ben gelukkig geworden. Stikstralendgelukkig.

2

MET DE NEUS IN DE BOTER

'Breng de abrikozenjam met een beetje water aan de kook, een flinke snuf kaneel erbij, klein scheutje cognac, neem de pan van het vuur, laat de jam afkoelen en bestrijk de taart ermee,' denk ik hardop. Ik klop de houten lepel af op de rand van de pan, draai het vuur uit, trek de oven open en kijk naar de taart. Precies goed. Mooi bruin van kleur. Licht glanzend. Koken gaat behalve over smaak en geur vooral ook over kleur. Niemand eet een blauwe hollandaisesaus, ook niet als hij voortreffelijk is van smaak. Een appeltaart moet mooi goudbruin gekleurd zijn. Een bleke appeltaart is niet te vreten. Alles moet goed zijn. Alle zintuigen doen mee. Alle zintuigen moeten zich spinnend van genot rond het gerecht rollen. Ogen, oren, neus, gevoel. Eten moet goed voelen. Geen grote, harde, koude stukken. De appel moet gesmolten zijn, maar niet te papperig. Met frisse rozijnen die hun smaak pas vrijgeven wanneer je erop bijt, als kleine smaakexplosies. Het deeg moet goed zijn, niet te kruimelig, niet te zacht, niet nat. Mooi zandkorstdeeg, een beetje zoet en een beetje zout met een hint citroenrasp. Dat geeft het een tandje extra. Mijn appeltaart is de beste van de stad, zo niet de beste van het land.

Koken is de makkelijkste manier om erkenning te krijgen. Als je als kind van zes kookt voor je ouders vindt iedereen je het leukste meisje van de wereld. Het duurt twee jaar om een boek te schrijven maar het kost een dag om een fantastische maaltijd neer te zetten en iedereen zegt: 'Is ze niet geweldig?' Mijn moeder hield niet van koken en dan druk ik me zacht uit. Het favoriete kookboek van mijn moeder heette: *Het-als-je-koken-haat-kookboek*. Het paste in het opkomend feminisme van de jaren zestig. Vrouwen wilden zich bevrijden van de keuken. Mijn moeder schepte erover op dat ze in tien minuten het eten klaar had zonder haar hoed af te zetten. En mijn moeder was smaakblind. Ze heeft mijn vader een keer wakker gemaakt om hem iets te laten proeven. Hij spuugde het uit en riep: 'Getver, dit is walgelijk.'

'Dat dacht ik al,' zei mijn moeder, 'bedorven.' Ik denk dat ze echt niets proefde, dus heb ik die taak overgenomen. Mijn liefde voor koken is eigenlijk ontstaan uit een grenzeloze behoefte aan goed en lekker eten. En ik had al snel door dat ik er veel mensen een plezier mee deed. Niet alleen gaat de liefde van de man door de maag, de liefde van de hele goegemeente gaat door de maag. Daarom hou ik van koken. Bovendien ben ik gulzig en ik zie de waarde in van *mindless repetitive activity*.

Ik had een groot gezin moeten stichten. Dan had ik mezelf kunnen uitputten in grootse, copieuze maaltijden en opengesperde bekkies kunnen volstoppen met voedsel om vervolgens elke avond tevreden op een geslaagde dag terug te kunnen kijken. Het toppunt van geluk, zo stel ik me voor. Dat de realiteit anders is, heb ik waarschijnlijk altijd onbewust geweten, want het grote gezin is er niet gekomen. Een klein gezin ook niet trouwens. Ik heb helemaal geen gezin. Ik heb een man. Een geliefde. Mijn geliefde is een gepantserde ridder, een vagebond, een losbol en mijn zielsverwant. Hij draagt mocassins zonder sokken in de winter, houdt van Bach en speelt in de hardrockband Grerory Peck and The Feathers. Hij rijdt te hard op zijn motor, een inktzwarte Ducati, is wetenschapsfilosoof en reist als cameraman de wereld over om de zeven wereldwonderen vast te leggen voor het nageslacht dat hij niet heeft en ook niet wil hebben. Daarnaast is hij aantrekkelijk, aardig en gevoelig. Stoer met het hart van een eekhoorntje. Een dodelijke combinatie. En niets bevredigt mij meer dan het gezicht te zien van mijn geliefde nadat hij zich vol heeft zitten eten, mij een gelukzalige blik toewerpt vanachter zijn bord en zich tevreden over de buik wrijft. Dat is fijn. Daar beleef ik plezier aan. Het is misschien de makkelijkste weg om liefde te krijgen, maar het is mijn weg.

Ik ben bijna klaar. Als ik gelukkig ben, heb ik veel energie. De panna cottaatjes staan op te stijven in de koelkast. Alles kan worden ingeladen. Dit is een makkelijke klus. Een zelfbedieningsbuffet voor tien personen. Het hoeft alleen maar afgeleverd te worden. Ik ruik aan de abrikozensaus en snuif de kaneelgeur op. Niets is zo lekker als kaneel. Behalve het kuiltje in de nek van Damien dat naar vanille ruikt.

'Desirée,' roep ik. 'Wat is het adres van deze klus?' Even later komt Desirée de keuken binnen met een mapje in haar hand.

'Tweede Jan Steenstraat 88. Het moet er om vijf uur zijn. Gaat dat lukken?'

'Ja, alles is klaar. Over een uurtje kan Peter de boel ophalen. Ik zal er een briefje bij doen, dan kunnen wij vast weg.' Peter maakt schoon en levert de bestellingen af.

'Mooi.' Ze posteert zich met haar billen tegen het aanrecht en slaat haar lange benen over elkaar.

'Luister. Er is net een aanvraag binnengekomen. Het gaat om een thuisdiner voor een mannetje of tien, twaalf. Volgende week. Ze willen het graag persoonlijk met jou bespreken.'

'Met mij?'

'Ja, de vrouw des huizes schijnt zelf een uitstekende kok te zijn en wil het goed doornemen. Via de e-mail kan ze het niet, zegt ze. Ik heb aangeboden om langs te komen en dat wil ze ook niet, ze wil met jou spreken, ik praat alleen met de maître, zei ze, met de bijpassende hete aardappel in haar keel. Beetje een zeikwijf dus, maar goed. Kun jij even langsgaan?'

'Oké. Waar is het?'

'Familie Van der Weijden, op de Leidsegracht. Wanneer heb je tijd? Zal ik een afspraak voor morgen maken?'

Desirée wacht zelden mijn antwoord af. Liever vult ze mijn antwoord naar eigen behoefte in.

'Nee, morgen werk ik niet.' Ik zeg het ferm, met lichte nadruk en probeer er boos bij te kijken om te voorkomen dat ik in discussie moet. Ik voel hoe ze naar me kijkt terwijl ik me concentreer op het bestrijken van de appeltaart met de abrikozensaus. Geen vragen. Niet nu. Ik ben gelukkig en ik wil het blijven. Wat is koken toch heerlijk. Het vraagt om concentratie van alle zintuigen, volledige overgave. Net als de liefde. Er zijn meer overeenkomsten tussen koken en de liefde maar die schieten me nu even niet te binnen.

'Is Damien er?' Haar stem klinkt een beetje geknepen. Dat weet ze niet, daar is ze zich niet van bewust maar ik hoor het wel. *Jaloux*, zing ik in gedachten, jaloux. Dat ze een beetje jaloers is, is niet erg. Dat hoort erbij. Bij een beetje vrouwenvriendschap komt er altijd wel wat jaloezie om de hoek kijken. 'Je kiest te mooie mannen uit, die heb je nooit voor jezelf,' zegt ze. Volgens haar kies ik voor *looks and no money*. Maar Damien is geen loser. Hij is mooi en ik heb hem helemaal voor mezelf en elke keer dat ik zijn komst aankondig hoor ik hoe Desirée, geheel onbewust, haar stem een beetje afknijpt. Daar kan ze niets aan doen.

De man van Desirée is de lelijkste man die ik ooit heb gezien. Hij is zo lelijk dat ik een zonnebril op moest zetten toen ik hem voor het eerst zag omdat ik bang was dat het van mijn gezicht af te lezen zou zijn hoe afstotelijk ik hem vond. Langzaam voelde ik mijn mond open zakken. Desirée, stralend als altijd, haar blonde haar opgestoken in een Grace Kelly-rol, haar tanden wit gebleekt (en in een ver verleden, voor ze model werd, grondig gerenoveerd van fietsenrek tot het parelwitte gebit dat ze nu heeft), haar volle cup D-tieten in een duizelingwekkend laag decolleté, stond naar mij te zwaaien met de kaartjes voor *The Lion King* in haar hand. Voor het Circustheater. Haar twee zoontjes, die godzijdank allebei op haar lijken en niet op de gnoom waarmee ze getrouwd is, parmantig naast haar. Blonde krullen. Stijn en Tom. Een kop en een paar heel smalle schouders kleiner: haar man, een onooglijk mannetje. Te klein, te dun, vaal van de astma en te veel sigaretten (zijn astma weerhield hem er niet van te roken als een ketter waardoor zijn tanden bruin werden en zijn adem naar bederf rook), een bril met jampotglazen en nul charme. Was hij aardig en voorkomend geweest, dan was zijn afstotelijke uiterlijk hem pardoes vergeven. Maar hij was gefrustreerd, alleen geïnteresseerd in geld en status en onaardig, bij voorkeur over Desirée.

3

GINA CARBONARA

We kennen elkaar van de middelbare school. Desirée en ik. Ze was een vrouw die leren autohandschoenen droeg. Handschoenen met gaatjes en zo'n drukknoopje in een kleur die matchte bij haar auto. Dat vond ik geweldig aan haar.

Zij was altijd het gelukkigst van ons twee. Zo leek het in elk geval. Ze was het mooiste meisje van de klas. Alle jongens keken naar haar en ik was haar sidekick. Ik mocht hebben wat zij liet liggen en ik was er blij mee. Door Desirée werd mijn leven leuker. Zij werd uitgenodigd voor de leuke feestjes en ik mocht mee.

De dag dat ze zich liet inschrijven bij het plaatselijke modellenbureau mocht ik ook mee. Ze was door een verdacht uitziende zonnebankbruine man met grote zwarte snor gekleed in een lange wapperende regenjas – het type man waarachter je een groezelige pedofiel zou kunnen zoeken, een meisjeslokker –, op straat aangesproken. Zestien waren we. Zo groen als gras. De zonnebankbruine, meisjeslokkende man bleek een heel behoorlijk en betrouwbaar modellenbureau te runnen. Desirée sprankelde het kantoor uit en ik zat er stilletjes naast. De besnorde zonnebankman keek me aan en zei: 'Jij hebt een Greta Garbo-gezicht. Als je wilt mag je je ook inschrijven.' Dat was de dag dat ik fotomodel werd. Dankzij Desirée. Zij opende voor mij de deur naar een beter leven. Het leven dat in het verschiet lag voor haar, lag nu ook een beetje binnen mijn bereik.

Ze was een veel beter model dan ik. Ik ben nooit verder gekomen dan catalogusmodel voor de Wehkamp en de Otto, dat werk. En een klein rolletje in een obscure softpornofilm waarbij ik me moest laten betasten door een motorrijder in het leer en erbij moest kreunen alsof ik het lekker vond. Dat deed ik niet goed. Ik ben nooit zo goed geweest in faken. Als ik iets voel moet het echt zijn en anders wordt het niks. Ik was jong, ik wist van niets, ik liet me van alles wijsmaken. Ik wilde naar Frankrijk, naar Parijs, maar bovenal wilde ik mooi zijn, want als ik mooi was dan zou ik gelukkig zijn. Ik wilde geen model worden, ik wilde mooi worden. En model worden leek mij de goede weg. Als je eenmaal model bent, dan vindt iedereen je vanzelf mooi, ongeacht hoe je eruitziet.

Desirée werd *fashion model* in Parijs, Milaan en New York. Ik stond een enkele keer in de *Knip*, zij in de *Vogue*. Ze heeft met Helmut Newton gewerkt voor een Bulgari-advertentie. In een gescheurd badpak keek ze geil en begerig in de camera met een paar ton diamanten om haar nek. Op de achtergrond een majestueuze Monegaske villa. De opdracht had ze te danken aan een Italiaanse fotograaf die, voordat ze aan de shoot begonnen, ze in haar gezicht had laten klaarkomen terwijl hij iets onduidelijks in het Italiaans prevelde. Het gaf hem een kick en het kwam volgens hem de foto's ten goede. Eerst de vrouw, de godin vernederen alvorens haar weer tot godin te verheffen door prachtige foto's van haar te maken. Eerst moest de vrouw tot de zijne gemaakt worden voordat hij haar kon delen met de wereld. Zoiets zal het geweest zijn. Het bezorgde haar een goede reputatie onder fotografen, die vervolgens in de rij stonden om met haar te werken. Met of zonder *happy beginning*. 'Je moet ze altijd het idee geven dat het mogelijk is,' zei ze geheimzinnig. Ze vertelde het laconiek. 'Met een lijntje coke merk je er niks van.' Het gemak waarmee ze erover sprak, het gemak waarmee ze door het leven wandelde, alsof het allemaal normaal was, en alsof het haar nooit in haar waardigheid aantastte. Dat bewonderde ik in haar.

Ze heeft een aantal jaren in Los Angeles en in Canada gewoond en is sinds een paar jaar weer in Nederland. Haar man is een schatrijke televisieproducent die zijn fortuin heeft gemaakt met het maken van Tel Sell-programma's waarin Desirée menigmaal heeft opgetreden in de hoop te worden ontdekt als de nieuwe Grace Kelly. Vandaar de rol, de Grace Kelly-rol in het haar bedoel ik, niet haar rol als presentatrice in Tel Sell-programma's. Dat dat duidelijk is. Om de loop der dingen een beetje te bespoedigen veranderde ze haar achternaam in Kelly. In Canada is Desirée Kelly een begrip onder de Tel Sell-dames. De Ab-roller, de Abtronic, maar vooral de Megamasher. Een blender met een onafzienbare hoeveelheid mogelijkheden. Ik heb er hier een staan. In het turquoise. Een van de *unique selling points* van de Megamasher is dat hij te krijgen is in zeven verschillende kleuren. Het product werd een doorslaand succes onder de bezielende verkooptechnieken van Desirée en niet te vergeten haar hoogstpersoonlijke Megamashers, haar cup D-tieten die ze veelvuldig in de strijd heeft gegooid. (Waarbij ze waarschijnlijk vergat dat Grace Kelly haar succes voornamelijk te danken had aan haar onberispelijke, maagdelijke uitstraling, ook al schijnt het een nymfomane geweest te zijn die achter de schermen met al haar tegenspelers het bed in is gedoken. Maar dat terzijde.)

Desirées man, Ed Neely, is een Canadees. Er wordt altijd gezegd dat ze zo aardig zijn, Canadezen, maar hij is de grote uitzondering op de regel. De eerste keer dat ik bij hen thuis werd uitgenodigd, nadat ze in Nederland waren komen wonen, begon hij, zodra Desirée haar hielen had gelicht om de kinderen in bed te stoppen, te klagen dat ze hem zoveel geld kostte. Hoe ze voor zijn auto was gaan liggen om hem te dwingen een Cadillac voor haar te kopen omdat de BMW waar ze nu in reed niet goed genoeg was. Die vond ze te gewoontjes voor de verfijnde vrouw die ze was. Het vertelde me iets over Desirée wat ik niet wist en waar ik wel een beetje van opkeek. Maar om mij dit te vertellen terwijl zij hun koters aan het instoppen was, was op zijn minst een uiting van grove vijandschap jegens zijn vrouw.

Het ging haar altijd net iets meer voor de wind dan mij. En nu lig ik voor. En daar kan ze slecht tegen. Het confronteert haar met de verkeerde keuzes die ze heeft gemaakt. Door mij aan te kijken ziet ze haar eigen fouten. Haar liefdeloze huwelijk. Haar wannabementaliteit die haar in een vroeg stadium ongeloofwaardig heeft gemaakt als actrice. Haar nimmer aflatende onvrede over zichzelf en haar leven. Ze had haar carrière als succesvol fotomodel opgezegd om het in L.A. te gaan proberen als actrice. Dat was haar grootste wens. En daar kwam ze Ed tegen die beloofde een ster van haar te maken en vervolgens belandde ze in de door Ed geproduceerde Tel Sell-spotjes, die volgens hem een uitstekende opstap waren naar het grotere werk, maar dat is er nooit gekomen. Niet dat ze er zelf ooit zo over praat. Haar versie: ze werd verliefd op Ed. Smoorverliefd. En het was echte liefde, want ze zag ook wel dat Ed niet de mooiste of aantrekkelijkste en zelfs niet de aardigste man was, maar het mocht haar niet deren. Ze werd verliefd nadat ze respectievelijk door Prins Albert van Monaco en door Rod Stewart was gedumpt, in beide gevallen voor een andere identieke blondine. Prins Albert zocht een kopie van zijn moeder en Rod Stewart een kopie van een van zijn vorige vriendinnen. Na Desirée is Rod met Rachel Hunter getrouwd. En in haar jonge jaren was Desirée een kopie van Rachel. Zo mooi dus. De wereld lag aan haar voeten. Rod Stewart had ze ontmoet tijdens een auditie voor de videoclip van de Amerikaanse re-release van *Tonight I'm yours*. Desirée werd gevraagd om Rod aan te kijken met een blik in haar ogen die de titel van het lied geloofwaardig moest maken. Dat schijnt ze zo goed gedaan te hebben dat hij haar meteen mee uit vroeg en ze korte tijd gedatet hebben waarna hij haar zonder opgave van reden heeft gedumpt. Op de vraag of ze het ook werkelijk met hem gedaan heeft heb ik nooit antwoord gekregen. Zelfs geen veelbetekende blik. Ik was benieuwd hoe Rod Stewart in bed was, maar ze gaf geen krimp. Ik vraag er nog weleens naar wanneer we te veel gedronken hebben en we met dubbele tong nooit eerder opgebiechte details uit ons liefdesleven prijsgeven, maar ze zwijgt als het graf. Daarna kwam ze Ed tegen en was ze binnen drie weken getrouwd. Dan maar een lelijke, onaardige, onaantrekkelijke en puissant rijke man, die loopt niet weg, die heb je helemaal voor jezelf, daar heb je wat aan. Want aan een man moet je immers wat hebben. Ze werd zijn *trophy wife*. Ze had bovendien rammelende eierstokken, ze wilde kinderen, zei ze. De waarheid is dat Ed kinderen wilde. Of laat ik het anders zeggen, hij eiste kinderen. Hij heeft het laten opnemen in de huwelijkse voorwaarden. Op straffe van scheiding zonder een alimentatie van enige betekenis wanneer er geen kinderen zouden komen. Bij voorkeur eerst een jongen en dan een meisje, als hij die eis erbij had kunnen zetten had hij het gedaan. Ja, het was echte liefde tussen Ed en Desirée.

Ze wilde in L.A. blijven of naar New York verhuizen en daar acteerlessen volgen bij de Lee Strasberg Studio, waar Ed met zijn connecties wel voor kon zorgen, zo had hij beloofd. In plaats daarvan verhuisden ze, zodra haar eerste zoontje geboren was, naar een buitenwijk van Toronto, waar Desirée verkommerde, en zich van pure ellende nog een keer liet bezwangeren in de hoop zich te kunnen verliezen in de fuchsiaroze wolk van het moederschap. Toen dat niet lukte heeft ze uiteindelijk alles op alles gezet, met inzet van de kinderen, om terug naar Nederland te gaan. En hier werd ze mijn zakenpartner. Wij zijn samen Gina Carbonara, luxe thuiscatering, voor al uw culinaire wensen.

PANNA COTTA
CON
SALSA CARAMELLATA

3 BLAADJES GELATINE

1 VANILLE STOKJE

2½ DL VOLLE MELK

60 GRAM SUIKER

6 EETL SUIKER STROOP

1 EETL. COGNAC

250 ML SLAGROOM

1 ESPRESSO KOPJE STERKE KOFFIE

WEEK DE GELATINE IN RUIM WATER. SNIJ 'T VANILLESTOKJE OVERLANGS OPEN, DOE HET SAMEN MET DE MELK, COGNAC & DE SUIKER IN EEN PAN EN BRENG AAN DE KOOK.
LAAT EVEN TREKKEN & HAAL DAN VAN 'T VUUR. KNIJP DE GELATINE UIT EN ROER 'T DOOR DE MELK. LAAT AFKOELEN.
KLOP DE SLAGROOM STIJF.
ALS DE MELK LOBBIG WORDT, KAN DE GESLAGEN ROOM ERDOOR GESCHEPT.
GIET IN EEN GROTE OF EEN AANTAL KLEINE VORMPJES EN LAAT MINSTENS 6 UUR OPSTIJVEN.

DAN: BRENG DE SUIKERSTROOP MET WAT WATER AAN DE KOOK, VOEG KOFFIE TOE EN LAAT DE SAUS AFKOELEN. ⟶

STORT DE PANNA COTTA & SCHENK DE SAUS EROVER

4

PANNA COTTA

'Is Damien er?' Ze vraagt het nog een keer en vanuit mijn ooghoeken zie ik dat ze me de indruk wil geven dat de kust veilig is en ik rustig en eerlijk antwoord kan geven door quasinonchalant naar haar nagels te kijken, zoals een slecht actrice in een soapserie zou doen.

'Hm,' beaam ik zo nonchalant mogelijk zonder haar aan te kijken. Doe ik dat wel dan wacht mij een stille doch vernietigende blik, waarschijnlijk vergezeld van een vraag. Een vraag die mijn beurse plek zoekt, een vraag die een ondermijnende uitwerking zal hebben op mijn geluksgevoel. Een vraag die zal prikken in mijn onzekerheid. Want daar is ze goed in, onze Desirée. Zo heeft ze me ooit afgeraden mijn borsten te vergroten omdat het me oud zou maken. Mijn grootste angst was oud zijn, een angst nog groter dan met te kleine borsten door het leven gaan, en dat wist ze. Prik. Heel precies, een klein prikje op precies de goede plek. 'Het zal je oud maken die grote borsten, daar moet je wel rekening mee houden, grote borsten maken ouwelijk.' Het klonk als een goedbedoeld advies maar intussen begrijp ik dat het een prikje was om me op mijn plaats te houden, om me terug te trekken in de krabbenmand. We gaan toch niet onze pronte borstjes boven het maaiveld uitsteken? Dat is niet de bedoeling. Vrouwen staan erom bekend dat ze elkaar niet sterk maken. Vrouwen zijn geprogrammeerd om elkaar klein te houden. Het is een instinct, iets biologisch, je doet er niets aan. We zijn als twee teefjes in dezelfde roedel. Altijd op onze hoede voor de pikorde, want de heersende hiërarchie mag niet verstoord worden. Dus als een van ons verder wil zal de ander in alle stilte de aftocht moeten blazen. Zelden of nooit krijg ik dan ook een hart onder de riem gestoken van een vrouw. Vrouwen janken en klagen met je mee.

Ze klagen dat hun man niet naar ze luistert maar meteen met een oplossing aankomt. Ja logisch. Wat heb je aan dat oeverloze gezeik? Een vrouw presteert het om een uur lang over hetzelfde te praten, namelijk over het benoemen van het probleem. Het probleem wordt als een archeologische vondst met veel verwondering van alle kanten bekeken om het daarna terug te stoppen in de grond in de hoop dat het zal verdwijnen. Helemaal uit zichzelf. En zo doen ze dat ook met mannen.

Ik wil niet over Damien praten, geen kruisverhoor. Ander onderwerp. Ik kan niet naar de Leidsegracht morgen, dat moet genoeg zijn. Alsjeblieft geen 'hoe lang blijft hij deze keer?' gevolgd door een 'goh, niet echt lang, hè?' met een ondertoon waar ik verdrietig van word. Ik wil niet denken aan antwoorden op vragen waar ik niet over na wil denken.

'En overmorgen wilde ik eigenlijk ook vrij nemen, maak maar een afspraak voor donderdag met die lui op de Leidsegracht,' zeg ik. Zonder op een antwoord te wachten zet ik de taart in een gebaksdoos, vouw hem dicht en zet hem bij de rest van de bestelling. Gebraden lamsbout met een honingkorst, gegrilde zeebaars met ansjovis en tijm, pastasalade, een antipasto, crudités met bagna cauda, geroosterde groenten, kaas en een dessert. Ik heb er een paar flessen uitstekende wijn bij gedaan en twee flesjes grappa Alexander di Moscato. Ik heb van alles iets meer gemaakt en in een kleine doos aan de andere kant van het aanrecht gezet. Die neem ik straks mee naar huis en voer ik aan mijn geliefde, die zich daarna tevreden knorrend aan mijn voeten zal krullen en in slaap zal dommelen om alleen nog gewekt te worden door mijn geuren. Mijn lichaamsgeuren en mijn etensgeuren. Bij mij omarmt hij een paar dagen de vrede. Tot de telefoon gaat en hij weggeroepen wordt voor een shoot in Zuid-Afrika of Abu Dhabi. Dan pakt hij zijn cameratas en vertrekt hij naar de mooiste plekjes op aarde en stuurt me hartstochtelijke berichtjes wanneer hij 's nachts in zijn bed ligt, om na twee, drie of vier weken terug te komen met een twee-, drie- of vierdagenbaard en wallen onder zijn ogen van het vele werken en drinken. Dan kruipt hij in mijn armen, mompelt dat hij me nooit meer wil missen, schuift zijn hand tussen mijn benen en ben ik als was in zijn handen. Hij mag alles met me doen. Ik begeer zijn begeerte en zijn begeerte naar mij is groot. Zoals zijn begeerte naar alles wat een hartenklop heeft groot is. Zijn verlangen naar leven maakt hem onweerstaanbaar. Alles in deze man wil leven, groter en meer en hij geeft me het gevoel dat ik leef. Hoe kan ik iemand weerstaan die me het gevoel geeft dat ik leef? Ik vergeef hem alles zodra hij me in zijn armen neemt. De elektriciteit van onze chemie doet mijn verwijten stilvallen, mijn boosheid wegwaaien, mijn lichaam zacht worden. Als ik zijn zoete muskusgeur ruik word ik rustig, dan ben ik terug in het nest met mijn mannetjesdier. Damien is een onrustig, door testosteron gedreven dier dat op jacht is, snuivend op zoek naar avontuur en als hij moet rusten dan doet hij dat bij mij. In mijn bed. Ik voer hem mijn eten. Ik geef hem mijn seks. Ik bevredig het dier in hem tot hij opgeladen verder kan, de wereld in, zijn demonen achterna. Het klimaatprobleem. De honger in de wereld. Diepzeeduiken. Bergen beklimmen. Vijanden verslaan. Werelddelen ontdekken. Tot hij zich weer moegestreden terugtrekt in mijn nest.

De dag begint met verse gepocheerde eitjes met yorkham, overgoten met een dikke laag hollandaisesaus waar ik wat verse bieslook doorheen heb geknipt, geserveerd op bed. Tijdens het eten maakt hij zachte dierlijke geluidjes. Ik kijk naar zijn kaakspieren en hoe zijn slaap beweegt als hij kauwt. Wanneer hij met het laatste stukje brood de saus van zijn bord afveegt, kijkt hij me verrukt aan, trekt me naar zich toe en bedrijft hij met nieuwe energie de liefde met alle passie die hij in zich heeft. Daar doe ik het voor. Ik geef hem te eten zodat hij de energie heeft om me met alles wat hij in zich heeft te beminnen. We drinken koffie met een stapel zelfgebakken pancakes, *clotted cream* en frambozenjam en bedrijven de liefde, tot hij weer honger krijgt, zijn harige borst in mijn gezicht wrijft en gromt of er nog wat te eten in huis is. We omringen het bed met eten, kaarsen en mijn beste flessen wijn en vieren het leven met alles wat we in ons hebben. Ik kook voor hem in sexy lingerie met een schort voor. Er is geen plek in huis waar we het zo vaak gedaan hebben als in de keuken, want het windt hem op me te zien koken. Terwijl ik in een pannetje sta te roeren gaat hij achter me staan, penetreert me en brengt me boven de dampende pan tot een hoogtepunt. Daarna gaan we eten. Steak béarnaise. Kort gebakken en bloederig. Ik eet heel weinig vlees maar voor hem gooi ik alles overboord. Ik verlies mezelf. Ik word wie hij wil dat ik ben. Zolang hij me maar aanbidt. En dat doet hij. Met net zoveel overgave als waarmee hij mijn koelkast leeg eet. Hij heeft zijn ticket weleens verzet omdat ik hem beloofde de volgende dag tiramisu te maken, met veel drank en veel mascarpone, lekker vet, niet zoals het hoort maar precies zoals hij het lekker vindt. Tiramisu voorafgegaan door een ossenhaas met een balsamicoroomsaus en gebakken polenta. Daar wilde hij zijn ticket wel voor verzetten.

Desirée zet haar handen naast zich op het aanrecht en tilt zich langzaam erop. Haar billen duwen tegen de doos met etenswaren.

'Blijft hij maar twee dagen?' Ik hoor hoe ze 'twee' met een vleugje minachting benadrukt. Tjsak, in de roos, precies waar het pijn doet. De vraag waar ik niet over na wil denken. Hij blijft misschien maar twee dagen, ja, drie als ik geluk heb, de hele week als het aan mij ligt.

'Ja, dus heb ik een paar dagen vrijgehouden,' antwoord ik kortaf.

'Vrijgehouden? Je bedoelt dat je geen opdrachten hebt aangenomen?'

'Nee, ik heb een rode streep in de agenda gezet waardoor jij niets hebt aangenomen.' Ik grinnik. Om de lucht te klaren. Om de serieuze toon uit het gesprek weg te laten waaien. Om haar eraan te herinneren dat we een goed gevoel voor humor delen en dat we dat vooral niet moeten kwijtraken. Desirée is streng voor me. Dat is goed want ik loop heel snel de kantjes ervan af wanneer de liefde in het spel is. Dan volg ik blindelings mijn zintuigen en instinct, wat mij doet ontaarden in een klein hedonistisch, gulzig, vraatzuchtig monstertje. Desirée is mijn rem. De rem die ik zelf niet heb. Geef me een appeltaart en ik eet geen punt maar de hele taart. Geef me een fles Drambuie en ik neem geen likeurglaasje maar zoek de bodem van de fles. Een panna cottaatje? Graag, doe er maar acht. Dat is waar ook, bijna vergeten.

Met een ruk trek ik de koelkast open. Voorzichtig betast ik een panna cotta om te kijken of ze stijf genoeg zijn. Perfect. Ik schuif het dienblad met de puddinkjes op het aanrecht en zet er twee apart. Desirée volgt mijn handelingen en kijkt schuin over haar schouder met een bedenkelijk gezicht naar de doos.

'Voor thuis,' verduidelijk ik. Ik zie hoe ze haar lippen heel even op elkaar knijpt.

'Ik heb de agenda gecheckt en die vrije dagen lukt wel. Geen probleem.'

Door de crisis is het rustig. We hebben minder opdrachten en voor de opdrachten die we krijgen wordt minder geld uitgegeven. Maar we redden het nog steeds. Desirée is de meest ambitieuze van ons twee. Of laat ik het anders zeggen, ik heb ambitie naar de kwaliteit en zij naar de kwantiteit. Zo vullen we elkaar mooi aan.

Ze knippert met haar ogen, laat haar irritatie met een lichte beving van haar schouders glijden en glimlacht: 'Oké.' Daar heb ik dus bewondering voor. Voor hoe ze met haar emoties om kan gaan. Veel beter dan ik.

Het is even stil. Ze tikt met haar pen op het mapje.

'Goh, jullie houden het wel vol, hè?' Haar stem klinkt onverwacht zacht. Vriendelijk. Meelevend. Geïnteresseerd.

'Ja,' antwoord ik terwijl ik voel hoe ik er verwoed en zo blij als een kind bij begin te knikken. 'Ja, we houden het enorm vol.'

'Heeft hij al wat gezegd?'

'Gezegd? Wat zou hij gezegd moeten hebben?'

'Ik hou van jou en blijf je trouw.'

Tsjak, daar is er weer een. Ze is op dreef vandaag.

'Wat is dat?' Ze duwt de linkermouw van mijn buis een stukje omhoog waardoor er een klein zwart hartje op mijn pols te zien is.

'Dat, mijn beste Desirée, is nou een tatoeage.'

'Ja, dat zie ik ook wel. Maar sinds wanneer heb jij een tatoeage?'

'Sinds een paar dagen. Heb ik als verrassing voor Damien laten zetten. Hij heeft er ook een.'

'Heeft hij hem ook voor jou laten zetten?'

'Nee, hij had hem al. Ik vond het leuk om dezelfde te hebben.'

'Hij heeft er een dus jij neemt er ook een. Als hij in het water springt, spring jij dan ook in het water?'

'Je klinkt als mijn vader.'

'En voor wie heeft hij hem laten zetten?'

'Gewoon voor zichzelf, denk ik.'

'Omdat hij zoveel van zichzelf houdt.'

'Wat bedoel je daar nou weer mee?'

'Niks. Ik denk alleen dat jij graag zou willen dat hij echt voor je kiest.' Ze streelt even over het zwarte hartje dat nog een beetje gevoelig is en roodomrand.

'Misschien moet je hem een ultimatum stellen. Mannen zijn net kinderen, ze hebben grenzen nodig.'

'Een ultimatum? Wat voor ultimatum? Wat een onzin. Ik ben gelukkig met deze man. Heel gelukkig. Deze man houdt van mij.'

'Ja, wanneer gaat hij weer weg?'

Tsjak, dat is nummer drie. En die was goed raak.

Driftig begin ik aan de doos te sjorren.

'Opzouten nou. Hup, met je billen voor die doos weg, ik ga naar huis. Alles is klaar, ik ben weg. Met de groeten.'

'Wat is er nou? Wat heb ik gezegd? Ik wil niet dat je gekwetst wordt, dat is het enige.'

'Kan wel zijn. Maar jij kwetst mij. Wat weet jij van ons? Wat weet jij van mij? Je vraagt nooit ergens naar, niet echt, je vult alleen maar in. Als je me al iets vraagt, breek je halverwege mijn zin af om de rest in te vullen à la *the world according to Desirée*. En weet je, jouw wereld is een andere dan de mijne. Heel gek. Ik ben bij deze man omdat ik hem liefheb en omdat hij mij liefheeft. Niet omdat ik iemand nodig heb die de hypotheek betaalt.'

'Au.'

'Sorry, dat had ik niet moeten zeggen.'

'Geeft niks, je maakt me uit voor hoer, maar dat geeft niks.'

'Sorry, het spijt me. Maar waarom kun je niet gewoon blij zijn voor me?'

'Ik ben blij voor je maar ik zie je opleven als hij er is en je bent een dood vogeltje als hij weg is.'

'Dat is dan mijn manier om gelukkig te zijn. Ik ben gulzig, gulzig als het om emoties gaat, als het om eten, drank, seks of de liefde gaat. Ik heb een grenzeloze behoefte aan alles wat mij gelukkig maakt. Als ik ooit tot schoonheidskoningin gekozen zou worden dan zou mijn voorstelronde als volgt klinken: ik ben Eva van Maaseik en ik heb een grenzeloze behoefte aan liefde. Alles is liefde of het verlangen naar liefde. Ik heb een grenzeloos verlangen verlangd te worden. Het verlangen verlangd te worden. Is dat niet waar iedereen naar zoekt?'

Met de doos in mijn armen gekneld been ik de keuken uit. In de deuropening draai ik me nog even om en roep: 'Dat is waar iedereen naar zoekt, ik heb het gevonden en ik laat het me door niemand meer afpakken.' Ik laat de deur met een klap achter me dichtvallen.

5

DAMIEN

We hebben elkaar leren kennen op een feestje waar uitstekende garnalenkroketten rondgingen en hij zich verveelde. Ik rook hem eerder dan dat ik hem zag. Zijn geur deed me naar hem opkijken en ik zag een dier, een gracieus sterk mannetjesdier. Zwarte krullen over de boord van zijn overhemd. Zijn linkerarm rustte op de bar. Een slanke, gespierde onderarm, licht gebruind met zachte zwarte haartjes. Hij keek me aan en glimlachte. Schitterende groene ogen. Zijn ogen straalden warmte uit. Ze leken verbonden met zijn hart waardoor hij met liefde de wereld in keek. Ik keek hem aan en de enige gedachte die door mijn hoofd klapwiekte was: liefde. Hij was echt. Zijn buik raakte de mijne, ik voelde zijn lichaamswarmte door het katoen van zijn overhemd heen. De mouwen van zijn witte overhemd opgerold (tot vlak onder de elleboog), de bovenste twee knoopjes van zijn overhemd open, het rode vlinderstrikje van zijn smoking had hij losgetrokken en hing om zijn hals. Zijn haar in de war, zweetdruppeltjes op zijn bovenlip. 'Mag ik je arm aaien?' vroeg ik. Dat was het enige wat ik wilde. Zonder verbaasd te zijn over deze vraag antwoordde hij: 'Dat mag.' Misschien werd hij ontwapend door de oprechtheid van mijn vraag. Het was geen geflirt, ik voelde een oprecht verlangen hem te aaien, meer niet. Zoals ik geen enkel dier voorbij kan lopen zonder het te aaien, zo kon ik ook Damien niet achterlaten zonder even de haartjes op zijn arm te hebben geaaid. Het was niet berekenend, niet iets waar ik over na had gedacht, ik volgde – aangewakkerd door zijn geur – voor een kort moment mijn instinct. Ik aaide zijn arm, met de vleug mee. Ik wist niets en door zijn geur op te snuiven en zijn arm te aaien wist ik alles. Ik dacht: dit is hem, hier ben ik naar op zoek, dit is wat ik wil voelen voor iemand.

Hij keek me aan, boog zich voorover en fluisterde in mijn oor: 'Zou je de nacht met me door willen brengen?' Verbouwereerd, verbaasd over de afwezigheid van mijn gebruikelijke schuchterheid voelde ik: het is natuurlijk, het is goed, het is organisch, het gaat zoals het moet gaan, ik geef me over aan de gebeurtenissen, aan alles wat komen gaat, ik heb vertrouwen, ik probeer het niet te begrijpen, ik volg mijn gevoel omdat het me het enige juiste lijkt, een innerlijk weten dat opborrelt, een zachte stem, verrassend weinig andere stemmen die zich ermee bemoeien, het is stil in mij. En ik zei: 'Ja'.

Hij had een figuur uit vroeger tijden kunnen zijn, uit de tijd van de legende van Koning Arthur, Sir Lancelot of Gawain. Hij heeft Russisch bloed, en is opgevoed met boerenkool met worst. Zijn familiegeschiedenis was vergeven van de schietpartijen, verspilde erfenissen, landhuizen en antieke spullen waarover werd geruzied, alcoholisme en destructie, incest, hebzucht, oplichterijen en helden- daden. Zijn vader was een notoire alcoholist en een klaploper. Zijn voorvaderen aan moeders kant hadden in de Tweede Wereldoorlog meegevochten.

Hij gedroeg zich als een vrolijke deugniet maar diep van binnen was hij dodelijk ernstig. Hij was de zanger van een hardrockband en had het zelfvertrouwen van een man die te veel vrouwen in zijn bed heeft gehad.

Hij keek dwars door me heen, sloeg me over zijn schouder en liep met me weg. Pakte me bij mijn haren en sleepte me zijn grot in waar hij me nam tot ik de zijne was en ik niets anders meer kon dan zijn naam prevelen en smeken om meer.

Hij nam me mee op zijn Ducati en reed naar het dichtstbijzijnde ho- tel. We zeiden geen woord tegen elkaar. Hij vroeg om de bruidssuite en duwde me de lift in waar hij me zoende. Ik snakte naar adem. In de suite duwde hij me zachtjes achterover op bed. We werden tot elkaar aangetrokken als twee hittezoekende raketten. Mijn lichaam wilde zijn lichaam en het denken was gestopt. Zijn hand schoof on- der mijn jurk en hij schoof mijn slipje opzij. Ik was kletsnat. Zon- der te weten hoe hij heette of wie hij was. Hij rook naar alcohol en sigaretten. De lichamelijke aantrekkingskracht was sterk. Het was alsof onze lichamen elkaar kenden en ze vonden moeiteloos hun weg. We waren het beest met de twee ruggen, gingen in elkaar op, we hoefden niet te wennen, niets uit te leggen. Alles ging organisch. Alles ging vanzelf. We neukten tot het pijn deed.

Hij maakte foto's van onze eerste nacht, van onze eerste vrijpartij. 'We moeten nu al beginnen met het bewaren van herinneringen.'

De volgende morgen, nog voor ik mijn ogen open had gedaan, nog voor ik me gewaar was van zijn aanwezigheid was hij al in me. Alsof hij de hele nacht had liggen wachten tot ik wakker zou worden. Ik kromde mijn rug, ik was zacht en warm, zijn lul was hard en hij neukte me tot we tegelijk schreeuwend klaarkwamen. Hij liet roomservice komen en liet zijn lul op zijn dij uitrusten. Rood en ontveld. Hij inspecteerde hem. Tijd voor een pauze, zei hij en gaf me een zoen met lippen die smaakten naar jam en boter. Hij duwde zijn tong in mijn mond, koffie, en zoog even aan mijn bovenlip.

In de badkamer zong hij – verrassend goed – *Strangers in the Night*.

'Wat wil je?' vroeg hij.

'Ik wil een prachtig leven met je,' zei ik bedwelmd door de liefdesroes, waardoor mijn gebruikelijke angst mijn geliefde te verliezen werd verdoofd.

'Alleen echte liefde. Alleen voor echte liefde blijf ik,' zei hij.

Ik streelde zijn gezicht en kuste zijn wenkbrauwen.

'Leef met mij. Wil je met mij leven? Met hoe ik ben?'

En ik zei ja.

'Ik ben een simpele man. Ik hou van Bach, camembert, *Top Gear* en van heel erg verliefd zijn en dat is al een tijdlang niet gebeurd. En mijn werk betekent alles voor me, ik ben bang dat als ik ermee stop, ik nooit meer iets zal doen. Het houdt me in leven, het houdt me levend.'

En ik zei ja.

Na drie dagen met Damien wist ik dat ik nooit eerder echt verliefd was geweest. De rest was een poging tot liefde geweest, tijdverdrijf, een middel ter verhoging van de sociale status, illusies, flirterijen, schuilen voor de harde werkelijkheid, pleisters op de wonden, medicijn tegen de eenzaamheid, veiligheid, opluchting, comfortabel gezelschap en angst. In deze wereld worden we beheerst door angst, en deze angst is zo alom vertegenwoordigd en we zijn er zo van doordrongen, dat we het als normaal ervaren. De angst om te verliezen, alleen te zijn, oud te worden, alleen oud te worden, dood te gaan, alleen dood te gaan. Door die angst vergeten we te leven.

De kracht waarmee Damien me liefhad deed me alle controle verliezen. Andere mannen beminden mijn lichaam, Damien beminde mij. Na mijn eerste nacht met hem, toen we voor het eerst lepeltje lepeltje naast elkaar in slaap vielen dacht ik: dit is de reden dat ik hier op deze planeet ben, op dit tijdstip, om jou te beminnen. Mijn hele leven was in één klap de moeite waard omdat het me naar dit punt had gebracht. Al die jaren was ik op weg naar jou.

Ik ben verliefd. Mijn huid straalt. Op straat huppel en zing ik. Vreemden lachen naar me, honden lopen achter me aan. Mijn hele leven heb ik het gevoel gehad dat ieder mens hopeloos en ongeneeslijk alleen is, maar dat gevoel ontbreekt als ik bij hem ben. Bij Damien voel ik hoe de muren van isolement die mijn zelf afbakenen worden afgebroken. Voor het eerst van mijn leven voel ik me niet alleen. Deze verlossing uit het isolement voelt als een religieuze verlichting. Egoloos. Deze verliefdheid is misschien zo extreem omdat het een bevrijding is van de liefdeloze benauwenis die als normaal wordt beschouwd. We zien de ander als een god die aanbeden moet worden. En Damien is mijn god en ik ben zijn godin. Hij is mijn koning. Ik ben zijn koningin. Hij is mijn man, mijn minnaar, mijn god en mijn duivel. Hij wekt me tot leven en hij zal mijn dood zijn. Ik aanbid hem en hij aanbidt mij. Wanneer we samen zijn, leven we in opperste verrukking, in ananda, het gelukzaligheidsbewustzijn. We leven in *la-la-land*.

Ik wacht tot hij op de stoep staat, altijd in het zwart met puntige laarzen, een tikje dronken, met een scheve glimlach. Als hij er is ben ik zo blij dat ik vergeet dat hij weer weg zal gaan. We eten, drinken, vrijen en doen af en toe een tukje. Alles wat een mens wil als hij nog maar één dag te leven heeft. Daar is het leven voor bestemd, om dat zo vaak mogelijk te doen, daar vraagt het dier in ons om. Maar dan neemt de mens het weer over. De mens die zichzelf tot taak heeft gesteld iets te bereiken in het leven: opdrachten moeten worden vervuld, geld verdiend, de economie in stand gehouden, het ego opgeblazen, er moet op de borst getrommeld worden. En dan gaat hij weer. Het dier en de jager. Ik hou van hem. Wat ik voel is niet voor rede vatbaar. Er is geen man ter wereld die ik zo begeer. Ik ga dood van verlangen als hij er niet is. Hij is de enige man die mijn lichaam tot rust kan brengen, die mijn wellust kan sussen. Ik denk voortdurend aan hem. Zijn lijf, zijn lul, zijn diepgroene ogen, zijn scheve glimlach. Zijn prachtige kuiten, zijn warme dijen, zijn zachte buik met een randje spek, zijn behaarde borst, zijn gevoelige tepels die hem doen sidderen als ik ze lik, zijn oksels waarin ik mijn gezicht begraaf om zijn geur op te snuiven, zijn billen, de woeste bos zwarte krullen op zijn hoofd, zijn zware baardgroei, waardoor ik na elke nacht met hem geschaafde lippen en rode wangen heb van het zoenen en schuren tegen zijn wangen. Hij is eerste man die me seksueel bevredigt door me lief te hebben. Het gaat verder dan geile seks, het is liefhebben, de liefde bedrijven zonder angst, zonder stress, zonder verwachting, zonder hoop, frustratieloos. Vrij van 'wat heb jij dat ik kan gebruiken?' Vrij van manipulatie, vrij van verborgen agenda's, vrij van fantasieën. Dat is de beste seks.

Hij laat zich niets vertellen. Hij gaat recht op zijn doel af en laat zich niet van de wijs brengen door mijn schijnbewegingen, trekt zich niets aan van mijn tegengesputter. Hij trekt zich niets aan van mijn ongeloof, mijn twijfel, mijn angst hem te verliezen. Hij smoort alles met liefde. Hij weigert aan de toekomst te denken. 'Niet denken, niets denken, alleen dit telt. Alleen dat wat we nu hebben. Meer is er niet,' fluistert hij in mijn oor, waarna hij me penetreert en mijn heupen naar een extatisch hoogtepunt wiegt. De orgasmen van de geest hebben een eigen karakter. De wereld verdwijnt. Ik huil zilte tranen van dankbaarheid, ik ben gelukkiger dan ik wist dat ik kon zijn. Is hij een gek? Een loser? Een neuroot? Alleen een gek kan zich zo uitleven. Zo grenzeloos zijn. Zich zo verliezen. Hij maakt de pure, dierlijke waanzin in me wakker. En het is het heerlijkste wat ik ooit heb gevoeld.

EGGS BENEDICT

VOOR 2 PERSONEN

4 PLAKKEN BACON OF HAM (+ KLONTJE BOTER)
4 HÉÉL VERSE EITJES & SCHEUT AZIJN
2 ENGLISH MUFFINS (OF BESCHUITBOLLEN)
4 SPRIETEN BIESLOOK, GEHAKT

→ BAK DE BACON OF HAM KNAPPERIG IN DE BOTER
→ BRENG EEN PAN WATER AAN DE KOOK, VOEG EEN
  SCHEUT AZIJN TOE EN HOU HET WATER TEGEN DE KOOK
  AAN. BREEK DE EITJES 1 VOOR 1 BOVEN EEN ZEEFJE,
  LAAT HET EVEN UITLEKKEN EN LAAT ZE OOK 1 VOOR 1
  IN HET WATER GLIJDEN.
→ POCHEER ZE ± 3 MINUTEN.
→ TOAST DE GEHALVEERDE BROODJES, BELEG ZE MET
  DE BACON. LEG DE GEPOCHEERDE EIEREN ER OP
  EN OVERGIET ZE ROYAAL MET WARME
  HOLLANDAISE SAUS. BESTROOI ZE MET WAT BIESLOOK
  EN EET GELIJK OP → OCH WAT LEKKER!

6

SO HAPPY TOGETHER

'Je linkeroog is donkerder dan je rechteroog.' Ik lig op hem en bestudeer zijn irissen.

'Dat is de liefde,' antwoordt hij. 'In mijn jongensjaren heb ik een klap op mijn ogen gehad waardoor mijn oog gevoelig is geworden voor liefde. Als ik gelukkig ben kleurt hij diepgroen en als ik ongelukkig ben wordt hij flets. Ik heb een "mood"-oog. Mijn oog reageert op mijn gemoedstoestand.'

Er schitteren pretlichtjes in zijn ogen.

'Je lult.'

'Nee, ik ben serieus. Ik heb alleen nooit een klap op mijn oog gehad, dat verhaal heb ik van David Bowie gepikt. Doet het goed bij de meisjes.' Hij grijnst. 'Een mens moet de werkelijkheid hier en daar wat mooier maken anders ga je kopje-onder in de stille wanhoop van het bestaan waar de meesten van ons in leven.'

'Dit is mijn manier om niet kopje-onder te gaan. Ogen dicht en mond open.'

Damien sluit zijn ogen en doet zijn mond open.

Ik duw een bouchee, een verdacht-veel-op-een-gebakje-lijkende bonbon, tussen zijn lippen.

'Langzaam laten smelten. Wat proef je?'

'Kaneel. Kan dat?' mompelt hij met volle mond.

'Ja. En verder?'

'Geen idee. Ik proef alleen maar lekker, heel veel lekker. Wat zit er nog meer in?'

'Hazelnoten. Een verrukkelijke mengeling van melkchocolade en hazelnotenpasta, ook wel gianduja genoemd.'

'Dat vind ik een veel te moeilijk woord voor een chocolaatje.'

'Dit is geen chocolaatje, dit is een kwalitatief hoogstaande bonbon, met zorg en met de hand gemaakt. Op dit moment ben je een kostbaar kleinood tussen je kiezen aan het vermalen.'

Damien is, net als ik, gek op chocolade, iets wat hij gemeen heeft met de Italiaanse libertijn Giacomo Casanova, die chocolade dronk voor hij het bed deelde met zijn veroveringen. Chocolade werd in die tijd als afrodisiacum beschouwd. Net als andere smakelijke zoetwaren zorgt het eten van chocolade voor de aanmaak van endorfinen, de lichaamseigen pijnstillers. Vandaar dat ik hem als een vrouwelijke Casanova chocolade voer waarmee ik hem tot rust maan en zijn aangeboren Russische melancholie en treurigheid in slaap sus, in de hoop dat hij als een grote zwarte kater uit mijn nest opstaat, een hoge rug opzet om zich uit te rekken, drie keer ronddraait in het warme kuiltje waar hij heeft gelegen, gaapt, zich precies zo neerlegt als hij lag, een zucht slaakt en spinnend zijn ogen weer sluit. Ik hou zelfgemaakte Italiaanse worstjes, op smaak gebracht met knoflook, nootmuskaat, kaneel en koriander voor zijn neus waardoor ik zijn koers bepaal en hij zich buiten zinnen van genot aan mij overgeeft en bij me blijft. Damien blijft bij me en dompelt zich onder in verliefdheid maar zodra het gewone leven zijn intrede doet is hij vertrokken. Hij heeft geen vast adres. Een e-mailadres en een voicemail die meestal uit staat. Hij is betrouwbaar in zijn onbetrouwbaarheid. En als ik daarover mopper dan lacht hij en zegt dat hij me nooit iets anders beloofd heeft dan dat. Dat ik hem moet nemen zoals hij is, ongebonden, om me twee dagen later in de vroege ochtend wakker te maken en me met de tranen biggelend over zijn wangen ten huwelijk te vragen. Wanneer ik 'ja' gestameld heb, stapt hij verkwikt onder de douche, kust me op de wang, en zegt: 'Ik moet ervandoor, ik bel je morgen,' en laat twee weken niets van zich horen.

Hij legt zijn hand in mijn hals en glijdt met zijn duim over mijn lippen.

'Je bent ontzettend mooi.' Hij kijkt me doordringend aan. 'Je bent mijn heldin.'

'Ik ben allesbehalve een held,' sputter ik tegen. 'Een held is iemand die zijn angsten heeft overwonnen. Ik ben altijd bang. Ik laat het alleen niet altijd merken.'

'Je wordt geen held door de aan- of afwezigheid van angst, het gaat erom dat je doorgaat ondanks je angst. Daarom ben je mijn heldin. En verder ken ik geen vrouw die tijdens het dweilen van de keukenvloer de ouverture van *Tommy* meetoetert en foutloos doorgaat wanneer ik het geluid wegdraai. Of onder het vrijen van puur plezier de begintune van *The Thunderbirds* begint te neuriën. Je bent geweldig, zul je dat goed onthouden?' Plotseling pakt hij me beet en klemt me vast in zijn armen. Hij prevelt: 'Lieveling, lieveling, lieveling,' terwijl zijn grote, tedere handen zich om mijn billen sluiten en langs mijn rug omhoog schuiven. Hij drukt me tegen zich aan alsof hij mijn lichaam in het zijne wil drukken. Hij steekt een vinger in mijn kut, duwt hem tot helemaal achterin waar hij het lekkerste plekje vindt, streelt me daar deskundig terwijl zijn tong op mijn clit trilt en bezorgt me een kloppend orgasme. Hij gooit mijn benen over zijn schouders, klemt mijn enkels achter zijn oren en begint me met uitzinnige geestdrift en vastbeslotenheid te neuken. Ik snak naar adem.

'Wij passen in elkaar,' gromt hij.

'Je hebt zo'n fantastisch lichaam,' zegt hij, 'je ontspant je volledig.' Hij begint me langzaam in diverse houdingen te neuken. Hij houdt op, begint weer te bewegen, houdt op, beweegt opnieuw – tot ik klaarkom, een meervoudig orgasme waarvan mijn lichaam schokt, volledig van hem vervuld. Hij lacht elke keer als ik klaarkom. 'Je komt als een kalasjnikov,' fluistert hij hees en begint hard in me te stoten, zijn bekken en dijen schokken en hij komt als een gek klaar terwijl hij 'baby, baby, baby', schreeuwt en uitgeput op me neervalt.

Door Damien ben ik van mijn lichaam gaan houden. Hij houdt van mijn rode haar, mijn witte huid, het rode lint van mijn schaamhaar dat volgens hem lijkt op de staart van een eekhoorntje. Hij geniet van elke vierkante centimeter. Hij houdt van mijn spek en hij houdt van mijn vlees. Hij houdt van mij.

We blijven een tijdje in elkaars armen liggen, zwijgend, verbaasd door de intensiteit van onze vrijpartij. 'Ik wil je in mijn armen houden,' zegt hij. Hij legt zijn arm om me heen en ik nestel me in de holte terwijl hij zachtjes over mijn hoofd streelt. Ik geniet van zijn geur, de zachtheid van zijn huid, ik kus de moedervlekjes op zijn wang naast het kleine litteken.

Ik voel een druk op mijn borst, alsof mijn hart is opgevuld en tegen mijn borstkas duwt. Ik slaak een diepe zucht.

'Ik aanbid je,' zeg ik, wrijf mijn gezicht in zijn oksel en kijk hem aan. 'Ik ben zo gelukkig.'

'Niet bewegen. Ik wil dit moment bewaren.' Hij glijdt van het bed en knielt op de grond, houdt zijn camera voor zijn gezicht. Hij maakt een foto.

Hij maakt elke dag een andere foto van me. Ze hangen in de slaapkamer boven het bed, kriskras verdeeld over de muur, vastgepind met rode punaises. Wanneer ik me verstop onder het laken en net over het randje kijk, wanneer ik lig te slapen, wanneer ik sta te douchen en met een badborstel de huid van mijn billen aaibaar boen en ik verschrikt opkijk van het flitslicht, waarna hij er meteen nog een maakt. Er hangen foto's bij waar we allebei op staan, uit de hand gemaakt, waarbij hij met zijn ene hand de camera voor zich houdt terwijl hij zijn andere hand beschermend om mijn hoofd legt en zijn gezicht in mijn haar verbergt en ik, met een volle mond en uitgelopen mascara schaapachtig in de camera lach. We verzamelen herinneringen. Het zijn de mooie herinneringen, de momenten dat je met het nu versmelt en werkelijk gelukkig bent. Daar gaat Damien voor. Hij leeft in het nu, intens en volledig.

'Ik wil bij de mooie dingen die gebeuren horen. Het is een voortdurende behoefte om uitverkoren te zijn en dat raak je nooit kwijt,' vertelde hij me in het begin van onze relatie, al is dat een woord dat ik niet mag gebruiken van hem.

'Wij hebben een liefde,' zegt hij waarbij hij het woord 'liefde' met een ernstig gezicht benadrukt. De liefde is niet iets waar hij lichtzinnig over doet. Volgens Damien is een relatie iets anders. Een relatie gaat over het vervullen van elkaars behoeften, over gehechtheid en zelden over echte liefde. Het is een samenwerkingsverband gebaseerd op 'wat heb jij dat ik kan gebruiken'. Volgens Damien is het huwelijk ontstaan in de middeleeuwen om monogamie te stimuleren en daarmee het verspreiden van geslachtsziekten te voorkomen, waarbij de Kerk met hel en verdoemenis dreigde wanneer de huwelijkseer werd geschonden. Het huwelijk had dus geen romantische achtergrond, de oorsprong van het huwelijk is angst. Verder is het vooral een economische en soms zelfs politieke transactie. Het huwelijk gaat niet in de eerste plaats om wederzijdse liefde, vrije keuze en persoonlijke voldoening, maar volgens Damien meer om de vraag: kan ik trouwen met iemand waardoor mijn maatschappelijke of financiële status wordt verhoogd? Het is een levensvorm die het economisch gemakkelijker maakt om te overleven, wat volgens hem niets met liefde te maken heeft. Volgens hem houden de meeste mensen niet van een ander maar alleen van dat wat de ander voor hen doet. Het ware doel is zelfloosheid in de liefde.

Ik snap er niet veel van maar ik hang aan zijn lippen.

De voortdurende behoefte om uitverkoren te zijn is wat we in elkaar herkennen en die behoefte uit zich bij mij voornamelijk in Damien verwennen tot hij er dood bij neervalt. De slaapkamer wordt verlicht door waxinelichtjes in kleurige glazen houdertjes, er brandt Nag Champa-wierook (de enige wierook die hij lekker vindt) en het bed wordt omringd door lege borden en schalen. We hebben in bed gegeten. We zijn begonnen met oesters, Franse creuses, die vind ik het allerlekkerst. Ik heb ze hem open laten maken met een maliënkolderhandschoen, waarmee hij me plagend over mijn tepels streelde. Een lege fles Bollinger-champagne leunt ondersteboven in de koeler. Er ligt altijd een fles in de koelkast samen met een fles Stolichnaya. Volgens het Russische merk wordt er wintertarwe en puur gletsjerwater gebruikt om de wodka te maken. Mix de champagne met de ijs- en ijskoude wodka en je krijgt een Stolly-Bolly, de lievelingscocktail van Damien, die hij bij voorkeur drinkt tijdens het vrijen. Hij spuit mijn kut ermee vol om me daarna te likken tot ik schokkend en champagnespuitend klaarkom en hij me leegdrinkt. Dan likt hij zijn lippen af en mompelt met glanzende, diepgroene ogen dat dit het lekkerste is wat hij ooit heeft geproefd. Ik ben verslaafd aan de gulzigheid waarmee hij de liefde bedrijft, dezelfde gulzigheid als waarmee hij mijn eten verorbert. Ik heb Maiale al Latte – varkensvlees in melk – gekookt, een traditioneel Italiaans gerecht. Ik kook voornamelijk uit de Italiaanse boerenkeuken, ongecompliceerd en hoog op smaak. Mijn citroentaart heeft meer citroen dan eieren, mijn chocoladetaart bevat geen meel en alleen de beste bittere chocolade die er te krijgen is, Valrhona of Amano. Rijpe, wilde perziken leg ik even onder de grill en laat ik marineren in amaretto. Ik maak Monte Bianco, een machtige smurrie van room en kastanjepuree, met chocolade en een flinke klodder slagroom gegarneerd, het is zoiets waarvan mensen zeggen 'wel erg machtig' voordat ze zich van een derde portie bedienen.

Ik maak Maiale al Latte voor hem omdat het hem doet denken aan de paar jaar dat hij als kind op het Russische platteland heeft gewoond; speenvarken is een Russische delicatesse tijdens feestmaaltijden. Voor de Maiale braad ik een mooi stuk van de varkenslende aan en dompel die onder in hete melk. Ik maak de boel iets romiger door er een fikse scheut room bij te doen, veel verse salie (ik ben dol op salie) veel boter, veel knoflook en wat stukjes citroenschil. Dan anderhalf uur laten sudderen en de verleiding weerstaan om er tussentijds in te prikken of van te proeven. Het vlees moet rusten en op een laag pitje sudderen. En ik maak het alleen met Baambrugs big, een culinaire delicatesse. Het Baambrugs big heeft een goed, ontspannen leven, in de open lucht in ruime hokken op stro en krijgt plantaardige voeding in normale hoeveelheden. De biggen groeien in normaal tempo en hebben daarom niet het formaat van het batterijvarken. Ik vind dat varkensvlees van het allerbeste varken moet komen en niet van zo'n stuk treurigheid dat in een van die godvergeten strafinrichtingen voor varkens heeft moeten verkommeren. Ik ben een veelvraat, maar vlees van de bio-industrie weiger ik te bereiden. De bio-industrie is een van de ergste vormen van dierenleed in onze hedendaagse maatschappij. De massaproductie waar ze woestijnen vol met koeien voor nodig hebben. De gespecialiseerde manier om zo snel en zo handig mogelijk een beest in die toestand te krijgen dat wij hem op kunnen eten. Het is een weerzinwekkende industrie. Elk jaar leven en sterven er miljoenen dieren in erbarmelijke omstandigheden. De dieren worden ten volle uitgebuit om maar zo veel mogelijk winst te kunnen maken, tegen zo laag mogelijke kosten. Bovendien gaat het in ernstige mate ten koste van de kwaliteit, wat weer slecht is voor de volksgezondheid. Het is een van de meest vervuilende industrieën in de breedste zin van het woord en bovenal mens- en dieronterend. Maar dat is mijn bescheiden mening. Ik bereid uit principe alleen het beste van het beste en ik bedoel hiermee niet dat je meer geld zou moeten uitgeven dan je je kunt veroorloven, maar juist met vlees is het beter om zo nu en dan het allerbeste vlees te kopen, dan dikwijls goedkope producten met een twijfelachtige reputatie.

Dus voor mij Baambrugs big en anders droog brood. Ik heb er geroosterde paprika's, courgette en venkel bij geserveerd waar ik wat ansjovis en kappertjes doorheen heb gegooid om het een beetje bite te geven. Het toetje heb ik van de zaak meegenomen, een verrukkelijke panna cotta met karamelsaus. Het geheel wordt afgesloten met koffie en bonbons. Voldaan liggen we uit te buiken.

'Wist jij dat er een recept is van gekookte kreeft met chocolade?' fluister ik in zijn oor terwijl ik nog een bonbon in zijn mond prop.

'Je wordt mijn dood nog eens,' bromt Damien. 'Angst voor de dood doet de man op de vlucht slaan, dat weet je toch?'

'Daarom ben ik je aan het vetmesten, heb je dan nog niet door dat het mijn bedoeling is je cholesterolgehalte tot een angstaanjagend niveau te brengen, zodat je niet kunt wegrennen?'

'Zonder gekheid, zich binden aan een vrouw heeft onafwendbaar de dood tot gevolg, het onder ogen zien van de eindigheid van de liefde en het leven op welke manier dan ook. En de dood is daar zodra de verbintenis is omarmd.'

'Doe toch niet zo moeilijk, man, geniet nou gewoon es een keer zonder overal de diepere betekenis bij te zoeken. Waar komt dat toch vandaan?'

'Geen idee. Rrroessischj bloed.'

'Dat zal het zijn.'

'*Rrroessischj blood all over your body.*' Hij rolt onder me vandaan en bijt in mijn buik.

'*This is as good as it gets*, zo beter?'

'Veel beter.'

'Jij bent geweldig. Wij zijn geweldig. Zo beter?'

'Nog beter. Nog een?' Ik hou een dadel-zoethout bonbon omhoog.

'Nee, ik heb genoeg.'

'Genoeg? Wat zeg je me nou? Heb jij ergens genoeg van? Niet te geloven. Dat heb ik je nog nooit horen zeggen.'

'Luister godin, er is heel veel waar ik genoeg van heb. Ik heb genoeg van de honger in de wereld, van alle oorlogen die worden gevoerd, van de bloeddorst van de mens, van het plunderen en leeg vreten van de aarde door de mens. Gelukkig zijn is mijn verzet tegen de ellende in de wereld. Mijn spandoek. Door het leven te vieren hoop ik anderen te inspireren hetzelfde te doen.'

'Je inspireert mij in elk geval.'

Ik streel zijn wang.

Hij houdt mijn gezicht vast en zegt: '*I love this face.*' Wanneer het persoonlijk wordt gaat hij over in de Engelse taal. Alsof hij zijn woorden zachter wil maken, omfloerst, er vitrage voor wil hangen. Onze taal van de liefde is de Engelse taal. Pornografische teksten klinken als goede hardrock. '*Fuck your little brains out*' heeft een andere lading dan 'je kleine hersens eruit neuken'. Het eerste heeft humor, het tweede is alleen maar grof en plat.

'*This is as good as it gets*,' zegt hij zacht. 'Je bent de perfecte minnares.'

Zijn ogen worden vochtig.

In verlegenheid gebracht, verander ik van onderwerp.

'Vertel me het belangrijkste over jezelf.'

Hij denkt even na.

'Ik heb ooit mijn hond moeten doodschieten.'

'Wat vreselijk.'

'Nee, dat was het niet. Het was een daad van liefde. Op het Russische platteland, waar ik een paar jaar bij mijn grootouders heb gewoond om kennis te maken met de Russische cultuur omdat mijn ouders dat een goed idee vonden, is het niet de gewoonte om een dierenarts te roepen als een dier afgemaakt moet worden, simpelweg omdat die er nauwelijks zijn. Een dierenarts roep je alleen als een dier gered kan worden anders is het verspilling van geld en energie. Dus dat moet je zelf doen en het wordt gezien als een grote daad van liefde, de grootste daad van barmhartigheid als je dat kunt opbrengen. Dus dat heb ik gedaan. Ik hield zielsveel van dat dier. Ik heb hem mee uit wandelen genomen, hij kon nog maar nauwelijks lopen, hij was oud en had kanker en terwijl hij nietsvermoedend voor me uit waggelde heb ik mijn geweer aangelegd en heb hem met één raak schot neergelegd.'

'*They shoot horses, don't they?*'

'Ja, precies, dat is het. Ik heb er zoveel verdriet van gehad dat ik denk dat ik een soort van *near death experience* heb gehad, *the darkest hour, your suicidal hour, the darkest hour is always just before the dawn*. Dat je zo diep in je verdriet en wanhoop gaat, dat je kennismaakt met je eigen existentiële eenzaamheid. Geen pretje, maar dan schijn je de angst voor de dood voorbij te zijn. Je hoort wel dat mensen dan geen last meer hebben van irreële angsten. Het is sterven om te leven. Alleen de angst sterft.'

'Je praat erover alsof je weet wat dat is.'

Hij streelt met zijn hand over mijn gezicht en sluit mijn ogen.

'Dag godin. Slaap lekker.'

We vallen in elkaars armen in slaap, moeiteloos in elkaar verstrengeld, volkomen verzadigd, volkomen vredig.

7

ZUURKOOL MET EEN MEEGEGAARD FAZANTJE

Meneer Van der Weijden staat in de keuken en schenkt een glas witte wijn in. Het is elf uur 's ochtends. 'U ook een glas?' vraagt hij. Hij ziet er smetteloos uit in zijn donkerblauwe, ongetwijfeld door Oger-*himself* aangemeten kostuum.

'Nee, dank u, ik wacht even,' zeg ik. Ik heb een knellend petje van gisteravond, denk ik erachteraan. Een fenomeen wat meneer Van der Weijden aan zijn door couperose geteisterde neus te zien ongetwijfeld kent. *A hair of the dog that bit me*, zou geen kwaad kunnen, maar laat ik het nu nog even bij koffie houden. Ook verslavend. Ook lekker. Met een klein schepje suiker. Daar knap ik van op. Van wijn ga ik maar dingen zeggen die ik beter voor me kan houden. Dingen als: 'Die couperose op de neus, komt dat van de drank of is het genetisch bepaald?' Of: 'Is uw vrouw een bitch of is dat een wonderlijk en op misverstanden gebaseerd vermoeden?'

'Kan ik iets anders voor u inschenken?'

'Met een kopje koffie zou u me erg blij maken.' Ik heb intussen het lichtblauwe espressoapparaat op het aanrecht in mijn vizier en het lonkt naar mij. Koffie, koffie, *my kingdom for a coffee.*

'Ik heb werkelijk geen flauw benul hoe dat ding werkt.'

Meneer Van der Weijden klinkt licht geaffecteerd, maar niet onaardig. Het is een bedachtzame man. En een onhandige man, want wat is er moeilijk aan een espressootje maken? Ik vind het altijd weer ongelofelijk dat er mensen zijn die spullen in huis hebben waarvan ze niet weten hoe ze werken. Zo was ik laatst aan het werk bij mensen waarvan de vrouw des huizes met hoge, schrille stem liet weten dat ze geen iiidééé had – elke klinker hield ze even aan om haar onhandigheid luister bij te zetten – hoe de kurkentrekker werkte. De kurkentrekker, jawel, de kurkentrekker. Er zijn vrouwen in deze wereld die een kurkentrekker in huis hebben waarvan ze niet weten hoe hij werkt en dit zonder enige schaamte of zweem van verontschuldigende gêne te berde brengen en dan ook nog hun prinsesjesgedrag ééénig vinden van zichzelf. Daarbij peperen ze mij – geheel onbewust natuurlijk maar toch – in dat ik tot de werkende klasse behoor die dat soort dingen weet en dat het zo heerlijk is dat ik, de werkende klasse, besta. Op die manier maken zij mij voortdurend duidelijk dat zij hun lange nagels niet vuil hoeven te maken aan zoiets als werk, en wordt onderhuids de hiërarchie van *upstairs, downstairs* duidelijk gemaakt. Het is vernederend zonder dat ze het doorhebben. Ze weten niet beter. Als je hen erop zou aanspreken, zouden ze je aankijken of ze water zien branden, maar bij nadere inspectie of wellicht een grondig psychoanalytisch onderzoek zou wel degelijk een weinig neerkijken op de werkende klasse aan het licht komen. Misschien zelfs een weinig neerkijken op andere vrouwen in het algemeen, gewoon uit voorzorg, omdat elke vrouw wordt gezien als een tegenstander, een rivale die uitgeschakeld moet worden en vernedering is de beste aanval. En vrouwen doen alles onderhuids, zo ook vernederen. Oooo, schát wat knáp van je dat je dit ding begríjpt. Toegegeven, er zijn tegenwoordig kurkentrekkers die eruitzien alsof er nanotechnologie op los is gelaten maar dat neemt niet weg dat ik vind, en ja misschien ben ik een puritein op dit gebied, dat het mijn eer te na zou zijn om in de eenentwintigste eeuw het gebruik van de in huis dienstdoende kurkentrekker niet te beheersen. Al was het maar omdat je als je alleen thuis bent een flesje wijn, of nog beter, een flesje goede oude vintage port moet kunnen opentrekken.

Ik glimlach en knik geruststellend naar meneer Van der Weijden waarmee ik duidelijk maak dat zijn onwetendheid met betrekking tot huishoudelijke apparaten hem is vergeven.

'Als u het goedvindt maak ik zelf wel even een espressootje. Het is mijn werk nietwaar, ik ben reuzehandig in de keuken.' Ik geef hem een knipoog.

'Ja, natuurlijk, gaat u gerust uw gang.'

Ik sta op en loop naar het blik Illy-koffie dat op de plank boven het aanrecht staat.

'Ik meen dat ik een gesprek met uw vrouw zou hebben, mijn partner vertelde me dat zij het diner persoonlijk met mij door wilde nemen.'

'Mijn vrouw ligt met griep in bed, ze heeft me instructies gege-ven, u zult het met mij moeten doen.'

Liever niet, brom ik in gedachten, gewoon als geintje, niet om meneer Van der Weijden uit te lachen.

Ik draai de piston in het apparaat, zet het kopje eronder en druk op de knop.

'Zou u niet met zijn tweetjes komen? Ik meen dat mijn vrouw zoiets zei.'

Aha. Er is dus helemaal niet speciaal naar mij gevraagd. Het was een subtiele poging van Desirée om mijn liefdesleven te ontwrich-ten. Het was een mooi gebaar van haar geweest om deze afspraak voor haar rekening te nemen zodat ik mijn kostbare tijd met Da-mien kon doorbrengen.

'Ik had begrepen dat er alleen naar mij was gevraagd, maar maakt u zich geen zorgen, ik ben het kookbrein.'

Ik schiet even in de lach omdat 'kookbrein' bij mij plotseling een heel andere associatie oproept – spiegels, witte lijnen en een gevoelloze neus – dan dat ik in dit verband bedoel. Ik betwijfel of de keurige, licht geaffecteerde meneer Van der Weijden ooit met zijn aanzienlijke haviksneus in het witte poeder heeft gehangen en net als ik 'coke' heeft gehoord in plaats van 'kook'. Meneer Van der Weijden lijkt op iemand. Hij doet me aan iemand denken, maar ik heb geen idee wie.

'U kunt het met een gerust hart aan mij overlaten. Desirée is er meer voor de sier,' doelend op haar weelderige uiterlijk. Ik zeg het lachend en probeer niet giftig te klinken, al kan ik niet ontkennen dat daar een heel klein giftig draakje zijn kleine koppie opstak.

Ik kijk op de uitgeprinte mail die ik van mevrouw Van der Weij-den heb gekregen. 'Ik zie hier dat het gaat om ongeveer tien gasten. Mag ik vragen ter gelegenheid waarvan het diner wordt gegeven?'

'Mijn zoon is vorige maand getrouwd. In Las Vegas.'

Hij fronst zijn wenkbrauwen en laat een kleine pauze vallen tus-sen Las en Vegas. Alsof hij moet nadenken wat er ook alweer achter Las kwam, waarmee hij duidelijk maakt dat hij niets maar dan ook niets met de stad heeft of ooit te maken wil hebben en dat het feit dat zijn zoon is getrouwd in Sin City zijn goedkeuring niet kan weg-dragen. Dit alles ligt besloten in deze kleine pauze tussen de twee woorden. Meneer Van der Weijden is een man van subtiliteiten en door mijn vak ben ik goed in subtiliteiten. Goed koken heeft alles met nuances en geraffineerde subtiliteiten te maken. Een snufje saffraan luistert nauw. Koken doe je meer met je hersens dan met je neus. Je moet met je hoofd kunnen koken, smaken bij elkaar kunnen brengen en weten hoe het zal smaken voordat je de kruiderijen werkelijk bij elkaar in een pan mietert. Is de combinatie niet goed dan is je gerecht bedorven. Het is mijn vak om precies te zijn. Het is mijn vak om op te letten. Zorgvuldigheid, aandacht, precisie, passie, toewijding, kieskeurig zijn, het belang van kwaliteit begrijpen, dat is mijn vak.

Ik neem een slokje koffie. Precies goed. Met een mooie crèmelaag. Mevrouw Van der Weijden is een kenner. Het apparaat is goed afgesteld en dat is bijzonder. Heel vaak is het water te heet waardoor de koffie verbrandt en daardoor bitter smaakt, of er wordt andere rotzooi gebrouwen in plaats van de godendrank die een goed gezet kopje koffie is.

'Hij is getrouwd zonder ons daarvan op de hoogte te stellen en daar raakte mijn vrouw nogal van overstuur. Dus om haar gerust te stellen geven we een diner in besloten kring. Ook om kennis te maken met de schoonfamilie. Mijn vrouw geeft kookcursussen hier in het souterrain en kan dus heel goed koken. Maar ik wil haar ontlasten.'

Er trekt iets verdrietigs over zijn gezicht. De teleurstelling is voelbaar. Ik begrijp het al. Ik zie mezelf voor de uitdaging gesteld om troosteten te maken speciaal voor deze treurige meneer Van der Weijden. Ik denk aan een terrine van biologische, niet-vetgemeste ganzenlever met een dun laagje truffel, warme brioche en gezouten Franse boter, salade met haricots verts, hazelnoten en kort gestoomde kreeft, gebakken kalfszwezerik met een morieljesaus, zuurkool met een meegegaard fazantje, rundvlees gemarineerd in azijn en daarna gestoofd met ontbijtkoek en appelstroop, kapucijners met uitgebakken spekjes, veel zuur en piccalilly, een romige risotto met een stevige klont boter erdoor met appel en *boudin* ofwel gebakken bloedworst, een boerenkippetje, in stukken gaar gestoofd in bouillon met witte wijn en slagroom. Simpel en puur. Rauwe andijvie met uitgebakken spekjes en rookworst. Het geheim zit hem in de mousseline van aardappel. Niks puree, gekookte aardappels door de fijne zeef en dan veel roomboter en warme melk naar het fameuze recept van Joël Robuchon. Of misschien citroenrisotto? Om je de waarheid te zeggen: voor mij is elk eten troosteten, maar er zijn van die momenten dat je een kop van iets warms of een plak van iets zoets nodig hebt om je het gevoel te geven dat de wereld zo slecht nog niet is. We zijn allemaal weleens moe, gestrest, verdrietig of alleen en dan is dit het soort eten dat je goeddoet. Aardappelpuree. Nee, ik ben niet gek geworden, ik vind gewoon dat je het onderwerp troosteten niet kunt aansnijden zonder met aardappelpuree te beginnen. Ik ben zelf nooit te beroerd om een pond boterige, romige aardappelpuree in mijn eentje naar binnen te werken. Eten kan helend zijn. Zachte, troostende spijzen, met gelukkig makende geuren zoals kaneel, saffraan en alles altijd met veel boter, boter, boter. Chocoladetaart. Ligt voor de hand, maar beter is er niet. Chocolate Nemesis, ook wel Chocolate Decadence genoemd, is een chocoladetaart zonder bloem en daardoor met des te meer donkere chocolade. Het soort taart waarvan je enorme stukken wilt eten als je de bons hebt gekregen, maar zelfs de aanblik ervan, trots, groot en glanzend, werkt helend op de ziel. Genoeg voor tien personen. Of één persoon met een gebroken hart.

'Zijn er vegetariërs in het gezelschap?' vraag ik.

'Ik heb de orders van de commandant,' hij draait zijn ogen even naar boven en ik begrijp dat hij zijn grieperige vrouw die boven in bed ligt, bedoelt. 'Mijn vrouw wil graag alleen vis. Geen vlees.' Hij laat een klein, treurig glimlachje zien.

Meneer Van der Weijden is dol op vlees, ik voel het aan mijn water. Speciaal voor hem maak ik een mooie carpaccio van ossenhaas met truffelsnippers en parmezaan aan de *chef's table*, zonder dat zijn vrouw het weet.

Hij schenkt nog een glas witte wijn in en het is nog niet eens halftwaalf. Het ligt op het puntje van mijn tong om te zeggen: 'Is het niet wat vroeg voor wijn?' gewoon uit meelevendheid en uit mijn bijna dwangmatige behoefte tot zorgen, zelfs als het gaat om een wildvreemde die mijn compassie oproept door de couperose op zijn neus en de frons tussen zijn wenkbrauwen wanneer hij het over zijn teleurstellende zoon heeft. Maar hij ziet eruit als iemand die vastgeroest is in zijn gewoontes. Het is te laat om te veranderen, omdat hij geen uitzicht meer heeft op iets beters. En dan is het beter om alles te laten zoals het is. Het comfort van het bekende ongeluk is soms beter dan de angst voor het onbekende.

'Weet u zeker dat u geen wijntje wilt?' vraagt hij en hij houdt de fles Verdicchio uit een ongetwijfeld mooi jaar even omhoog. 'Ja, dat weet ik heel zeker.' Ik hou het kleine Illy-kopje even omhoog en proost. Bovendien ben ik geen fan van Verdicchio. Die vind ik al snel te zurig. Ik hou meer van een op hout gelegen chardonnay.

'Het is voor mij nog te vroeg, ik moet nog werken vanmiddag,' lieg ik. Ik voel me altijd bezwaard wanneer ik nee zeg tegen een alcoholist. Ze zijn graag in gelijkgestemd gezelschap en ik vind het akelig om hen met de drankneus op de feiten te drukken door hen duidelijk te maken dat wijn drinken om elf uur 's ochtends echt een beetje gek is en er in dat geval best van een probleem gesproken mag worden. Zeker als het om een doodgewone donderdag gaat. Maar wie ben ik om dat te zeggen en te vinden? Als Damien het 's ochtends om elf uur tijd vindt om wijn te drinken dan doe ik enthousiast mee. Maar dat vind ik – opportunistisch als ik eerlijk gezegd ook best wel ben – toch iets anders. Dan hebben we het over het leven vieren en niet over de eenzaamheid en de ondraaglijkheid van het bestaan verzachten.

'We hebben naar uw website gekeken en ze heeft een paar dingen uitgezocht en wat ideeën geopperd die haar geschikt leken. Ze heeft het hier opgeschreven. Maar als u andere ideeën hebt, dan staan we daar ook voor open. We willen het toegankelijk houden, we houden van eerlijk eten, niet te veel poespas en liflafjes.'

'Dan bent u bij mij aan het goede adres. Ik stel voor te beginnen met antipasti zodat de gasten kunnen binnendruppelen en kennis kunnen maken. Ik zal over de rest van het menu even nadenken en dan zet ik het morgen op de mail, dan komen we er wel uit. Is dit de keuken waar we kunnen werken?'

Meneer Van der Weijden knikt.

Als hier kookcursussen worden gegeven dan zullen we hier wel uit de voeten kunnen.

'Alles wat u nodig hebt is hier aanwezig.'

Dat is fijn, dat scheelt een hoop gesleep.

'U kunt in deze keuken werken en het diner is daar.' Hij wijst naar een trappetje in de hoek dat naar het achterhuis leidt.

'Loopt u maar even met me mee.'

De kamer is geen kamer. Salon is een beter woord. Enorme afmetingen, hoog plafond, pompeuze inrichting met in het midden een gigantische, antieke tafel met twee flonkerende kroonluchters erboven. Chic behang met brede strepen in twee tinten goud. Aan de muren hangen moderne schilderijen. Zag ik daar een Kandinsky en iets anders nog veel hippers? Donkergroene taftzijden gordijnen die uitwaaieren over de houten vloer.

Op tafel ligt een klein stapeltje kaarten. Trouwkaarten, te zien aan de twee gouden ringen die innig ineengestrengeld op de voorkant prijken. Onwillekeurig strijk ik er even met mijn hand over. 'Mooie kaart,' zeg ik meer uit beleefdheid dan dat ik het echt meen. In alle eerlijkheid vind ik de kaart van een truttigheid die z'n weerga niet kent, maar dat zeg je niet tegen je opdrachtgever, dat zou stom zijn. Met licht bevende handen drukt hij een kaart in mijn handen. Ik sla hem open.

Geneviève Hellendoorn en Roderick Paul van der Weijden hebben het genoegen...

Roderick Paul? Roderick? Is mijn Roderick Paul deze Roderick van der Weijden? Sta ik hier te praten en onderhandelen met de vader van Roderick? De Roderick die mij nooit iets heeft willen vertellen over zijn afkomst, zijn vader, zijn moeder, behalve dat hij een hekel aan ze had? De man die zichzelf niet geschikt vond om te trouwen, die zichzelf met 38 jaar te jong vond om te trouwen, de man die een burgerlijk leven verafschuwde en een mens-durf-te-leven-groots-en-meeslepend-bohemien leven inclusief harem wilde? Roderick van der Weijden, door zijn vrienden ook wel Klaas Vaak genoemd. Van deze bijnaam hoorde ik nadat ik al iets met hem was begonnen, en het duidde op zijn reputatie van vrouwenversierder. Ik kijk zijn vader aan. Ik begrijp opeens de trieste, teleurgestelde blik in zijn ogen en de licht gekromde schouders omdat er te veel gewicht op ligt. Deze man had zich het leven anders voorgesteld, en had zich zeker een andere zoon voorgesteld. Wie wil er een loser als zoon? Zeker niet een man als meneer Van der Weijden en dat Roderick een loser is staat vast. Welke vrouw wil hem? Waarom? Wat is er gebeurd? Is hij door een godswonder, een deus ex machina, getransformeerd in een verantwoordelijke, verstandige man die de verantwoordelijkheid van een gezin aankan? Of is deze Geneviève zo'n ongelofelijke vrouw dat hij alles voor haar opgeeft? Zelfs zijn opgeblazen ego. Of is ze een perfect afgerichte kunstenaarsvrouw die het zichzelf wegcijferen tot kunst heeft verheven en leeft voor haar man die haar bestaansrecht geeft en haar met een beetje mazzel tot onderwerp van zijn kunst maakt. Ik voel een klein steekje in mijn maag. Ik was niet goed genoeg. Zo voelt het. Meteen denk ik aan Damien en het geluk dat ik hem gevonden heb. Het doet me bijna de tranen in de ogen opwellen. Wat een geluk dat ik niet meer met Roderick ben. Wat een geluk dat ik de dans ben ontsprongen en dat ik Damien heb, Damien die van mij aanbidden zijn voornaamste bezigheid maakt. Als hij in de stad is. En dat is hij meestal niet. Maar goed, dat is een kleinigheid. Daar valt mee te leven. Met Roderick niet. Zou ze dat weten, of is dit een supervrouw die hem eronder heeft gekregen, een supervrouw die wel kan wat mij niet lukte? Is zij de koningin aller vrouwen? Wat kan zij wel wat mij niet is gelukt? Ik voel nijd, competitie, het is belachelijk maar het voelt toch als een nederlaag.

'Hoe bent u bij mij terechtgekomen?' vraag ik. De beeltenis van zijn zoon gaat door mijn hoofd. Zou hij weten dat ik gebeld ben voor het partijtje? Misschien heeft Roderick mijn naam wel laten vallen, iets in de trant van: 'Ik ken een fantastische vrouw en ze kookt veel beter dan mam,' waar hij met trots aan toe heeft gevoegd: 'Die moet je bellen en hier heb je haar telefoonnummer.'

'Uw bedrijf draagt een opvallende naam, dat intrigeerde me. Ik ga altijd op mijn intuïtie af.'

Ja, ja, noem het maar intuïtie. Intuïtie tussen je benen zul je bedoelen.

Het was het idee van Desirée om een imago te verzinnen bij ons bedrijf. Lage decolletés, schorten die stevig in de taille worden aangesnoerd, eyeliner en felrode lippenstift, denk: Sophia Loren. Een enkele keer dragen we pruiken. Meestal wanneer er echt veel gekookt moet worden en we toch beeldig willen blijven. Ons logo is een voluptueuze Italiaanse schone met een pollepel in haar hand die ze koket tegen haar wang houdt. Ja, voor de hand liggend, dat vond ik ook in eerste instantie maar het werkt als een tierelier.

'Ah, ja, juist,' antwoord ik. Geen aanbeveling van Roderick. Moet ik zeggen dat ik zijn zoon ken of moet ik mijn mond houden?

Ik kijk nog eens naar de kaart.

'Is dit Roderick Paul, schilder schuine streep saxofonist?'

Wellicht ten overvloede maar ik wil het toch zeker weten. Ik moet het zeker weten als ik hier straks stevig mijn mannetje wil staan in het souterrain. Er wordt iets in mij wakker. Wat een fantastisch toeval dat de opdracht bij mij is gekomen. Wat heerlijk. Wat geestig dat ik getuige mag zijn van het huwelijkspartijtje van Roderick. Ik verheug me nu al.

'Ja,' antwoordt meneer Van der Weijden blij verrast dat ik zijn zoon als saxofonist ken. 'Jazeker, saxofonist en schilder. Bent u bekend met mijn zoon en zijn werk?'

Het ligt op het puntje van mijn tong om te antwoorden: 'Jazeker ken ik uw zoon en zijn werk, reken maar van yes, vooral met zijn broek rond zijn enkels, stomdronken terwijl hij me nam tegen de vaste wastafel, zodat hij naar zichzelf kon kijken als hij klaarkwam,' maar ik hou me in. Dat zeg je niet tegen zo'n keurige man als meneer Van der Weijden.

'Ja, ik ken uw zoon, ja, van vroeger,' en ik maak een lang-voorbij-en-helemaal-niet-belangrijk-gebaar. Misschien is de man niet op de hoogte van de Klaas Vaak-reputatie van zijn zoon en is zijn trieste blik te wijten aan te veel witte wijn op de vroege ochtend. Misschien is Roderick getuige geweest van het verstikkende huwelijk van zijn ouders en doorgeslagen naar een andere kant om uiteindelijk in goede balans te eindigen bij Geneviève Hellendoorn. Is dat niet de naam van een pretpark? Dat is dan wel weer goed gekozen van mijn Roderick. Een vrouw met de naam van een pretpark, hoe passend bij hem.

'We hebben een tijdje iets gehad. Eva, ik ben Eva, misschien heeft hij het weleens over me gehad.'

Nee, hij heeft het zelfs nooit over me gehad. Goh. Misschien iets van belladonna door het eten gooien dan maar? Gewoon voor de grap. Voor de lol. Een paar druppeltjes op zijn zwaardviscarpaccio met olijfolie.

'Nee, sorry, die naam heb ik nooit gehoord.' Hij lacht er verontschuldigend bij. Het is een aardige man, die vader van Roderick. Heel anders dan zijn zoon. Hij ziet er een beetje geslagen uit. Hij ziet eruit als een oude hond die te lang niet is geaaid. Hij is onderdeel geworden van het meubilair. Zijn aanwezigheid wordt gewaardeerd zolang hij zich nuttig maakt, zolang hij aanslaat wanneer er gebeld wordt, mag hij blijven. Verder moet hij zijn mond houden en liefst onder de tafel liggen. Hij wordt niet meer gezien. Ik kijk hem aan en glimlach. Dankbaar glimlacht hij terug.

Ik stop de kaart in mijn achterzak. Roderick van der Weijden gaat trouwen. Het moet niet veel gekker worden.

8

RODERICK VAN DER WEIJDEN

Roderick van der Weijden maakte me het hof door midden in de nacht narcissen door het open raam van mijn slaapkamer te gooien. Het was lente. April of mei. Hij had niet de moeite genomen de bloemen te kopen. Dat niet. Hij had ze geplukt bij de buren in de tuin. Dat begreep ik toen ik de volgende dag over de heg keek en zag dat hun bloemenhof er gehavend bij lag. Hij was er met zijn dronken hoofd doorheen gestapt en had de bloemen uit de grond getrokken om ze bij mij door het openstaande slaapkamerraam te gooien, narcissen, tulpen en hier en daar een krokus. Een mooi lenteboeket was het, wat midden in mijn slaapkamer plofte om mijn aandacht te trekken in de hoop dat ik de deur open zou doen. Dat deed ik niet. Ik keek als Rapunzel door het raam en liet mijn haren hangen en hij mocht pas binnenkomen als mijn haren zo ver gegroeid waren dat ze op de grond hingen waardoor hij naar boven kon klimmen. Zoiets maakte ik ervan. Je bent romantisch of je bent het niet natuurlijk. Elke avond stond hij voor het raam te zingen en gooide de bloemen van de buren naar binnen. Die waren op voorjaarsvakantie dus hij kon zijn gang gaan. Toen ze terugkwamen van vakantie kwamen ze bij mij vragen of ik misschien een onverlaat had gezien of gehoord die bij hen de tuin had leeg getrokken. Dat had ik niet natuurlijk. 'Nee, niets gezien of gehoord, geen idee, hè, wat vervelend voor jullie, maar sorry nee, er is me echt niets opgevallen, het is juist opvallend rustig geweest de afgelopen week,' loog ik met een stalen gezicht. Dat mijn huis vol stond met uitgebloeide narcissen wist ik aan het zicht te onttrekken door op de stoep te gaan staan met de deur op een kier terwijl ik deed alsof ik met mijn been de golden retriever achter de deur in bedwang hield. Die had ik niet maar ik legde de buren uit dat ik een hond op bezoek had, Bonnie, die nogal wild was en graag in haar eentje achter de konijnen aanging als ze de kans kreeg en alleen aangelijnd uit mocht. Dat verzon ik er snel bij omdat anders de verdenking op mijn denkbeeldige blonde leenhond zou kunnen vallen, en dan was ik alsnog de lul. Ik mocht de buren graag in de maling nemen, het was een stelletje zeikerds, buren die je je ergste vijand niet zou toewensen. Tuinvandalisme was hun verdiende loon voor het feit dat het zeikerds waren. 'Mag de muziek wat zachter, zou je de heg bij kunnen knippen, er liggen rode blaadjes van jouw geraniums bij ons in de tuin, kan die boom niet weg die bij ons de zon wegneemt...' Zeikerds, die de hele zomer gemarineerde spareribs op de barbecue hadden liggen, die ze nota bene kochten bij de door mij verfoeide kiloknaller, waardoor het huis de hele zomer naar verbrande ketjap rook, ook zoiets smerigs. Ik zag in Roderick mijn hoogstpersoonlijke Robin Hood die de zeikerds naast mij een lesje leerde. Ik dichtte hem magnifieke kwaliteiten toe op basis van het ruïneren van de tuin van de buren. Wonderlijk, ja, misschien, maar volkomen logisch destijds.

Ik was diep onder de indruk van Roderick. Hij was spannend. Ongrijpbaar.

En hij lag aan mijn voeten. In het begin. Zodra hij me zag begon hij cartoonesk uit te beelden dat zijn hart uit zijn borst klopte en hoezeer hij ernaar verlangde me te beminnen. En dat was alles wat ik belangrijk vond. Dat hij me wilde beminnen als hij midden in de nacht 'aanbelde' en grinnikend naast me in bed kroop. De bel gebruikte hij zelden. Hij gooide steentjes tegen het raam, klepperde met de brievenbus, toeterde of liep luid zingend: '*Hey little girl is your daddy home, did he go and leave you all alone, ahah, I got a bad desire, oehoehoehoe, I'm on fire*' door de straat, net zolang tot ik de deur opendeed. Het was een charmeur die het metier van charmeren tot in de finesses beheerste.

Hij had, zo vertelde hij me vol trots, als jongetje van vijf zijn kindermeisje verleid met zijn melancholieke oogopslag en absurd lange, zwarte wimpers die zijn absurd blauwe ogen omfloersten. Volgens hem had ze hem onzedelijk betast in de badkuip. Ze was zijn eerste verovering. Was hij een vrouw geweest, dan was hij een hoer, een professionele callgirl geworden.

Hij ging er prat op dat hij, vanwege die absurd blauwe ogen, ooit model had gestaan voor een zigeunerjongetje-met-traan-portret.

Dat was gelogen, er heeft nog nooit iemand model gestaan voor een zigeuner-met-traan-van-welk-geslacht-dan-ook portret, dat wist ik maar ik liet me alles vertellen als ik maar zijn liefde had.

Hij maakte deel uit van een berucht groepje kunstenaars die in hun levensonderhoud voorzagen met kleine drugsdeals. Boefjes, oplichtertjes, rijkeluiszoontjes, joyriders, bedreven in het vervalsen van cheques, alles net op het randje, nooit zwaar crimineel, altijd ondeugend met een hang naar gevaar, die gemakkelijk geld wilden verdienen zonder vuile handen te krijgen. Maar hij was ook een gevoelige, kunstzinnige jongen. Wild, lief, schilder, muzikant, ondeugend, onverantwoordelijk, zwierig, charmant, onbetrouwbaar, met een geweldig gevoel voor humor. Hij wilde als Ramses Shaffy groots en meeslepend leven. Zing, vecht, huil, bid, lach, werk een beetje en neuk wat in het rond. Vrij zijn. Hij heeft er zelfs een liedje over geschreven waarmee hij een bescheiden hit scoorde, voornamelijk door de saxofoonsolo aan het einde van het nummer, ingespeeld door Candy Dulfer omdat het een tandje te hoog gegrepen was voor de kleine Roderick. Op zijn visitekaartje stond 'levensgenieter', en dat was precies wat hem zo aantrekkelijk maakte.

Ik ging voor de bijl. Ik was op geen enkele manier bestand tegen zoveel charme. Het streelde mijn ijdelheid. Zo'n leuk iemand die mij leuk vond, ja, dat maakte indruk. Ik genoot ervan dat hij aan mijn voeten lag. Dat hij me verder niet zo veel te bieden had, daar dacht ik niet over na. Ik wilde beminnen en bemind worden. En met beminnen bedoel ik voornamelijk fysiek beminnen. Zintuiglijk beminnen. De liefde van het lichaam. Liefhebben doe ik met mijn lichaam. Eten, slapen, vrijen, was alles wat ik wilde en dat wilde Roderick ook. Dus dat kwam mooi uit. Het zintuiglijk beminnen resulteerde in de mooiste gerechten. Ik kookte pasta vongole voor hem en zwezerik met balsamicoroomsaus, waar ik de balsamico van Lungarotti voor gebruikte. Een azijn zo heerlijk dat je hem zo uit het flesje zou willen opdrinken. Hij wordt meer dan tien jaar op hout gerijpt in steeds kleinere tonnen van zeven verschillende soorten hout. Eiken, kastanje, kers, jeneverbes, moerbei en de broodboom, waardoor hij in de loop der tijd steeds geconcentreerder en aromatischer wordt. Ik maakte zeebaars in zoutkorst met amandelaioli, ik bakte peren in de oven met marsala en kaneel.

Ik heb nooit het genoegen mogen smaken om kennis te maken met Rodericks familie. Hij noemde me zijn *backstreet girl*. Daar wist ik uit op te maken dat we met een klasseverschil te maken hadden. Misschien dat hij daarom op de lange duur niet de moeite nam om me goed te behandelen. Wat ik weet is dat hij op kostschool had gezeten omdat hij moeilijk opvoedbaar was. Op zijn zestiende was hij van school getrapt en door zijn vader in Engeland naar kostschool gestuurd. Hij had hem al gewaarschuwd dat hij het serieuzer moest aanpakken met school, maar hij wilde niet luisteren. Hij had plezier in zijn leven en dat was belangrijker. Op een keer kwam zijn vader naar zijn kamer met de mededeling dat hij een kostschool had geregeld. Hij komt uit een geslacht van industriëlen en dat heeft zijn leven bepaald. Hij voelde het als een verplichting om te slagen, maar ook als een last. Zijn vader was teleurgesteld dat hij als enige zoon niet het familiebedrijf Steenkolen Handelsvereniging wilde overnemen. En dat zijn dochter, Rodericks zus, een golddigger was die, nadat ze was gescheiden van een Franse playboy, met een schatrijke Zwitserse horlogemaker is getrouwd met wie ze twee kinderen heeft. De Fransman had ze aan de kant gezet toen ze erachter kwam dat hij zich in het verleden had laten steriliseren en ze geen kinderen van hem kon krijgen, en daardoor geen aanspraak kon maken op zijn fortuin met een kindaandeel. Ze was in de haast vergeten te trouwen op huwelijkse voorwaarden. De bedrieger bedrogen. Dat was het nest waar Roderick uit kwam. Meer wist ik niet.

Onze relatie verliep turbulent. Onbetrouwbaarheid was de meest in het oog springende kwaliteit van Roderick. Door zijn constante behoefte aan aandacht en bevestiging waren er voortdurend kapers op de kust, scharrels, telefoonnummers die ik in zijn zak vond, dingen die hij weglachte. Zodra ik hem uit het oog verloor lag hij met een ander in bed die het oppoetsen van zijn ego voor haar rekening nam. Hij had een bijna magische aantrekkingskracht op vrouwen. Ze vielen voor hem als dode blaadjes in de herfst. En hij wist zijn gedrag altijd goed te praten, uiteindelijk lag zijn gedrag aan mij, ik gaf hem niet genoeg aandacht, ik was te druk met mijn werk, ik was te passief in bed, ik was te dik of te dun, we hadden te vaak ruzie, hij voelde zich altijd tekortgedaan en ik geloofde hem. Ik geloofde dat ik niet genoeg voor hem deed, en putte me nog verder uit om het hem naar de zin te maken. Ik suste mezelf door te denken dat er een jongetje in hem zat, een klein huilend jongetje dat mij nodig had. Met die gedachte hield ik deze uitputtende relatie met deze dodelijk vermoeiende man vol.

Tot ik op een ochtend een briefje op de ontbijttafel vond waarop stond: *Ik ben nu met Sylvia.*

9

BANG BANG HE SHOT ME DOWN

Damien ligt naar het plafond te kijken, rolt op zijn zij, legt zijn arm om me heen en drukt me stevig tegen zich aan. Hij duwt zijn gezicht in mijn nek en haren. Zijn lichaam ligt roerloos – lepeltje lepeltje – tegen me aan. Mijn hart begint te bonzen.

En dan zegt hij zacht: 'Dag godin. Dit gaat pijn doen.' Hij laat een korte stilte vallen, haalt diep adem en zegt: 'Ik heb nagedacht. Het is voorbij.'

Een kort moment is het stil in mijn hoofd. Een kort moment van niet begrijpen wat er tegen me gezegd wordt. Voorbij? Wat is er voorbij?

'Wat bedoel je?' zeg ik een beetje schor.

'Het is voorbij. Ik ga weg.' Hij drukt zijn arm als een dwangbuis nog vaster om me heen, alsof hij bang is dat ik hem zal slaan. Hij houdt me vast, zoals je een dier vasthoudt dat een spuitje krijgt. Ik blijf liggen, ik beweeg niet, mijn lichaam is verstard en bevroren. In mijn hoofd tolt één enkele gedachte.

'Waarom?'

'Op een dag zal het voorbij zijn tussen ons en die dag wil ik niet meemaken.'

'Waarom?'

'Als we verdergaan, gaat het kapot. Dan wordt het gewoon. Raken we het kwijt. Ik wil dit niet kwijt. Dus ik ga weg. Ik ga weg omdat ik dit niet kwijt wil.'

'Waarom?'

'Omdat ik het nu nog kan en morgen misschien niet meer.'

'Waarom?'

'*Some people are afraid of the summer because they know the winter will come.*'

'Waarom?'

'Ik ga weg omdat ik daarmee weet dat het voor altijd zal zijn. Altijd stoppen op het hoogtepunt. *This is as good as it gets.*'

'Waarom? Wat heb ik verkeerd gedaan?'

'Je hebt niets verkeerd gedaan.'

'Ik begrijp het niet.'

'Alleen als ik zeker weet dat het voor altijd is, blijf ik, en dat is onmogelijk.'

'Waarom? Waarom is dat onmogelijk?'

'Op een dag doet de sleur zijn intrede. Dit houden we niet vol, dat wat we nu hebben, houden we niet vol. Ik zie het aan je. Ik zie hoe moeilijk je het ermee hebt. Ik wil je geen pijn doen.'

'Dus doe je me meer pijn dan ik ooit heb gehad.'

'*They shoot horses, don't they?* Op een dag zul je blij zijn. Op een dag raken we dit kwijt. We leven niet in een wereld waarin de liefde kan floreren. Het leven is te hard. Te moeilijk. We zijn als Adam en Eva en het wordt tijd dat we het paradijs verlaten. Ik ga weg omdat ik dit niet kwijt wil. Ik ga weg voordat ik in een weerwolf verander. Ik ken de voortekens. Als ik blijf, gaat het kapot.'

'Waar haal je die wijsheid vandaan?'

'Dat weet ik niet, ik weet alleen dat ik het weet. Waarom ik het weet doet er toch niet toe? Hartstocht als deze, daar moet je niet aan vast blijven houden, die kan niet duren, niet blijvend zijn. Als we bij elkaar blijven zullen we elkaar verwonden. Dat vind ik een onverdragelijke gedachte.'

'Je vlucht. Je bent niet goed genoeg voor me, is dat het? Ik ben niet goed genoeg voor jou. Je houdt niet van me. Ik hou niet van jou? Is dat het? Is dit een variatie op het thema "het ligt aan mij en niet aan jou"?'

'Nee, dat is het allemaal niet. Ik kan het niet uitleggen. Mijn vliegtuig vertrekt over een paar uur. Ik kan alleen maar zeggen dat ik ga.'

'Ik snap het niet. Niemand zal ooit meer van je houden. Waarom is dat niet genoeg? Je gaat weg omdat je denkt dat je geen geluk verdient. Is dat het?' Hij zwijgt.

'Ik hou van je,' zeg ik.

'En dat wil ik zo houden. Ik wil dat je gelukkig bent en ik kan je niet gelukkig maken. Jij wilt alles of niets, dat weet ik, en ik zie hoeveel moeite je doet om gelukkig te zijn met me. Ik zal niet veranderen. Ik ben wie ik ben. Het wordt nooit anders. En diep in je hart kun je daar niet tegen. Je wilt het alleen niet toegeven.'

'Je bent het beste wat me ooit is overkomen.'

'Er gebeuren meer mooie dingen in het leven.'

'Het is nog nooit zo mooi geweest. Ik wil dit niet kwijt. Ik kan niet zonder je. Ik wil je niet kwijt. Ik wil je niet kwijt.' Even denk ik erover om met mijn vuisten op de vloer te gaan liggen slaan en '*Stay with me!*' te gaan gillen zoals Bette Midler in *The Rose*, maar ik hou me in.

Ik neem zijn gezicht in mijn handen en kijk hem aan. Zijn anders zo rustige ogen schieten heen en weer van mijn linker- naar mijn rechteroog.

'Waar ben je bang voor?'

Hij begint heel hard te huilen. Ik heb nog nooit een man gekend die kon huilen. Ik heb hem er des te liever om. Ik sla mijn armen om hem heen, onze lichamen schokken van het huilen.

'Ik ben nog nooit zo gelukkig geweest.'

'Ik ook niet.'

'Ik word er zo bang van.'

'Ik ook.'

'Maar je kunt morgen toch ook weggaan? Waarom ga je niet morgen weg?' En dat zal ik hem dan morgen weer vragen en als we dat tot in lengte van dagen volhouden komt alles goed. Dan hoeven we ons slechts zorgen te maken om één enkele dag, dan hoeven we het maar één dag goed te houden, dat is te overzien.

Mistroostig schudt hij zijn hoofd.

'Zal ik een kersentaart voor je bakken?'

Daar zal ik minstens twee uur mee bezig zijn, want ik zal verse kersen gebruiken die ik eerst moet laten wellen, hij zal zijn vliegtuig missen en tot bedaren komen. De suiker zal zijn hersens in een andere stand zetten waardoor hij als vanzelf van gedachten zal veranderen. Onder invloed van de chemische reacties die mijn voedsel teweeg zullen brengen zal ik hem bij me houden en snorrend zal hij weer in slaap sukkelen en vergeten wat het was dat hij moest doen. Ik zal hem doen vergeten dat hij bij me weg wilde gaan door voor hem te koken. *Torta di polenta con mandorle e limone*, polentataart met amandelen en citroen; *torta di nocciole e ricotta*, hazelnoot en ricottacake; *torta di mascarpone*, mascarponetaart met koffie en amaretto.

Tranen rollen over mijn wangen zonder dat ik huil. Ik heb geen dikke keel, geen snotneus, geen uithalen, alles gaat door, ik functioneer redelijk normaal ware het niet dat mijn traanbuizen wagenwijd openstaan en overstromen tot mijn shirt twee natte vlekken vertoont net boven mijn borsten. Hij kijkt ernaar en glimlacht een flauwe weemoedige glimlach. Hij neemt me in zijn armen en drukt me stevig tegen zich aan.

'Waar ben je bang voor?' vraag ik weer.

Hij richt zijn armen ten hemel in een gebaar dat hij het ook niet weet terwijl de tranen over zijn wangen biggelen.

Wanneer hij me in zijn armen neemt voel ik een scherpe pijn door mijn hart schieten alsof er een pijl van zijn hart naar het mijne gaat. Alsof er iets breekt. Alsof onze verbinding knapt.

'Begrijp je het dan niet? Ik ben onderweg, altijd onderweg. Je zult altijd op me moeten wachten. Dat hou je niet vol. Daar moet je mee leven en dat kun je niet. Dat weet ik. Je moet het jezelf niet aan willen doen. Wil je de illusie in stand houden dat alles ooit anders wordt of wil je de realiteit aangaan?'

Hij buigt zich voorover en fluistert in mijn oor: '*Let's keep the memory beautiful.*'

'Heb je ooit van me gehouden?'

'Ja. Ik zal altijd van je houden. *Love is not the issue.* Ik ga nu. Ik moet pakken.'

'Zal ik je naar het vliegveld brengen?'

'Ja, dat is goed. Dat zou fijn zijn.'

'Ik wil niet dat je gaat. Kom terug, ik hou van je, blijf bij me, kom terug.'

'*Don't follow me, I am lost too,*' fluistert hij in mijn oor.

We houden huilend elkaars gezicht vast.

Hij neemt foto's van mijn tranen.

'Verdriet is ook mooi. Is ook waardevol. Dat maakt het compleet. Het maakt de ervaring compleet. Wat moeten we met alleen geluk? Onze liefde zal pas waarde hebben als we verdriet hebben gehad,' zegt hij zacht terwijl hij zijn camera laat klikken.

Ik knik en kijk in de lens.

'Heb je het met iemand anders gedaan? Is er iemand anders? Heb ik iets verkeerd gedaan? Wat heb ik verkeerd gedaan?'

'Nee. Nee. Nee. Niets. Ik maak mensen ongelukkig.'

En daar kon ik het mee doen op deze waterkoude vroege morgen.

Ik heb veel afwijzingen gehad maar deze slaat alles. Andere waren begrijpelijk: het gaat zo niet langer, ik ben niet verliefd, jij bent niet verliefd, je houdt niet echt van me, ik ben nu met Sylvia, ik kan er niet tegen dat je van een andere man houdt, ik ben ontrouw geweest, ik ben verliefd op een andere man, dat zijn begrijpelijke zinnen die je zonder al te veel moeite begrijpt, die los van een context een situatie uitleggen, een hele situatie in een zin, niet altijd leuk om te horen, maar duidelijk en begrijpelijk. Wat moet een mens met een zin over een zomer en een winter? Het lijkt goddomme wel een tekst uit *Being There*. En bovendien, had hij niet eerder kunnen bedenken dat hij schrik heeft van de zomer? Als ik de zomer ben, wie is dan de winter? Hoeveel cryptisch geleuter kan een vrouw aan op een waterkoude morgen? Aan de praat houden, dacht ik. Aan de praat houden en hem zijn vliegtuig laten missen. Hem wegbrengen naar het vliegveld en een ongeluk krijgen. Niet ernstig, veel blikschade en misschien een shock waardoor hij zich niet herinnert dat hij weg wil vliegen. Wegvliegen. Uitvliegen. Wegvliegen. Hij wil vrij zijn. Dat is waarschijnlijk het enige, het meest basale. Weg uit mijn verstikkende greep. Weg uit de verstikkende greep van de liefde. Ik vind het ook zwaar. Ik zeg het eerlijk. De liefde, een grote allesomvattende liefde is geen sinecure. Het is zwaar. Het is zwaar omdat het goed moet blijven.

In de film zien we hoe geluk eruit moet zien. Perfecte mensen met perfecte oplossingen voor perfecte problemen. Iedereen weet precies wat hij moet zeggen om de ander op andere gedachten te brengen. Hoeveel films eindigen er niet met de vrouw die een monoloog houdt tegen de man waardoor hij van gedachten verandert? *The Fabulous Baker Boys. Pretty Woman. An Officer and a Gentleman.* Op het moment dat alles verloren lijkt, komt hij binnen, zwaait haar over zijn schouder en voert haar mee naar de roze wolk van een wonderschone toekomst. Daar waar de problemen beginnen houden de meeste films op. En zo weten we allemaal waar we van moeten dromen en niemand weet wat te doen als ze in die wonderschone toekomst zijn beland en het echte leven begint. In het echte leven hebben we die perfecte woorden niet. Staan we met onze mond vol tanden. Staan we met een vastgelopen langspeelplaat in het hoofd die niet veel meer produceert dan 'niet weggaan' en zelfs dat niet eens. Zijn we verlamd van angst en narigheid omdat de man van wie we houden ons leven uitloopt en we niets kunnen doen. Sommigen van ons misschien wel, maar ik niet. Ik hou me dood in tijden van cholera in de hoop dat het noodlot me niet opmerkt en me overslaat. Het is een overlevingsmechanisme dat sterker is dan ik.

En wat doe je dan? Je zet je tanden op elkaar en je gaat uit alle macht iets proberen te begrijpen waar je niets, maar dan ook niets van snapt. Omdat het zo niet hoort te gaan. Omdat het indruist tegen alles wat je ooit hebt gelezen of hebt gezien in Hollywoodfilms. Als het goed is blijf je bij elkaar, dan neem je geen afscheid. Mensen gaan uit elkaar omdat ze elkaar de hersens inslaan, maar niet wanneer ze driemaal daags hartstochtelijk de liefde bedrijven.

Liefde is fijn. Zo wordt ons verteld. Liefde is zacht en lief en warm.
Roze sokjes en blauwe wantjes. *Raindrops on roses and whiskers on kittens.*
Maar dit is ijskoud, keihard en er is meer kracht voor nodig dan ik heb.

Ik heb niet meer zo gehuild sinds ik drie weken oud was.

Wat nu?
Ik zou niet weten wat nu.

Don't go.
I could eat you.
I love you so.

MENU

CROSTINI MET FONTINAKAAS,
SAN DANIELE HAM &
TRUFFEL HONING

★

ZWAARDVISCARPACCIO MET
OLIJFOLIE

★

VERSE RAVIOLI GEVULD MET
RICOTTA MET BOTERSAUS
EN SALIE

★

ZEEBAARS IN ZOUTKORST
+ GEMENGDE GROENTE
SALADE

★

DECADENCE

10

DE BRUILOFT

Ik sta te werken met bruine mondhoeken van de drieënhalve ons chocolade die ik naar binnen heb gewerkt om mijn neurotransmitters ervan te overtuigen dat alles *A-okay* is op liefdesgebied. Alleen trappen mijn neurotransmittertjes er niet in. Die weten wel beter. Ze slaan in razernij tegen elkaar aan en het doet mij naar mijn hoofd grijpen en mijn slapen masseren, het doet me kreunen dat het op moet houden. De pijn moet ophouden. Het voelt alsof ik geamputeerd ben. Ik heb fantoompijn.

De pijn in mijn maag, mijn hoofd, mijn buik, mijn verlangen naar hem is zo groot dat ik er misselijk van word. Of is het de chocolade?

Er zijn weinig populairdere manieren om een etentje te besluiten dan met een chocoladecake. De Maya's geloofden dat chocolade verborgen verlangens blootlegde en lotsbestemmingen duidelijk maakte. Wel zo toepasselijk bij een bruiloft. Ik heb hem gemaakt met de beste chocolade die er te vinden is, met een snufje *fleur de sel* erdoor, waardoor hij net even iets meer *oomph* heeft en waardoor iedereen ervan onderuitgaat. Oomph is belangrijk in eten. Ik ben goed in oomph. Ik proef meteen of een gerecht nog iets nodig heeft. Een likje mosterd, een snufje zout, een krabbeltje nootmuskaat.

Het belangrijkste bij dit soort bijeenkomsten is de stemming, het ontspannen tempo, het gezelschap. En de stemming wordt in belangrijke mate bepaald door het eten. Het genieten van mooie spijzen brengt een groot gevoel van welbevinden met zich mee en dan gaat de rest vanzelf. Waarom zou je anders voor mensen koken? Met de stemming zit het wel goed. Ik hoor het gezelschap regelmatig in lachen uitbarsten. Ik hoor Roderick overal bovenuit. Hij lacht veel en hard. Hij is een gangmaker, hij voert het gesprek met verve aan, dat ken ik van hem. Het populairste jongetje van de klas weet hoe hij de mensen om zijn vinger moet winden. Ze zullen hem fantastisch vinden en hem zijn bliksem-Las-Vegas-huwelijk vergeven door zijn charme en rappe tong.

Ik doe wat ik goed kan, hou mijn adem in en stik niet. Ik kan goed koken. Koken, ik moet koken, van koken ga ik me goed voelen. Daar hoef ik niet bij na te denken, dat kan ik gewoon, het enige in de wereld waarbij ik niet bang hoef te zijn dat ik zal falen, gestraft, afgewezen, buitengesloten, uitgejouwd of weggehoond zal worden, want dat gebeurt niet. Ik kan weleens een mayonaise de schift in slaan, oké, een meringue die in elkaar zakt omdat de oven niet heet genoeg is, goed, kan gebeuren, maar nooit, en ik herhaal: nooit is mijn eten niet lekker. Zelfs mijn mislukte-in-de-schift-geslagen mayonaise is lekker. Het mislukt om technische redenen, omdat de olijfolie te koud is, of omdat ik niet secuur genoeg geweest ben in het vetvrij maken van mijn outillage, maar nooit omdat ik de smaak niet goed krijg. Dat weet ik. Dat is het enige in de hele wereld wat ik zeker weet, waar ik op kan bouwen, waar ik op durf te vertrouwen en het enige wat me op dit moment bestaansrecht geeft. Mijn treurende hart heeft me geïnspireerd tot het smakenpalet van vanavond. Troostrijke smaken. Truffel, honing, saffraan, kaneel, vanille. Ik snuif eraan en mijn ogen beginnen te prikken, de troostrijke uitwerking is minder sterk dan ik had gehoopt. Van alle troost barst ik pardoes in huilen uit. Beter niet doen. Ik duw mijn neus in het potje met truffelhoning. Wilde bloemenhoning waar ik een paar schijfjes verse zomertruffel in heb gelegd en een paar weken heb laten staan. De geur is doordringend, maar heerlijk en maant het hoofd tot stilte. Ik duw mijn vinger in het potje en steek hem in mijn mond. De smaak is bedwelmend.

Het diner was een makkie. Acht personen. Ik heb alles in onze werkruimte voorbereid en hoefde het hier in het souterrain alleen nog maar af te maken. De vis in de oven, de verse pasta, rijk van smaak met gezouten boter en salie, een goddelijke combinatie, groot effect en tien minuten werk. Het geheel afgemaakt met zilte tranen. In alle gerechten zijn mijn tranen beland. Roderick heeft tijdens zijn bruiloftsfeestje mijn tranen gegeten. De ironie van het leven blijft me verbazen.

Ik denk dat ik 's.v.p. niet reanimeren' op mijn borst laat tatoeëren. Gewoon, voor het geval ik een hartstilstand krijg en op straat lig en overijverige burgers aangemoedigd door Postbus 51-spotjes aan mijn lijf beginnen te sjorren en mijn blouse opentrekken om een hartmassage toe te passen. Ik zou een verzoek tot 'niet aankomen' in mijn portemonnee kunnen stoppen. En dan maar hopen dat ze daar eerst in kijken voor ze op je borst beginnen te rammen. Want dat vertelt het spotje er niet bij. Dat er mensen zijn die helemaal niet gereanimeerd willen worden. In die eerste zes minuten ben je vogelvrij. Dus dit lijkt me de beste oplossing. Misschien moet er een symbool komen. Op het moment dat ze je blouse opentrekken om je een paar beuken op je borstbeen te verkopen staat daar NRSVP. Niet Reanimeren S'il Vous Plaît. Of in een klein sierlijk Edwardian Script-lettertje 'laat maar zo, het is mooi geweest'.

Nadat ik Damien naar het vliegveld had gebracht ben ik naar huis gereden en heb een krat wijn leeggedronken. Na een dag of twee verkeerde ik in een toestand die zich het best laat omschrijven als het voorportaal van een delirium en in die toestand zag ik hem in de slaapkamer staan, tegen de muur geleund, een beetje dronken, een beetje stoned met zijn scheve glimlach op het gezicht. Meteen zag ik voor me hoe hij me likte, hoe hij zichzelf vergat als hij mij beminde. De lichamelijke aantrekkingskracht was zo sterk dat ik me niet kon voorstellen dat hij niet aan hetzelfde dacht wanneer ik in gedachten van hem genoot. We waren nog steeds door ragfijne draden met elkaar verbonden. Het voelde alsof hij nog bij me was. Ik voelde zijn aanwezigheid om me heen. Misschien verbeeldde ik het me. Soms praatte ik tegen hem. Ik heb gehuild, gejankt, als een hond gejankt tegen de maan, gevloekt. Maar het is lastig boos worden als iemand er niet meer is om je woede op te koelen. Woede die voortkomt uit pijn, pijn die voortkomt uit alleen gelaten zijn. Waarom doet alleen zijn pijn? Ik heb het me vaak afgevraagd en het antwoord niet gevonden. Nog nooit had iets zoveel pijn gedaan als het verlies van deze geliefde. Ik werd heen en weer geslingerd tussen wraak en overweldigende treurnis. Tussen intense, vurige liefde en diepe haat. En de liefde won altijd. Heel vreemd. Wanneer ik in het zonnetje in de tuin achter mijn huis voor me uit zat te staren, verbaasde het me dat na elke woede-uitbarsting mijn liefde voor hem toch nog door mijn lichaam golfde. Begrijpen deed ik het niet. Dat ik klaar was voor een goede psycholoog werd me zo langzamerhand wel duidelijk, want je kunt niet houden van een man die je verlaat. Dat hoort niet. Dan spoor je niet. Maar ik hield van hem en ik kon er niet mee stoppen. Ik kon niet stoppen van hem te houden. Ik deed mijn best maar het lukte me niet.

Na drie dagen kwam er een mailtje binnen. Mijn hart sloeg drie keer over, het vuur sloeg uit mijn wangen. Een mailtje. En dan opeens weet je dat e-mail een belabberd medium is, dat het geen reet voorstelt als iemand je een mailtje stuurt. Geliefden sturen elkaar geen mailtjes, die sturen elkaar geparfumeerde brieven. Aan een brief kun je tenminste nog iets aflezen. Een poststempel, verbleekt en afgesleten, waardoor je snel een vliegtuig pakt en, hup, op naar verre landen om de verloren gewaande geliefde te zoeken om een mooi romantisch verhaal te beginnen. Maar bij een e-mail zit geen poststempel. Alleen een onderwerpaanduiding. En die had hij niet ingevuld. Het had dus ook een kettingbrief kunnen zijn, verstuurd aan zijn volledige adresboek. Een of andere mooie boeddhistische boodschap waar je verder geen reet aan hebt, zoiets als 'de gebarsten pot', over een pot die dan wel gebarsten mag zijn waardoor het water langzaam wegloopt, maar onderweg bevrucht hij wel de aarde en als de pot achterom zou kunnen kijken zou de pot zien dat er heel mooie bloemen bloeien langs de weg alwaar hij heeft gelekt. Ik heb vijf minuten naar mijn beeldscherm zitten staren voor ik het durfde te openen.

Het spijt me.
Ik heb me vergist.
Ik kom morgen om halfdrie aan.
Haal me op.

Daar hoopte ik op. En zolang ik het mailtje niet opende kon ik me koesteren in de zachte illusie van de hoop. Maar nee. Dat was nou jammer. Er stond iets anders.

Lieve lief,
Maak je geen zorgen alles is oké.
Wees niet verdrietig.
Ik ben als een wit zeil op een blauwe zee.
Het is goed zoals het is.

Hoeveel cryptogrammen kan een vrouw verdragen als het om haar geliefde gaat? Ik had brieven willen schrijven, lappen tekst met veel uitleg en nog meer vragen maar ik wist dat het zinloos was. Hij had mij verlaten. Zonder opgaaf van redenen had hij me verlaten. Hij had me verlaten. En dat kon ik niet vaak genoeg tegen mezelf zeggen omdat mijn systeem weigerde het te geloven, te begrijpen. Hij was weg. Maar dat was niet het ergste. Het ergste was dat mijn liefde bleef. Mijn liefde ging niet dood. Was ik in het verleden in staat geweest om dikke deuren dicht te smijten met veel woede en agressie, nu sloeg mijn liefde voor hem me in het gezicht. Mijn lichaam stond letterlijk in brand. Begrijpen deed ik het niet.

Ik wil alleen voor jou koken, huil ik boven mijn pannetjes terwijl ik denk aan de donkergroene ogen van Damien en zijn gladde zwarte wenkbrauwen die ik zo graag streelde. Ik mis hem. Ik mis hem zo. Boven wordt het gezelschap steeds luidruchtiger. Desirée is net naar boven gelopen om de tafel af te ruimen zodat het dessert door kan.

Ik hoor Roderick hard lachen en mijn maag krimpt ineen. Roderick is ook met iemand getrouwd. Dat gaat Damien op een dag ook doen. Wat heb ik niet goed gedaan? We hadden nooit ruzie, ik vond alles goed, mopperde niet, claimde niet, ik heb hem het heerlijkste eten wat er te krijgen is gevoerd en wie zei ook weer dat de liefde van de man door de maag gaat? Weer een mythe gestorven. Heb ik ooit één enkele keer 'Nee, ik heb niet zo'n zin, beetje hoofdpijn, laten we maar gaan slapen', gezegd? Nee. Wat doe ik niet goed? Ik doe iets niet goed. Desirée gaat krijsend voor de auto van haar man liggen en hij geeft haar wat ze wil. Ik geef alles en krijg niets. Ik begrijp iets niet in de wereld. Ik begrijp een heel belangrijke wet van het leven niet. Ik loop naar de andere kant van de keuken en brand mijn hand opzettelijk aan het espressoapparaat om het onbedaarlijk op een huilen te kunnen zetten.

11

HET DESSERT KAN DOOR

'Het dessert kan door!' Desirée kijkt om het hoekje.

Ik veeg snel de tranen van mijn wangen. 'Vonden ze het lekker?'

'Ze zijn laaiend.'

'Mooi, ik heb de keuken al bijna opgeruimd. Alleen dat dessert eruit gooien en we zijn weg hier.'

Ik hou mijn hand onder het koude water en laat de ovenschaal waar ik de vis in zoutkorst in heb bereid vollopen zodat de korsten kunnen smelten en ik ze eraf kan borstelen.

'Gaat het een beetje? Je hebt toch niet gehuild?' Desirée is de fijnste vriendin ter wereld wanneer het niet goed met me gaat. Ze loopt naar me toe en wrijft even over mijn rug. Heel even maar. Ze houdt niet zo van fysiek contact. Ik wel, ik kan er geen genoeg van krijgen. Ik heb het nodig om te bestaan. Liefde gaat bij mij via de maag en het lichaam. Niet via het hoofd zoals bij Desirée die nadenkt over het zeggen van de juiste dingen op het juiste moment. Ik zeg altijd de verkeerde dingen op het verkeerde moment. Zoals: 'Waarom ga je morgen niet weg, je kunt morgen toch ook weggaan?' Dat leek me een goede zin om elke dag te herhalen. Maar het haalde niets uit. Ik ben nog net niet aan zijn enkels gaan hangen. Een beschamende vertoning was het. Als een kleuter heb ik achter hem aan door het huis gelopen terwijl ik hem hielp zijn koffer te pakken, terwijl ik allerlei manieren zocht om hem ervan te overtuigen dat hij niet moest weggaan, wat er alleen maar voor zorgde dat hij me met nog meer vuur ging overtuigen van de juistheid van zijn beslissing. Alsof hij drie dagen op de bank had liggen nadenken over hoe hij met de juiste overredingskracht mijn hart zou breken door me te vertellen dat het absoluut goed voor mij was dat hij wegging. En omdat hij wist dat ik dat niet zou begrijpen praatte hij net zolang door tot ik alleen nog maar ja kon knikken en in mijn auto kon stappen om hem naar het vliegveld te rijden. Op weg naar het vliegveld was ik verstard en bevroren. Daar stapten we uit. Ik liep naar hem toe, nestelde mijn gezicht in zijn hals en streek door zijn haar, terwijl zijn armen om mijn middel gleden.

Hij zei: '*Thank you for having me in your life*,' terwijl er dikke tranen over zijn wangen biggelden. Intussen was ik zo murw dat ik alleen maar zei: 'Graag gedaan.' Blijkbaar schakelt hij ook over in het Engels als hij ontroostbaar is, die kende ik nog niet van hem. Hij bedekte mijn gezicht met kussen, draaide zich om en liep weg. Hij trok de rode rugzak op wieltjes die we samen op de Albert Cuyp hadden gekocht achter zich aan. Terwijl hij wegliep voelde ik hoe mijn hart met een droge 'knak' brak. Meer was het niet. Als een ei dat je op de rand van een porseleinen kom breekt, zo heeft hij mijn hart in zijn handen genomen en het op de rand laten neerkomen en de schaal laten breken. Ik heb eerder verdriet gehad, maar er is nu iets anders aan de hand. Ik voel een onbekend, onontdekt verdriet.

Desirée staat nog steeds wat onwennig op mijn rug te wrijven. Het is lief bedoeld, ik weet dat ze het doet omdat ze weet dat ik het fijn vind. Ik heb haar eens een hond zien aaien. Met haar vingertopje raakte ze even de kop van het dier aan en was vervolgens in de overtuiging dat ze het dier liefdevol had geknuffeld. Zo doet ze dat nu ook met mij. Ik word met straffe hand over mijn rug geaaid. Omdat ze weet dat het moet, het hoort erbij wanneer je iemand wil troosten, niet omdat ze het wil, maar dat maakt het niet minder lief. Ik droog mijn handen af, pak het aanzetstaal dat op tafel ligt en haal het een paar keer langs het mes.

'Liefje, ik vind het zo erg als je zo overstuur bent.'

'Het gaat wel, de taart moet aangesneden worden,' brom ik.

'Waarom zoek je geen gewone man?'

Ik voel hoe mijn nekharen overeind gaan staan. Een opmerking van onbegrensde stupiditeit. Ik zeg niets en glimlach koeltjes. Want ik zie haar erachteraan denken: eentje die niet zo leuk is, die vieze sokken heeft, geen ruwe bolster, geen blanke pit en geen haar. Een man waar je niet dronken en euforisch van wordt want wat koop je er allemaal voor? Niets. Zie je nou, dat komt ervan, dat heb je met leuke mannen. Ik moet het doen zoals Desirée doet. Een lelijke met geld. Ze doet alsof er iets aan mij mankeert in plaats van aan haar omdat zij nooit zo verliefd is geweest en getrouwd is met de vader van haar kinderen, zorgvuldig uitgezocht op het bezit van een platina creditcard. Of zes. Zes is beter. Want trouwen uit liefde is niet de regel. Een goede partij uitkiezen wel. Een slimme meid is op haar toekomst voorbereid, een gewone man met een waardevast pensioen en twee of drie kinderen om de levensverzekering zeker te stellen, want van een leuke platina kinderbijdrage kan een vrouw ook heel aardig rondkomen. Wij zijn onder de pannen. Ziezo. Opgelost. Vrouwen hebben de macht om de wereld te veranderen maar ze laten zich liever een creditcard in hun handen duwen. Vrouwen zijn net eksters en houden van alles wat blinkt. Zo ook Desirée. Ik ben eens met haar gaan winkelen en terwijl ze klaagde dat Ed haar geen geld gaf, zwaaide ze met zijn platina creditcard en gaf voor 4.000 euro uit aan lingerie en andere frivoliteiten. 'Alles is economie, ook in de liefde, schat.' Het zijn haar gevleugelde woorden. Dat is de fout die ik altijd heb gemaakt. Ik wil goede seks. En ik wil liefde. Die combinatie. Kom daar maar eens om vandaag de dag. Desirée stelde andere eisen. Desirée heeft met haar blonde haar en grote tieten nooit over mannelijke aandacht te klagen gehad. Misschien is dat het. Misschien ziet zij de man voor wat hij is, een armzalige baby op zoek naar een tiet. Over een beter en mooier leven wordt gedroomd en gefantaseerd en sinds kort gesurft op internet. Het leven moet vooral simpel, veilig, en overzichtelijk zijn. Zekerheid voor alles. We doen gek in het geheim, op duistere parkeerplaatsen en op internet. Voor de broodnodige spanning. Want iedereen wil spanning. Ik hou zelf niet zo van spanning. Ik hou van ontspanning. Maar kom daar maar eens om vandaag de dag.

'Wat bedoel je precies?' vraag ik terwijl ik mijn opwellende woede probeer te onderdrukken.

'Nou. Gewoon, een gewone man.'

'Damien is een gewone man. Twee benen, twee armen, niks bijzonders aan.'

'Nee, een man die gewoon van je houdt bedoel ik.'

'Damien houdt van mij.'

'Ja, natuurlijk houdt hij van je, maar niet genoeg om bij je te blijven.'

Au. Ik snij pardoes in mijn vinger. Ik steek mijn vinger in mijn mond om het bloeden te stelpen. Ze had net zo goed het vers geslepen Sabatier-mes in mijn borst kunnen steken en het een keer rond kunnen draaien.

'Een gewone man, zo'n man als jij hebt zeker,' zeg ik snibbig met mijn wijsvinger in mijn mond. Bij sommigen gaat het om liefde bij anderen om winst, zou ik er graag aan toevoegen, maar ik hou me in.

'Ik ben heel gelukkig met Ed, ja.'

Een gewone man. Jij noemt Ed een gewone man, denk ik nijdig terwijl ik ergens in roer. Die lelijke, magere dwerg met zijn jampotglazen, dat noem jij een gewone man? 'Een mooie man heb je nooit voor jezelf,' gaat ze onverdroten verder en duwt het mes iets dieper in mijn borst. Daar gaat ze weer. Hoe vaak ze dit al niet heeft gezegd. Let op, ze gaat het zeggen. Zonder dat ze het ziet beweeg ik mijn mond mee.

'Je hebt niks aan *looks and no money.*'

'Ik hoef hem ook niet voor mezelf,' breng ik recalcitrant in, 'ik geloof in vrijheid, hij moet zijn *ding kunnen doen.*'

Dat is niet waar maar ik wil haar niet laten winnen met dit soort domme argumenten die zo voorbijgaan aan mijn gevoel en vooral aan mijn verdriet.

'Damien is een vrije man, die laat zich niet kooien, en dat bewonder ik in hem. Ik wil de liefde beleven in mijn relatie.'

'Dat is een hoog ideaal.'

'*Excuse me*? Ik wil een liefdevolle relatie, waar we respectvol en liefdevol met elkaar omgaan en dat noem jij een hoog ideaal? Waarom heb je anders een relatie als je dat niet hebt?'

'Kinderen, schatje, daar word je gelukkig van, niet van een man, begrijp dat nou eens. Een vrouw leeft voor haar kinderen en een man voor zijn werk.'

'Dus liefde bestaat niet?'

'Tuurlijk bestaat dat. Eventjes. Als je verliefd bent en daarna is het werk.'

'Goh.'

'Heus. Zoek een gewone lieve man, word zwanger en klaar is Kees.'

'Maar ik wil een man van wie ik hou en ik wil een man die van mij houdt.'

'Mannen kunnen niet houden van.'

'Dat kunnen ze wel! Jij kunt niet houden van! En die man van je kan niet houden van. Maar ik kan het wel.' Ik begin te snikken en struikel over mijn woorden terwijl ik probeer uit te leggen dat mijn liefde misschien wel is weggegaan maar dat hij van me hield, dat hij is weggegaan omdát hij van me hield en met al mijn kracht probeer ik het te geloven, wil ik me eraan vasthouden omdat ik bang ben dat ik anders knettergek word van verdriet.

Dit gaat de verkeerde kant op. Ander onderwerp graag. Wordt het niet eens tijd voor een lekkere zoute haring? Uitje d'r bij? Kopje koffie, glazenwasser? Ik ga maar eens aan het dessert beginnen.

'Ik neem een Drambuie met ijs.'

'Nog een? Kijk je wel uit, we moeten morgen op camera.'

'Aan dat hoofd van mij valt niks meer te redden. Ik trek wel een boerka aan, en dan koken we Marokkaans, zijn we overal vanaf.'

We hebben eens in de week een kookitem in het RTL-programma *Happy Day*, dat wordt geproduceerd door het productiebedrijf van Ed. Op die manier maken we reclame voor ons bedrijf en we verdienen er zonder al te hard te hoeven werken een leuke duit bij.

Ik schenk mezelf in en hou de fles omhoog.

'Jij ook nog een?'

'Nog eentje dan. Doe maar een klein beetje.'

Ik hoor de gasten lachen.

'Ze hebben daarboven mijn tranen gegeten, is het geen giller?' mompel ik in de richting van Desirée.

'Ja, dat is het zeker. Maar nu even iets anders, schat. De bruid is behalve de bruid ook nog jarig. Het lieve kind valt aan alle kanten met haar poppelige neusje in de boter. En nu is er de vraag of jij iets leuks kunt doen. Iets met een toeter en een fluit bij het dessert?'

Het kan niet op met de feestvreugde voor Geneviève. Ben ik jaloers? Ja, ik ben jaloers. Omdat ze met Roderick trouwt? Nee, niet omdat ze met Roderick trouwt. Ik ben jaloers omdat ze gelukkig is vanavond, omdat er in het souterrain iemand haar best staat te doen om haar een leuke avond te bezorgen, iemand die alle gerechten op smaak heeft gebracht met haar tranen. Ik ben jaloers op mezelf, ik zou mezelf graag cadeau hebben gehad op een avond als deze. Ik wil een avond als deze. Daar ben ik jaloers op.

'Iets leuks bij het dessert? En wat hadden ze in gedachten? Hadden ze dat niet eerder kunnen zeggen?' mopper ik. 'Ik heb niks leuks. Ik heb een taart, daar moeten ze het mee doen. Gezeik.'

'Maak je niet druk, stop een paar kaarsjes in die taart, ik doe het licht uit wanneer je binnenkomt en klaar is Kees.'

'Ik heb geen kaarsjes. Ik ben niet gevraagd om een kinderpartijtje te geven.'

'Volgens mevrouw Van der Weijden lag er iets feestelijks in een la.'
Desirée begint alle lades open te trekken en te doorzoeken.

'Aha! Is dit wat?' Ze houdt een pakje Dr. Oetker roze prinsessenglazuur omhoog. 'Met frambozensmaak, wat wil je nog meer?'

'Ik kan zo een, twee, drie wel een paar dingen opnoemen. Om te beginnen dat deze taart te mooi en te lekker is om die rotzooi eroverheen te smeren.'

'Jezus, Eva, wat maakt het uit? Als ze dat nou willen. Hier.' Ze knipt het zakje open. 'Ik gebruik dit ook bij mijn kinderen, ik smeer het overal op als er wat te vieren valt, ze vinden het fantastisch. Geneviève zal in haar poezelige handjes klappen van plezier.'

Hoe zou ze eruitzien, onze Geneviève, gaat er even door mijn hoofd. Ze is toch een beetje de vrouw die er met de buit vandoor is. Ik vermoed dat ze klein en kordaat is. Van die kleine, pittige, blonde vrouwtjes, die zich dom voordoen maar ondertussen. Een pitbull in schaapskleren. Met blond, steil haar en niet langer dan een meter zestig. Het is me vaker opgevallen dat kleine vrouwen heel kordaat zijn. Ze doen zich klein voor maar kunnen in alle stilte onder de tafel waar niemand hen ziet hun snode plannen uitbroeden.

'Hoe ziet ze eruit? Wat is het voor type?' vraag ik.

Door alle drukte hebben we nauwelijks een woord gewisseld. Ik heb als een kalf boven de pannetjes staan snikken, een kalf dat verdronken is en wacht tot de put is gedempt, zo'n kalf, een verloren kalf, een kalf waarvoor het te laat is, een kalf dat even heel veel meelij met zichzelf heeft. Ik kan Desirée niets laten merken want Desirée is een bikkel, die gaat altijd door, geen tijd voor emoties, allemaal onzin, emoties, wat moet je ermee, alleen maar lastig en verwarrend.

Desirée kijkt me aan en haalt haar schouders op.

'Niets bijzonders. Maak je geen zorgen. Dertien-in-een-dozijntype.'

Dertien-in-een-dozijntype? Ik had als pleister op de wonde toch minstens iets heel speciaals gedacht. Dat je ingeruild wordt voor een ander is tot daar aan toe maar laat het dan iemand zijn van wie je denkt: ja, zou ik ook doen, groot gelijk, gaan met die banaan. Een bloedmooie celliste die lijkt op Cindy Crawford, zestien talen spreekt en een dame op straat, een prinses in de keuken en een hoer in bed is. O nee, dat was ik al. Nou een zestien talen sprekende celliste dan, die lijkt op Cindy Crawford. Iemand met zulke kwaliteiten hoeft niet te kunnen koken. Ik kook ook alleen maar om de rest van mijn makke te compenseren. Verder voldoe ik nergens aan. Zonder man voldoe ik nergens aan. Zonder man ben ik een goddeloze heks, een hoer, zo is er eeuwenlang naar vrouwen zonder man gekeken en dat wis je niet zomaar uit het oerbewustzijn van een vrouw. Een paar eeuwen terug had ik allang op de brandstapel gelegen. Een vrouw heeft een man nodig. Een nest. Een huis en kinderen, een hond en twee katten in de tuin. Dan voldoe je aan de torenhoge verwachtingen van de maatschappij. Ik wil een King Louie-moeder zijn. Ik wil een carrière, een man, kinderen, een mooi huis met Kitch Kitchen-tafelkleden en een servies met roze roosjes en een lange tafel. Hagelslag en gestampte muisjes vliegen in het rond. Krijtende kinderen en een stralend gelukkige man die me gedag kust op weg naar een goedbetaalde baan met zijn glimmend leren aktetas nonchalant onder de arm. Het leed van de wereld bereikt ons alleen via de televisie, die we zo min mogelijk aanzetten om ons stralende geluk niet te laten bederven door wereldse droefenis. Ik wil het allemaal om de wereld te laten zien dat ik het goeddoe, dat ik een goed mens ben. Hoe kan ik het de wereld anders laten zien?

Lichtpuntje van de dag: Damien heeft me niet verlaten voor een andere vrouw. Het glas is altijd halfvol of halfleeg, het is maar hoe je ernaar kijkt. Op dit moment, terwijl ik luister naar het gezelschap dat zich vermaakt, vind ik dat een troostrijke gedachte. Ik neem het opengeknipte pakje van Desirée over en ruik eraan. Mierzoet. Frambozen, *my ass*. Kleur-, geur-, en smaakstoffen zul je bedoelen.

'Puur chemisch. Het is tegen mijn principes. Ik vertik het.'

'Eva, flikker die troep op die taart en hou op met zeiken. Schiet op. Kijk eens,' ze houdt weer een zakje omhoog, 'ik heb ook nog wat kaarsjes gevonden. Als jij het niet doet, doe ik het. Moet jij eens kijken hoe blij iedereen straks kijkt.'

Ik haal de chocoladetaart uit de koelkast en druk er even op. Hij is mooi opgesteven. Zacht glanzend en diepbruin van kleur. Doodzonde om er een vrolijke verjaardagstaart van te maken. Ik druk het zakje leeg in een porseleinen kommetje. Weer kijk ik met pijn in mijn hart naar de taart. Er staat een vaas met bloemen op de tafel. Ik heb een beter idee. Ik roer het glazuur even om en met een klein lepeltje druppel ik wat rozetjes op de taart en steek in elke rozet een bloem. En nu maar hopen dat het poeder van de meeldraden niet giftig is. Ik steek er zeven kaarsjes tussen. Zeven is een geluksgetal, het getal van de overvloed en het verbond. Je moet altijd geven wat je zelf wilt hebben, heb ik weleens gehoord.

'O ja, en of je hem zelf even naar boven kunt brengen want ze willen je bedanken.'

'Nee, hè.'

'Ja, hè.'

'Geen zin in.'

'Doe nou maar, daar knap je van op, een beetje applaus.' Ze legt haar arm om mijn schouders en drukt me even tegen zich aan. 'Even flink zijn. Het gaat vanzelf weer over.'

'Dit gaat nooit over.'

'Het gaat wel over. Gewoon niet aan denken. Check je make-up even, je mascara is uitgelopen. En neem een glas champagne. Daar word je vrolijk van.'

'Van Drambuie ook.'

'Nee, van Drambuie word je brutaal en overmoedig, van champagne word je vrolijk.' Niemand kent me beter dan Desirée.

Ze trekt de koelkast open en pakt er een open fles champagne uit die over is van het aperitief.

'Hier. Proost. Alles komt goed, je bent erop gekleed, je bent klaar voor de strijd.' Ze geeft me een por met haar elleboog. Ze heeft gelijk.

Geheel toevallig heb ik me voordat ik het schort aantrok door Desirée in mijn zwart satijnen D&G-jurkje laten hijsen omdat het een ingenaaid korset heeft dat ik in mijn eentje niet tot een wespentaille geregen krijg. Vrouwen kunnen behalve boosaardig en geduchte rivalen ook trouwe bondgenoten zijn in tijden van oorlog. De oorlogskleuren van Gina Carbonara werden aangebracht. Zwarte kohl en felrode lippenstift. Maar daar zal weinig van over zijn na mijn gesnotter in de kookdampen. Niets gevaarlijker dan vrouwen op oorlogspad. Ik sta op stevige Birkenstocks te werken maar voor de zekerheid, in het geval van een confrontatie, heb ik zwarte lakschoenen meegenomen. (Of CFM-pumps, een term van Roderick. Die was er dol op, vooral als ik ze aanhield in bed). En zwarte netkousen met plakrand. Kom nooit een ex onder ogen zonder tot de tanden gewapend te zijn.

Decadence

EEN DECADENT DESSERT OF TAARTJE VOOR 10-12 MAN

KLOP 10 EIEREN MET 175 GRAM SUIKER

HÉÉL SCHUIMIG! & WIT

→ 250 ML WATER

400 GRAM SUIKER

KOOK WATER & SUIKER TOT SIROOP

675 GRAM BITTERE CHOCOLADE + BO 450 GRAM BOTER TER

SIROOP!

& ROER TOT EEN EGALE SAUS LAAT AFKOELEN.

MENG DE CHOCOSAUS MET HET EIMENGSEL. → ROER HÉÉL KORT DOOR!

20×5 CM

GIET IN EEN GOED INGEVETTE BAKVORM!

BAK DE DECADENCE IN EEN VOORVERWARMDE OVEN OP 160 GRADEN → AU BAIN MARIE ← IN 30 MIN MOOI GAAR. → LAAT HEM HELEMAAL AFKOELEN!

12

GEDROOGDE APENKOP

'Kennen jullie die mop over Brigitte Bardot die op audiëntie kwam
bij de paus?'

Meneer Hellendoorn, tevens vader van de bruid, schraapt zijn
nogal dikke keel, waarvan het vel enigszins over het boord van zijn
overhemd hangt. Hij heeft een glimmend, kaal hoofd. Zijn wangen
zijn vuurrood van de drank en glanzen van het onderhuidse vet. Hij
lijkt een beetje op meneer Tip uit: *Mijnheer Tip is de dikste mijnheer*, denk ik, het dikste varken van de stal waar Anton Koolhaas zo
prachtig over schreef. Meneer Hellendoorn laat zich het best omschrijven als een vies, vet varken. Ik zeg het maar kort en bondig,
ik heb de energie niet om er iets moois van te maken. Begrijp me
goed, ik ben dol op varkens, het zijn schrandere dieren, behalve als
het mensen zijn. Hij is behangen met gouden ringen en een potsier-
lijk gouden horloge. Al draagt een aap nog zo'n mooie ring, het is
en blijft een lelijk ding, denk ik knorrig. 'Fantastisch gegeten,' roept
hij me toe wanneer ik binnenkom met de taart in mijn handen en
hij gaat meteen verder met het vertellen van de mop. Dat er iemand
met brandende kaarsjes binnenkomt, is verder voor niemand aanleiding om het heerschap tot stilte te manen. Het feit dat ik een ge-
vaarlijk groot mes in mijn andere hand heb, maakt ook geen indruk.

'Brigitte Bardot is op audiëntie bij de paus.' Hij lacht een beetje
scheef en verkneukelt zich in de clou. Hij likt zijn vette lippen af en
gaat verder. 'Brigitte maakt een buiging voor de paus. De paus buigt
zich naar voren, kijkt hoe ze een buiging maakt en zegt: "Mon dieu,
mon dieu". Hij buigt zich wat naar voren alsof hij in het denkbeeldige decolleté van Brigitte Bardot naar binnen loert. 'De paus blijft
kijken en zegt nog eens: "Mon dieu, mon dieu." Dan gaat ze weg. En
dan hoort hij achter zich iemand kuchen. Hij kijkt om en ziet God

achter hem staan. De paus schrikt, maar dan zegt God: "Jij bent nog eens een paus! Jij roept me tenminste als er wat te zien is."' Meneer Hellendoorn-is-de-dikste-meneer lacht het hardst. Ik zie nog wat visresten op zijn tong liggen.

Meneer Van der Weijden zit er stil en in zichzelf gekeerd bij. Mevrouw Van der Weijden, het haar in een kleine Franse wrong, zit ernaast. Een mooie vrouw, nog steeds, onberispelijk gekleed in een donkerblauw ensemble van Mart Visser. Ze heeft een markant gezicht en een opvallend snerpende stem. 'Kostelijk, werkelijk kostelijk,' zegt ze zonder te lachen. Of ze het over de taart heeft of over de mop is niet duidelijk. Ze praat alsof iemand een knopje heeft ingedrukt waardoor er woorden uitkomen die enigszins passend zijn bij de situatie. Het lijkt alsof de schouders van meneer Van der Weijden in de loop der jaren een beetje omhoog zijn gegroeid door het zich schrap zetten tegen die stem. Alsof hij onwillekeurig zijn oren dicht heeft willen stoppen met zijn eigen schoudervullingen. Ik heb een instinct ontwikkeld om in alles de beurse plekken te ontdekken. Ik merk altijd heel snel dat een huwelijk bestaat uit één persoon plus nog één en zelden uit twee. Ze houden niet van elkaar. Ze blijven bij elkaar omdat ze elkaar nodig hebben om elkaar de schuld te kunnen geven van hun eigen ellende.

Meneer Van der Weijden kijkt me aan en glimlacht treurig.

'We hebben heerlijk gegeten,' zegt hij.

'Dank u,' antwoord ik. Ik ontdek het grote voordeel van verdriet. Je wordt er lekker *nevermind* van. Door de vermoeidheid en de hitte in de keuken ben ik opeens wonderlijk ontspannen. Het werken in een keuken is fysiek zo zwaar dat het je hoofd stil doet vallen.

Ik kijk het gezelschap rond. Zijn zus, ah zijn zus is er ook, met daarnaast de Zwitserse horlogehandelaar. Die kijkt niet blij uit de ogen. Is er eigenlijk iemand blij in dit gezelschap? Naast meneer Hellendoorn zit geen vrouw. Mevrouw Hellendoorn heeft de handdoek in de ring gegooid en heeft het enkele jaren geleden op een lopen gezet, mag ik hopen. En dan het bruidspaar. Ach, wat schattig. Ach, wat ontroerend. Ach, wat is het mooi om zulk pril geluk te mogen aanschouwen. Ik glimlach naar Roderick. Hij glimlacht terug, hij glimlacht zoals het hoort, hij glimlacht zoals een keurig opgevoed rijkeluisjongetje glimlacht wanneer de kokkin met een taart binnenkomt. Hij staat niet op, verwelkomt me niet, hij glimlacht zonder blijk van herkenning. Of zie ik daar een heel klein knikje en knik ik nauwelijks waarneembaar terug? Dit alles natuurlijk uit piëteit met de bruid. De bruid. Daar zit ze. De celliste op topniveau die op Cindy Crawford had moeten lijken. Gekleed in een keurig ensemble van Pauw, taftzijde en velours. Roderick gaat trouwen met een Pauw-vrouw, een VVD-vrouw uit liberale kringen, compleet met parelketting. Helemaal zijn type. *Not*. Ze is een keurige, representatieve doktersvrouw, die eens in de week haar plicht doet, waarschijnlijk op vrijdag, als de werkweek erop zit. Een vrouw om op te bouwen, niet iemand die zich laat bedwelmen door seks, drugs en rock-'n-roll. Een vrouw die geen gevoel voor humor heeft. Een vrouw om je bij dood te vervelen. Maar dat geeft niet want het gaat om het plaatje. Geneviève is saai. Dat kun je zien aan hoe ze haar haar draagt, haar make-up, haar mantelpakje en vooral aan het feit dat ze niet aantrekkelijk is. Want saai is onaantrekkelijk. Toch? En aan hoe ze niet lacht. Ze lacht beleefd, op de juiste momenten. Ze lacht wanneer ze geacht wordt te lachen. Net als zijn moeder. Roderick is met zijn moeder getrouwd. Ze is keurig. Onberispelijk. Wat heeft zij dat ik niet heb? Ik kan namelijk zo op het blote oog niets ontdekken wat zij heeft en wat ik niet heb. Ik kan überhaupt niets ontdekken wat de moeite waard is, behalve dat ze de uitstraling van een frigide konijn heeft. En dat bedoel ik als een compliment. Ze kijkt namelijk best lief uit haar ogen. En best een beetje dom ook, want als je een konijn bent en frigide, ben je best een beetje dom. Sorry, dat is niet aardig. Sorry. Mijn hoofd had beter stil kunnen blijven, nu ga ik weer allemaal lelijke dingen denken. Sorry.

Meneer Van der Weijden tikt met zijn mes tegen zijn glas en biedt de reddende hand. 'Dames en heren, mag ik u voorstellen, dit is de kok die ons zo verwend heeft.' Het gezelschap begint te klappen en ik kleur dieprood tot achter mijn oren. Ik loop naar het midden van de tafel en zet glimlachend de taart met de kaarsjes voor Geneviève neer. Ik kies bewust positie tussen haar en Roderick, waarbij mijn heup even zijn schouder raakt. Het mes leg ik ernaast. Dan kunnen ze zo meteen samen met-vier-handjes-goed-vasthouden de taart aansnijden. Geneviève maakt zich klaar om met een diepe zucht de kaarsjes uit te blazen. Roderick begint te zingen. '*Happy birthday to you, happy birthday to you*.' Ik loop om de tafel en zet de taartbordjes voor alle gasten neer. Hete soep, ik had hete soep moeten maken. Die had ik, geheel per ongeluk natuurlijk, in zijn schoot kunnen laten vallen.

Of konijnenbout in een dunne wijnsaus op basis van wildfond waardoor hij lekker glibberig is, geserveerd op een plat bord waardoor het konijnenboutje, wat een paar dagen geleden nog kwiek door het weiland hupste, nu, door een iets te bruuske beweging voorwaarts, hop, zo in de schoot van Geneviève haar Pauw-mantelpakje hupst. Ik had het eten als afweermechanisme moeten gebruiken om deze avond van me af te bijten. Tonijn met een flinke toef wasabi onder een plakje komkommer verstopt, waardoor het voltallige gezelschap naar het toilet moet rennen om hun ogen te deppen en hun keel koel te spoelen. Dat had ik moeten doen. Ik had ze de stuipen op het lijf moeten jagen en gedroogde apenkop als hoofdgerecht moeten serveren. Op de vraag wat ik als hoofdgerecht in gedachten had, had ik moeten antwoorden: 'Wat dacht u van Afrikaanse hamsterrat?' En een chocoladebom als toetje. Uit recent archiefonderzoek is gebleken dat de Duitse nazi's speciale bommen ontwikkelden die werden verstopt in chocoladerepen die bedoeld waren om het koninklijk paleis binnen te smokkelen. Als de reep werd gebroken zou er zeven seconden later een flinke explosie plaatsvinden. Ik had een milde versie kunnen maken, een fors uitgevallen *christmas cracker*. Een kleine explosie, niet ernstig maar toch vervelend. Een ongelukje meneer Sonneberg. Een gebbetje, meneer Sonneberg. Geneviève en Roderick, keurig met de handen op elkaar, snijden samen de taart aan. Hé, hé, wil ik roepen, het is háár verjaardagstaart, het is geen bruidstaart, dit brengt ongeluk, jongens. Maar het is al te laat. Hè, dat is nou jammer. Het mes glijdt door de donkere chocolade, aan haar vinger zie ik de trouwring met een grote briljant. Waar heeft hij dat van betaald? Blijkt hij opeens toch geld te hebben, had ik helemaal niet altijd alles hoeven betalen. Blijkt hij een geheime bankrekening te hebben? Of heeft hij iets geritseld met een van zijn vriendjes? Roderick grossiert in vriendjes, het mannennetwerk moet niet worden onderschat. Vrouwen hebben het nakijken als het om het mannennetwerk gaat. *Tik tik*. Iemand tikt tegen een glas. 'Ik wil even iets zeggen.' Meneer Van der Weijden schraapt zijn keel. Onwillekeurig kijk ik of hij misschien een gele en een rode envelop in zijn handen heeft en dat het gezelschap mag kiezen uit welke envelop hij zal voorlezen. Sinds ik de film *Festen* heb gezien kan ik geen speech meer aanhoren zonder me af te vragen of iemand het gewenste, politiek correcte verhaal of het echte verhaal vertelt. Het zou meesterlijk zijn wanneer hij op deze avond, terwijl iedereen met bruine mondhoeken zit te smikkelen, zijn verhaal over Roderick uit de doeken zou doen. 'Mijn zoon is een fijne jongen, en ik ben zeer verheugd over het feit dat hij iemand heeft gevonden die hem wil hebben, die gek genoeg is om met hem te trouwen en die hem meeneemt en het op zich heeft genomen om zijn problemen te delen. Want problemen daar heeft hij er genoeg van. Geneviève, ik ben je diep dankbaar dat je dit wilt doen, ik begrijp met de beste wil ter wereld niet waarom, maar ik ben je er dankbaar voor. Er zijn nog goede altruïstische mensen in deze wereld. Kom niet bij ons aankloppen als het misgaat want wij zijn er klaar mee, met dat stuk verdriet, *he's all yours*. En wij wensen jullie het allerbeste.' Maar in plaats daarvan, en dit valt me nou tegen van hem, ik had meer verwacht, hij durft niet, zijn vrouw draait natuurlijk onder de tafel heel hard zijn velletje om, wauwelt hij over de zegen van het huwelijk. De zegen van het huwelijk. Het is om van te kotsen.

Roderick kijkt me aan en knipoogt.

Het is een mooie avond. Het is een heel mooie avond.

Het wordt tijd om weg te gaan.

13

PRINSESSENGLAZUUR

Alles is klaar, Desirée is al naar huis en ik sta op het punt om naar huis te gaan. Ik hoor iemand de keukentrap afkomen.

'Eeevaaatje.'

Roderick kijkt om het hoekje. De prins des huizes komt een kijkje nemen bij het personeel. Een grijns plooit zijn gezicht. De grijns als visitekaartje, zich bewust van het effect, niet dat er een oprechte lach achter schuilgaat. De haarlok, bestudeerd nonchalant op zijn voorhoofd, het kuiltje in zijn kin. Het kuiltje waar mijn wijsvinger precies in paste. Zijn hele voorkomen is geregisseerd en geproduceerd om de juiste boodschap af te geven. Ik ben leuk, leuker dan wie dan ook. Hij is niets veranderd. Ik pak de theedoek die op tafel ligt en veeg mijn handen af. 'Hee, hoi. Ben je daar. Hoe is het?'

Roderick stapt het trapje af, de keuken in en kijkt gespeeld bedremmeld naar de grond, mompelt 'Goed,' lacht zijn tanden bloot en zegt: 'Dit is immers de mooiste dag van mijn leven, het huwelijk is officieel ingezegend door de familie, wat wil je nog meer?'

'Ja, dat is zo,' antwoord ik.

Hij speelt met de brede gouden band om zijn ringvinger. Waar ongetwijfeld met nadrukkelijke krulletters 'Geneviève' in geschreven staat met hoogstwaarschijnlijk een telefoonnummer zodat er iemand gebeld kan worden wanneer hij dronken op straat ligt, in de goot of in elkaar geslagen. Geringd, als een pinguïn op de Zuidpool. Hij draagt nog net geen kokertje om zijn nek zodat hij teruggebracht kan worden wanneer hij wegloopt als een straatkat die niet binnen gehouden kan worden. Misschien een mooi bruidscadeautje voor de bruid, een gouden kokertje met zijn naam, adres en telefoonnummer, misschien zelfs met een klein belletje eraan zodat de vrouwen die hij wil bespringen gewaarschuwd worden. Hij zal straks vragen: hoe is het met jou en hoe is het met je liefdesleven? Ik sta goddomme met een gebroken hart de afwas te doen voor zijn vrouw. Ik heb betere tijden gekend. Maar ik laat me niet kennen. Ik zal op pure wilskracht stralen. Ik sper mijn ogen iets wijder open en trek mijn mondhoeken in een krul. Geleerd op de fotomodellenschool. Les 1: hoe kijk ik blij terwijl ik het niet ben?

'Je ziet eruit om door een trouwringetje te halen,' zeg ik zo vrolijk mogelijk en begin te grinniken om mijn eigen woordgrapje. Zo verdrietig en nog steeds een grapje kunnen maken, persoonlijk vind ik het een wereldprestatie, maar ja, dat kan ik hem niet vertellen. Dat ik hier wereldprestaties sta te verrichten, dat is mijn kleine, heimelijke, persoonlijke succesje. Minuscule overwinningen op mezelf die het leven een klein moment doen opveren. Lachen om niet te huilen. Wat moet je anders? Ik heb geen idee wat ik anders moet.

Ongevoelig voor mijn grapje antwoordt hij: 'Ja, vind je het mooi?' Voor het eerst valt het me op dat hij vaak en hard lacht maar voornamelijk om zijn eigen grapjes. Hij is ongevoelig voor de humor van een ander. Hij lacht en maakt grapjes voor zijn publiek, om de aandacht op zich te vestigen, niet om oprecht plezier te maken.

Hij houdt de linkerpand van zijn velours colbertje open en bewondert de zijden met grote roze en groene bloemen bedrukte voering. Hij draagt er een lichtgroen overhemd bij waar de bloemenprint in de kraag terugkomt. Je hebt billen- en borstenmannen maar Roderick is een bloemenman, zoveel kunnen we vaststellen.

'Ja, heel mooi,' zeg ik en ik knik bewonderend. 'Ik heb je nog nooit zo keurig gezien.'

Hij doet zijn jasje weer dicht en aait even over het velours.

'De vader van Geneviève stelt het op prijs.' Hij glimlacht er verontschuldigend bij. De vader van Geneviève? Sinds wanneer luistert hij naar een autoriteit? Ik heb me vergist, hij is wel veranderd. Ik ken Roderick alleen in versleten spijkerbroek, slordig, liefst met verfvlekken, zijn haar in de war, recalcitrant, zijn motoriek chaotisch, vaak uitbundig, meestal dronken, zwaaiend op zijn benen. Hij is nu ook dronken, maar wonderlijk beheerst.

'Hoe is het met je?' vraagt hij. 'Ik heb je zo lang niet gezien.' Hij staat verleidelijk naar me te wimperen. Ik ken die blik, waarom hij hem op me afvuurt terwijl zijn nieuwbakken vrouw boven representatief zit te glimlachen, weet ik niet. Misschien wil hij weten of zijn charmes nog enige uitwerking op me zullen hebben. Dan moet ik hem teleurstellen, het laat me Siberisch koud.

'Goed,' antwoord ik, 'heel goed zelfs.' En ik glimlach, sper mijn ogen weer wat verder open en krul mijn mondhoeken tot het pijn doet. Ik voel hoe mijn wang een beetje trilt. Ik merk opeens dat ik helemaal een beetje tril. Van vermoeidheid, van de hitte, van de emoties maar vooral van effectief blijven functioneren terwijl alles in me schreeuwt om geluid te mogen geven aan de chaos in mij. Ik wil op mijn knieën vallen, met mijn vuisten op de zwart-witte tegels slaan en het desnoods, *desnoods* aan Roderick vertellen. Ik wil in tranen uitbarsten, vertellen hoe ongelukkig ik ben, dat ik verlaten ben, dat mijn hart is gebroken en dat het nooit meer goed komt. Ik heb verloren, ik heb verloren, ik heb verlies geleden. En dat, dames en heren in de zaal, is in onze maatschappij bijna een doodzonde. Verlies lijden. Maatschappelijk, financieel, emotioneel, verlies lijden daar doen we niet aan. We zullen doorgaan in een loopgraaf zonder licht om alleen door te gaan, naakt in de orkaan. En wie nu denkt: waar ken ik die tekst van, hij is van Ramses Shaffy.

'Je ziet er goed uit. Je ziet er nog steeds goed uit.'

'Dank je.' Niet als een overjarige puber, ligt er op het puntje van mijn tong in een poging nog een compliment uit hem te persen, maar ik hou me in.

Roderick draalt voor de deuropening. 'Gefeliciteerd, dat vergeet ik helemaal, natuurlijk, van harte gefeliciteerd.' Ik loop met pijnlijke voeten naar hem toe. Ik laat mijn hand even over de tafel glijden en terwijl ik naar hem toe loop neem ik onwillekeurig een pollepel in mijn hand. Hij kijkt naar mijn schoenen.

'Heb je daarop gewerkt?' Ik glimlach mijn verleidelijkste glimlach.

'Je kent me, ik ben geboren op hakken, goed voor de bilspieren,' en ik geef hem een zoen op zijn wang. Hij legt zijn hand op mijn bil en knijpt er zachtjes in. Ik hoor de kraan druppelen, de afwasmachine verspringt naar het spoelprogramma. We zijn als twee dieren in een kooi, waarbij nog uitgemaakt moet worden wie het roofdier en wie de prooi is.

'Het is een leuke vrouw met wie je bent getrouwd. Geneviève heet ze toch?'

Mijn gezicht dicht bij het zijne, er komt een vleugje Egoïste, een naar kaneel geurende herenlucht voor prinsjes en ijdeltuiten, voorbij. Zijn hand glijdt van mijn bil in zijn broekzak.

'Ja, het is zeker een leuke vrouw.'

'Waar heb je haar ontmoet?'

'In het Hilton.'

'In het Hilton?'

'Ja, daar sport ze, in het Hilton zit immers een privésportschool.'

'O, ja, zou kunnen, weet ik niet.'

'Ja, en daar kwam ik haar tegen.'

'Goh.'

'Ja.'

'Sport jij daar ook dan?'

'Ja, tijdelijk, een vriendje van me had iets geregeld, die is daar de general manager. Hans, die ken je toch?'

'Hans?'

Dan schiet het me te binnen. Ik heb ooit kennisgemaakt met zijn beste vriend Hans toen hij opeens naast het bed stond terwijl we het aan het doen waren. Het was zaterdagavond en nietsvermoedend was ik ingegaan op een romantische bui van Roderick die onverwacht gepassioneerd was en tijdens het liefdesspel zijn vinger in mijn mond had geduwd met de woorden 'doe maar alsof dit een pik is'. Daar kon ik op zich niet zoveel mee, ik heb het opwindende van het zuigen op vingers of tenen nooit ingezien maar het leek me iets waar ik hem een enorm plezier mee deed dus zoog ik op zijn vinger. Ik had mijn ogen dicht en toen ik ze op een onbewaakt ogenblik weer opendeed stond Hans met een sleutelbos in zijn hand naast het bed. Roderick hield me vast, bleef in en uit me glijden en fluisterde hitsig in mijn oor of Hans mee mocht doen. Ik weet niet of ik antwoord heb gegeven. Ik denk dat ik voornamelijk niet lullig wilde doen, al was dat in dit geval lastig, gezien het feit dat me de vraag werd gesteld om me te ontfermen over twee lullen, maar goed.

Ik zei geen ja en ik zei geen nee. Ik denk dat ik het zo juist omschrijf. Ik heb het laten gebeuren omdat ik dacht dat ik Roderick er een groot plezier mee deed. Zo'n groot plezier dat hij nooit meer bij me weg zou gaan. Hans kleedde zich uit en zonder zich voor te stellen liet hij zich door mij oraal bevredigen terwijl Roderick al neukend toekeek, daarna wisselden ze van plaats. Ik heb de rol van geile merrie met verve gespeeld. Hans kwam verrassend vaak langs na die avond, maar het is nooit meer gebeurd, dat niet. Dat was Hans. Dat is waar ook. Ik heb het weggedrukt. Verdrongen. Ik word een beetje misselijk.

Ik sta nog steeds met de pollepel in mijn hand en tik er even mee op zijn bovenarm. 'Dus het gaat goed met je?'

'Ja, het gaat heel goed.'

'Je ziet er goed uit.'

'Dank je.'

Hij grinnikt weer.

'Wat valt er te lachen?' We staan keurig recht tegenover elkaar.

'Ik denk nog weleens aan je wanneer ik ondeugend ben.' Hij kijkt er schalks bij en laat zijn wimpers wuiven. Ik moet er niet gek van opkijken als Hans zo binnenkomt.

'Hoe bedoel je?' Ik speel de onschuld.

'Je weet best wat ik bedoel.'

'Ik weet precies wat je bedoelt, ik vraag je alleen specifieker te zijn. Ik ben benieuwd waar je precies aan me denkt en wanneer je precies aan me denkt.' Ik doe een klein stapje naar voren. Ik ruik de alcohol in zijn adem. De gasten boven barsten in een bulderend gelach uit.

'Ik denk ook nog weleens aan jou als ik ondeugend ben.' In werkelijkheid denk ik nog maar aan één man, aan één enkele man, de hele dag en elke dag. Je bent geobsedeerd of niet natuurlijk. En misschien was deze obsessie wel de manier om van al mijn andere obsessies af te komen en heb ik mijn obsessies gecomprimeerd tot een enkele overzichtelijke obsessie.

Ik speel met de pollepel. Sla er zachtjes mee in mijn hand. Wanneer ik merk dat hij ernaar kijkt, leg ik hem weer op tafel.

'Moet je niet terug naar je gasten?'

'Ik kan nog wel even wegblijven.'

'O. Oké.'

'Ik heb gezegd dat ik even sigaretten ging halen.'

'Liggen die hier?'

'Nee.'

'O, je bedoelt sigaretten halen en nooit meer terugkomen, zulke sigaretten.'

'Ja, zoiets.'

'Ik ben dus eigenlijk een sigaretje?' (Ik ben weleens de hoofdkraan van de waterleiding geweest, ik ben van alles geweest, wat maakt het uit.)

'Ja, wil je er een?' Hij haalt een pakje Marlboro uit zijn zak. 'Ik moet even wat frisse lucht hebben.'

'Frisse lucht?'

'Het is menthol.' Grijnzend houdt hij een sigaret voor mijn neus, ik pak hem aan. Hij geeft me een vuurtje. Ik inhaleer, neem een aanloopje en vraag: 'Vertel es. Waarom zij wel en ik niet?'

'Waarom zij wel en jij niet?'

'Ja. Wat heeft zij dat ik niet heb?'

'Eerlijk zeggen?'

'Eerlijk zeggen.'

Hij grijnst als een ondeugend jongetje dat wordt betrapt met zijn vingers in de koektrommel.

'Geld.'

Onderzoek heeft uitgewezen dat lachen en vooral lachen om jezelf een goede uitwerking heeft op zowel je lichamelijke als geestelijke gesteldheid. Laatst gelezen in een glossy damesblad. Dus ik begin te lachen. Onbedaarlijk te lachen.

Ik begin in ongeloof met mijn hoofd te schudden, duw mijn vinger in mijn oor en haal hem hard heen en weer alsof ik een brokje wil verwijderen.

'Hoor ik het goed, en zeg je geld? Gaat het om geld?'

'Alles draait om geld,' mompelt Roderick besmuikt.

'Tjezus,' zeg ik zachtjes.

'Mijn vader heeft me onterfd, weet je nog.'

Het kwartje valt. Een paar dagen voordat ik het briefje 'Ik ben nu met Sylvia' vond, had zijn vader al zijn geld aan het WNF nagelaten. Hij zal gedacht hebben: de Roderick redt zich wel, maar die tijgertjes en ijsberen, daar is het ernstiger mee gesteld. De Rodericks in deze wereld worden niet in hun voortbestaan bedreigd, maar tijgers en ijsberen wel. Het huis waar hij woonde, een pand op de Brouwersgracht dat hij voor een deel verhuurde, heeft zijn vader begin jaren tachtig voor hem gekocht en was intussen een fortuin waard dus 'niks' is een ruim begrip bij Roderick. Wat hij 'niks' noemt, daar kunnen de meeste mensen een leven lang van rentenieren. Hij was ontdaan over zijn onterving. Ik haalde mijn schouders op. Zijn vader had een huis voor hem gekocht, wat kon hem gebeuren, dan verkocht hij het huis op de Brouwersgracht of hij ging geld verdienen, was misschien ook een idee. Ik was hard en ongevoelig had hij me toegebeten en een paar dagen later lag er het briefje op de ontbijttafel. Al die tijd heb ik gedacht dat Sylvia leuker, mooier, geiler of interessanter was, maar Sylvia, zo realiseer ik me nu, was rijker. Sylvia had haar fortuin gemaakt in Dubai waar ze een glazenwassersbedrijf had. Dubai is de meest perverse plek op aarde want het heeft de meeste zonuren en er is niet één zonnepaneel in heel Dubai te vinden, plus dat alle bedrijven in wolkenkrabbers hun ramen twee keer per week laten wassen. En aldaar had Sylvia haar fortuin gemaakt.

De schellen vallen me van de ogen.

De schellen vallen me van de ogen alleen maar doordat ik hier met een bloedend hart sta, waardoor het me aan de kracht ontbreekt om nog iets van de harde realiteit te verhullen. De zoete sluier waarmee ik het leven altijd heb bedekt, is weg; de roze wolk, de valse hoop, prinsessenglazuur, ik heb het leven met prinsessenglazuur bedekt, het roze harde korstje wordt er afgekrabbeld en mij wordt de kille werkelijkheid gepresenteerd. Alles komt binnen zoals het is. Ongecensureerd, onomfloerst, onvolkomenheden worden niet langer gerechtvaardigd door mijn eigen stem, ik beschik over een kil beoordelingsvermogen dat ik niet ken van mezelf.

Roderick is een golddigger. Een wijf. Het is een parasiet, een opportunist, iemand die relaties instrumenteel gebruikt. Roderick wil vastigheid en zekerheid. Ik paste niet in zijn plaatje. Ik snap het.

Ik weet niet wat er gebeurd is, maar er is een luikje weg in mijn hoofd. Gewoon van schrik. Van de schok die het leven heeft uitgedeeld. Of heb ik het altijd geweten en er nooit naar geluisterd? Waar heb ik dan naar geluisterd? Mijn hormonen? Mijn behoefte aan aandacht? Mijn behoefte aan liefde? Alles om geen pijn te voelen. Een diepe pijn, een dieper gelegen pijn, een weggedrukte pijn, een kille eenzaamheid, de pijn van verwaarloosd en aan het lot overgelaten zijn, de pijn van er niet toe doen, van niet goed genoeg zijn, van verstoten zijn. Waar komt die pijn vandaan? Wat is dat voor pijn? Dit is groter dan Damien, dit is meer en ik weet niet wat het is.

'Wil je een lijntje?' Hij graait in zijn binnenzak en haalt er een cokebuisje uit.

Ik kijk bewegingloos naar het ritueel van het schepje in het buisje en zie hoe hij het witte poeder van het lepeltje af snuift. Het is jaren geleden dat ik coke heb gebruikt, afgezworen, nooit meer doen, ook niet om niet lullig te doen en maar gezellig mee te doen. Ik schud mijn hoofd.

'Zeker weten?' Hij houdt het buisje op. Zijn blauwe ogen kijken me verwachtingsvol aan.

Ik neem een besluit.

'Ja, doe maar een beetje.' Ik pak zijn hand en haal hem naar me toe. Ik snuif en lik even zijn hand terwijl ik hem glimlachend aankijk. In oorlog en liefde is alles toegestaan. En wat mij betreft is het oorlog en ik voel dat ik aan de winnende hand ben. Hij lepelt nog wat coke uit het glazen buisje, ik hou mijn linkerneusgat dicht en snuif het spul met mijn rechterneusgat op. Allebei mijn hersenhelften slaan nu op tilt.

Ik masseer mijn neus even tussen duim en wijsvinger, het gebruikelijke protocol bij een lijntje. Roderick smeert een beetje op zijn tandvlees en grijnst weer. Hij bergt het buisje op in zijn borstzakje, gaat in een vloeiende beweging door naar mijn haar en haalt zijn hand er even doorheen.

'Geld,' mompel ik weer. 'Dat het leven zo banaal kan zijn.'

'Het leven is banaal, jij zoekt altijd veel te veel betekenis in het leven.'

'Is dat zo?'

'Ja, dat is zo. Het leven is niets, het betekent niets, liefde bestaat niet, alles draait om overleven en geld.'

'Misschien heb je gelijk.' Ik wrijf weer even over mijn neus.

'Wil je nog een beetje?' vraagt hij.

'Nee, ik neem een glaasje champagne. Jij ook?'

'Lekker.'

Ik pak de fles die op tafel staat en schenk twee glazen in. 'Proost, op een vrolijke toekomst.' Ik kijk naar hem terwijl hij een slok neemt. Hij doet zijn ogen even dicht. Die van mij staan wijd opengesperd van de coke en ik ben bang dat ik ze voorlopig niet meer dicht krijg.

'Weet je zeker dat je niet naar boven moet?'

'Ik heb gezegd dat ik even weg zou blijven, je weet dat ik niet zo van dit soort avonden hou,' hij begint te lachen en trekt even aan het schouderbandje van het schort dat ik nog steeds aanheb.

'Ja, dat weet ik, daarom verbaast het me ook zo. Maar nood breekt wet natuurlijk. Een mens moet overleven.' En ik trek even aan de revers van zijn colbert. Ik knoop mijn schort los. Nonchalant, gespeeld argeloos. Wat hij kan, kan ik ook. Waar ben ik mee bezig?

'Zo, dat is beter,' mompel ik en ik sta in het zwarte D&G-jurkje dat ik aanhad op de avond dat we elkaar ontmoetten.

'Is het wat in bed?' vraag ik, moedig door de coke.

Hij kijkt me gespeeld niet-begrijpend aan.

'Is Geneviève lekker in bed? Heb je het leuk met haar in bed? Ben je gelukkig? Is Hans al langs geweest, en wat zei ze?' Ik begin te lachen.

'Daar gaat het niet om,' zegt hij onverwacht gedecideerd. 'Als je trouwt gaat het om andere dingen.'

'Werkelijk? Is dat wat ik nooit heb begrepen? Heb ik je te veel geneukt?'

Ik leg mijn hand op zijn wang. Ik heb verloren en ik ben er op uit om weer te voelen wat winnen is en ik ben reuzeleuk op weg. Nooit eerder was ik me zo bewust van mijn aantrekkingskracht, van mijn macht over mannen. Ik heb me altijd veel te dociel opgesteld, ik heb nooit begrepen wie er aan de touwtjes trok. De vrouw. Ik heb alles gedaan in de hoop dat ze van me zouden houden, bij me zouden blijven, me in veiligheid zouden brengen, en het enige wat het me heeft opgeleverd is onveiligheid, vernedering, kou, bedrog, narigheid. En een hoop lol. Dat wel. Want met Roderick kon je lachen. Met Roderick was het nooit saai. Er viel altijd wat te beleven.

'En dat is dus waarom je niet met mij getrouwd bent? Omdat het om andere dingen gaat in het leven?'

Hij slaat zijn armen om me heen en drukt zich tegen me aan. Hij heeft een erectie. Hij fluistert in mijn oor: '*Just you be my back-street girl*.' Dát had hij nou niet moeten zeggen. Er gaat een steek door mijn maag. Ik voel hoe mijn nekharen rechtop gaan staan, en de haartjes op mijn onderarmen. Mijn bloed begint te koken. Mijn woede over mijn eigen ongeluk welt op en richt zich op Roderick. Het is een uitgemaakte zaak. Hij is de prooi. Mijn hoektanden groeien een centimeter, grote scherpe nagels komen uit mijn vingers tevoorschijn, mijn gezicht wordt bedekt met een dikke vacht, mijn ogen verkleuren naar gifgroen en ik begin zacht te grommen.

'Ik heb plakkousen aan,' zeg ik zachtjes. Het wordt Roderick subiet rood voor de ogen. Hij trekt mijn jurk omhoog en graait in mijn kalfsblanke vlees. De kleur van het vlees van een kalf met bloedarmoede en die zijn er gelukkig steeds minder. Maar hier staat er een en Roderick zet er zijn tanden in. 'Wat ben je toch een geil wijf,' hijgt hij en sjort verder aan mijn jurk zodat hij mijn billen in zijn handen kan nemen. Ik leg een been om zijn dij en duw tegen zijn erectie. Ondertussen vraag ik me af wat nu te doen. Ik ben iets van plan alleen weet ik nog niet wat. Ik wil gerechtigheid. Wraak. Omdat ik verdriet heb gehad om een godvergeten golddigger. Liefde? Liefde? Dat zijn van die achterhaalde begrippen, mevrouwtje. Het had van mij een problematische liefde, een ongelukkige liefde mogen zijn, als het maar liefde was. Ik ben gebruikt. Gewoon ordinair gebruikt. Ik heb me laten gebruiken en om de pijn daarover niet te voelen gebruik ik hem. Niets geeft zoveel troost aan een gebroken hart als seks. Wat kan mij het schelen? Aanraken, ik wil aangeraakt worden en het maakt me niet uit door wie. Ik wil voelen dat ik aantrekkelijk ben. Ik wil dat de pijn ophoudt en het maakt me niet uit hoe. Nog een keer zodat hij het nooit meer vergeet. *A goodbye and good riddance fuck*. Hij pakt mijn hand, duwt hem naar zijn erectie en duwt zijn tong in mijn mond. Ik zoen terug, snuif erbij, ik doe gepassioneerd, woel met mijn hand door zijn haar, knijp met mijn andere hand in zijn stijve lul die zijn broek doet opspannen. Hij duwt me tegen de tafel. Er staan te veel spullen op, borden, potten en pannen, die er, zoals ze dat altijd in de film doen, met één grote beweging af te vegen zijn, maar in werkelijkheid geeft dat een hoop rotzooi en vooral een enorme hoeveelheid kabaal en dat kunnen we op dit precaire moment niet gebruiken. Hij probeert me achterover te duwen. Ik probeer overeind te blijven en om mijn evenwicht te bewaren zet ik mijn hand naast me, pardoes in het schaaltje prinsessenglazuur. Ik blijf zo even staan anders val ik om. Ik heb een been nog steeds om zijn heup gekneld terwijl Roderick doorgaat met me te ontkleden, hij probeert mijn borsten uit mijn beha te vissen om aan mijn tepels te zuigen, iets wat niet lukt omdat mijn jurk te strak zit. Hij is als een kind in een snoepwinkel dat van gekkigheid niet weet waar hij moet beginnen.

Dan doet hij een stap terug en begint de donkergroene velours Paul Smith-broek open te knopen terwijl hij staat te tollen op zijn benen. 'Dan maar zo,' mompelt hij en legt zijn hand op mijn hoofd. De boodschap is duidelijk. Ik zak op mijn knieën, mijn rechterhand nog steeds in het bakje glazuur dat aan mijn hand blijft kleven, het daalt met me mee naar beneden. Met mijn linkerhand pak ik zijn stijve lul en trek hem zachtjes af terwijl ik lachend naar boven kijk. Ik weet dat hij dat lekker vindt. Mijn knieën doen pijn op de zwartwit geblokte vloer. 'Vind je het lekker, hier in de keuken van je ouders?' Ik kan me zo voorstellen dat de kleine recalcitrante, door zijn vader onterfde Roderick er een enorme kick van krijgt om zich door het personeel in het souterrain af te laten zuigen. Door zijn bloedeigenste backstreet girl. Er gaat weer een steek door mijn maag. Hij kreunt en duwt zijn lul tegen mijn gezicht. Ik lik eraan. Zuig eraan, talmend aan de top. 'Ik hou het niet meer,' kreunt hij, 'schiet nou een beetje op.' Ik neem hem in mijn mond en laat hem een paar keer in en uit mijn mond glijden en begin er dan hard aan te zuigen terwijl ik het schaaltje prinsessenglazuur van mijn hand schud, een klodder roze smurrie in mijn hand neem en op zijn ballen smeer. 'Aaah, wat doe je dat lekker,' kreunt hij. Ik masseer zijn ballen tot ze glanzend roze zien, laat zijn lul als traktatie nog een keer diep in mijn keel glijden tot ik hem hoor kreunen en laat dan los. 'Ik hoor iemand,' zeg ik en ik trek snel zijn onderbroek aan waarbij ik het elastiek op zijn buik laat knallen. Roderick begint verschrikt zijn broek dicht te knopen. Ik ga staan en trek mijn jurk recht. Mijn roze rechterhand hou ik achter mijn rug. 'Schiet op, naar boven.' Ik doe snel zijn haar netjes, geef hem een kus op zijn wang en knipoog. 'Hup, naar boven jij, en doe je vrouw de groeten.'

14

SACHER TORTE

Wraak is zoet. Zoete wraak. Ik ben een aardig mens maar toch voelt het goed. Het voelt goed om iets akeligs te doen. Ik voel mijn eigen kracht weer. Ik heb het leven weer in eigen hand genomen. Terugslaan, dat moet je doen. Gewoon terugslaan. Dat had ik veel eerder moeten doen. Ik rij met mijn Kangoo, onze bedrijfsauto met het logo van Gina Carbonara, over de Leidsegracht en passeer Café George. Rode wijn, daar wordt lekkere rode wijn geschonken. Ik heb een paar principes als het gaat om drinken. Passeer ik een café waar goede wijn wordt geschonken dan kan dat aanleiding zijn voor een bezoek. En die cafés zijn zeldzaam dus dat houdt mijn drankinname in toom. Maar hier is de wijn goed en even verderop is een parkeerplekje vrij. De uitnodiging ligt op straat, de deuren staan wijd open. Een afzakkertje om te vieren dat ik me weer goed voel. Dat is een goed idee. Buiten zitten wat mensen te roken. Het is kil. Het miezert. De zomer is voorbij, de winter is in aantocht. Ook dat nog.

Aan de bar staat een rijtje mannen die allemaal even snel over hun schouder kijken elke keer als de deur opengaat. Ik strek mijn rug en loop door naar achteren, naar het toilet om mijn lippen te stiften. Ik haal een borstel door mijn haar, bekijk mezelf nog eens in de spiegel, glimlach en geef mezelf een knipoog. Het gaat al een stuk beter met me. We zullen eens zien wie de sterkste is. Ik graai in mijn tas naar mijn mobiel en check of er een sms van Damien is binnengekomen. Nee. Ik check mijn mobiel om de haverklap omdat ik blijf hopen dat hij zich zal bedenken. Zal ik hem een sms sturen met de mededeling dat het heel goed gaat en dat ik hem al vergeten ben en dat ik op het punt sta om iets moois met een ander te beginnen? Nou nee, toch maar even wachten tot ik rozig onder schone lakens lig met een kersverse man in mijn armen met wie ik het heel anders aan ga pakken. Ik begin met onaardig zijn, dat lijkt me een veel beter plan. Misschien moet je mannen zo aanpakken, meteen bijten, niet alleen maar blaffen, of keffen, maar hup meteen je tanden laten zien en happen, dan weten ze waar ze aan toe zijn. Geen katje om zonder handschoenen aan te pakken. Daar houden ze van. Blijkbaar. Voor een auto gaan liggen zodat je man niet naar zijn werk kan omdat je een nieuwe auto wilt. Zo pak je dat aan. Ik moet echt vaker naar Desirée luisteren. Ik dacht dat je een man een plezier doet door zijn kleine hersens eruit te neuken en hem gek te verwennen met lekker eten. Niks hoor. Allemaal helemaal verkeerd. Het is werk, zegt Desirée, de juiste dingen op het juiste moment zeggen. Ik laat me veel te veel leiden door mijn emoties en mijn dromen. Het leven is hard. Dat zei Damien, het leven is te hard voor de liefde. Ik moet de liefde afschaffen. Ik ga het helemaal anders doen. Ik laat mijn mobiel weer in mijn tas vallen, hang die om mijn schouder en loop naar binnen. Er is een barkruk vrij in het midden van de bar. Ik neem plaats en wenk de barman. 'Een glas merlot graag.' Merlot wordt wel de hoer onder de rode wijn genoemd, omdat hij zo makkelijk wegdrinkt, maar ik vind hem lekker en het past bij hoe ik me voel. Er schijnen workshops te zijn waarin je naar de godin in jezelf op zoek moet, maar mij lijkt een workshop waarin je naar de hoer in jezelf op zoek gaat een betere. Volgens mij ligt daar de ware kracht van de vrouw als ze het een beetje wil redden in deze mannenwereld. Het leven is een snelweg voor de blanke heteroseksuele man en de rest mag op de vluchtheuvel meeliften. Het wordt tijd dat ik instap. De ober zet het glas voor me. Ik kijk naar mezelf in de spiegel tussen de flessen Glenfiddich en Famous Grouse door. Ik zie er goed uit. Het licht is gunstig, het maakt jaren jonger. Voor mij is het nog niet te laat. Zie ik iemand die ik ken? Niemand in het bijzonder. Door de coke ben ik klaarwakker. Ik ga het leuk hebben. Ik ga geen verdriet hebben, ik ga de wereld eens even een poepie laten ruiken. Ik voel de levensenergie en de overwinningsroes door mijn lijf gieren. Ik voel me heerlijk. Ik straal. Of is het de coke die mijn ogen zo wijd opengesperd houdt? Ach, wat kan het mij schelen, pluk de dag, ik neem een flinke slok wijn en via de spiegel kijk ik naar de mannen aan de bar. Zit er wat bij? Altijd en overal waar ik kom taxeer ik de mannen op de neukbaarheidsfactor. Ik kan er niks aan doen. Dat doe ik nou eenmaal. Ik doe er verder niks mee, maar ik denk wel binnen twee seconden als ik iemand zie, ja of nee. Meestal nee, maar er zijn van die avonden dat mijn lat wat lager ligt. Als ik wat te vieren heb bijvoorbeeld. Of als ik niet alleen in mijn bed wil liggen terwijl mijn ene ex god weet waar met god weet wie is en mijn andere ex zijn huwelijk consumeert. Wat in dit geval wel een heel grappige gedachte is. Zijn vrouw consumeert het huwelijk, in de vorm van twee geglazuurde ballen. Ik hoop dat ze een zoetekauw is. Ik begin te grinniken.

'Is er iets grappig?' hoor ik naast me zeggen.

'Binnenpretje, niets wat jij leuk zou vinden,' antwoord ik.

Ik kijk de man naast me in de ogen. 'Hoi,' zeg ik, 'wie ben jij?' Ik heb moed, moed om het leven in de billen te bijten. Daar is het allemaal goed voor, Damien zat me in de weg, laten we nou toch eerlijk zijn, ik zat alleen nog maar thuis te wachten tot hij thuiskwam, dat was ook niet goed. Hij had gelijk, het is goed dat hij weg is. De man naast me steekt zijn hand uit. 'Daniël.'

Daniël. *Bon*, de eerste twee letters, nee wat zeg ik, maar liefst vier letters komen overeen, als de rest nou ook nog een beetje overeen komt dan ben ik op de goede weg. Het leven is mij gunstig gezind. Ik voel het.

'Hallo,' zeg ik weer.

'Hallo,' zegt hij terug en hij begint te lachen, 'gaat het goed met je?'

'Het gaat heel goed met me,' zeg ik terug. 'Heel goed. Mijn vriend heeft het uitgemaakt en ik ben er nu al overheen. En dat zit ik te vieren.'

'Dat weet je zeker?'

'Wat?'

'Dat je eroverheen bent.'

'Ja.' Ik knik verwoed. 'Dat weet ik zeker. Je moet er niet te lang bij stilstaan, leven in het nu, accepteren wat het is. De situatie accepteren precies zoals hij is, dat heb ik eens gelezen, en dat schijnt wonderen te doen voor je gemoedstoestand en ik geloof verdomd dat ik er reuzegoed in aan het worden ben en dat was best een lastige zin om in één adem uit te spreken.'

Ik begin te gieren van het lachen. Daniël lacht mee.

'Ben je hier alleen?' vraag ik.

'Nee, ik ben hier met een vriend.'

'Die jongen die naast je zit?'

Ik kijk langs hem heen en steek mijn hand uit.

'Hoi, ik ben Eva, wie ben jij?'

'Hans.'

Nee maar, alle mannen hebben een Hans als vriend. Het moet niet veel gekker worden. 'Proost,' zeg ik. Ik draai me weer naar Daniël. 'Ik heb vanavond gewerkt, en ik dacht, ik neem nog een afzakkertje voor ik naar huis ga.'

'Wat doe je voor werk?'

'Ik cater. Thuiscatering. Ik bereid dineetjes bij mensen thuis.'

'Wat leuk. Dus je kunt heel goed koken?'

'Héél goed. Ik kan héél goed koken.' Hij klinkt met zijn glas tegen het mijne.

'En jij? Wat doe jij?'

'Ik ben registeraccountant.'

Godallemachtig, dit is natuurlijk zo'n gewone man waar Desirée het over had. En hij is nog leuk ook. Zwart haar, melancholieke bruine ogen, best een fijne stem. Hij lijkt een beetje op George Clooney. Iets minder mooi en charmant maar als je snel met je ogen knippert en een slok op hebt, is de gelijkenis treffend.

'Is dat een twee- of driedagenbaard?'

Hij wrijft even met zijn hand over zijn kin en kijkt er verlegen bij.

'Twee dagen. Ik moet me twee keer per dag scheren en daar heb ik niet altijd zin in.' Ach, wat schattig. Geen gekmakende pietje-precies én een zware baardgroei. Precies waar ik van hou. Deze man scoort punten.

'En waar ben jij goed in?'

'Waar ben je goed in, hoe bedoel je, waar ben je goed in?'

Na een avond als deze heb ik allerlei nieuwe kwaliteiten in mezelf gevonden dus laat ik het voor de zekerheid even vragen. Waar ben ik goed in? Daar vraag je me wat. Drinken. Daar ben ik goed in. Ik drink elke man onder tafel. Wodka. Tequila. Het zout van mijn hand aflikken, het glas in een teug leegdrinken en daarna mijn tanden in een stuk citroen zetten. En er blij bij kijken. Heel belangrijk. Niet vies kijken, nee, de tequila gretig doorslikken en blij in de citroen happen. Dan ben je een kerel. Mannen joelen als ik dat doe. Daar scoor je mee in de mannenwereld. Of de worm opdrinken van een fles Mezcal. Succes verzekerd. Bij het openen van de fles riep ik al dat ik het laatste glas zou drinken, met worm en al, weer gejoel, het was al laat, andere vrouwen waren al naar bed maar ik was er nog. Ik deed mee met de mannen. Het laatste restje Mezcal was in aantocht en intussen was ik zo beneveld dat die worm me niets meer uitmaakte. Ik heb er weinig van gevoeld. Het is een overgewaardeerd ritueel. De worm is gedegenereerd door de alcohol, hij valt uit elkaar zodra hij in je mond komt. Het stelt niets voor. Maar waardering en respect van de mannen was mijn deel. Het zijn wonderlijke zaken waarmee je het respect van mannen binnenhaalt. Vrijen. Kan ik ook als de beste. Dat de stukken ervanaf vliegen. Maar om dat nu meteen hier op de bar te leggen lijkt me geen goed idee. Ik heb een goede bui maar je kunt het ook overdrijven.

'Wat is je specialiteit, bedoel ik?'

'O, bedoel je dat.' Ik begin te lachen. 'Ik zat in een heel andere richting te denken. Waar ben ik goed in, nou dan moet ik es even denken.'

Toverballen, ligt er op het puntje van mijn tong maar omdat ik vrees dat deze Daniël daar niet meteen de grap van in zal zien en ik het echt niet uit kan leggen, of wel? Is het leuk om dit vertellen? Nee, dan rent hij meteen de deur uit terwijl hij over de grachten gilt: 'Ik zit naast een gek, ik zit naast een gek.' Nee, laat ik mijn mond maar houden. Ik ga het over een andere boeg gooien. Ik ga lekker geheimzinnig doen. Schijnt te moeten volgens Desirée, je moet de jachtknop bij mannen indrukken. Ik schijn moeite te hebben met het vinden van de jachtknop. Of ik weet hem wel in te drukken maar ik laat de knop te snel los. Het is net als met een oude geiser, je moet de knop heel lang ingedrukt houden voor het waakvlammetje uit zichzelf gaat branden en daar heb ik misschien het geduld niet voor. Ik ben niet zo geheimzinnig. Ik zeg graag snel waar het op staat. Maar dat is niet goed. Enigma, wees een enigma. Goed. Dan ben ik toch een enigma? Wat jij wilt. Eens kijken. Wat zegt een enigma?

'Ik ben goed in waar jij van houdt,' fluister ik hem in zijn oor.

'Waar ik van hou daar ben jij goed in?' herhaalt hij met een vraagteken. Hij draait zich een beetje meer naar me toe. Hans heeft zich ook omgedraaid, maar dan naar de langbenige schone die aan de andere kant van hem staat. Ik zie hoe ze lacht en met haar haren zwaait, ik zie het in de spiegel achter de bar. Daniël steekt zijn wijsvinger in mijn decolleté, trekt er zachtjes aan en zegt: 'Ik hou van Salzburger Nockerln.'

'Wat? Oostenrijks? Laat me niet lachen. Een Oostenrijks dessert? Onmogelijk. De Oostenrijkse keuken is een vreselijke keuken. Niet te vreten. Punt. VRESELIJKE keuken, ik heb van mijn leven nog nooit iets uit de klassieke Oostenrijkse keuken klaargemaakt. Het enige wat de moeite waard is uit de Oostenrijkse keuken is de Sacher Torte.'

'Ik heb een paar jaar in de winter als skileraar gewerkt. Ik hou er wel van,' zegt hij een beetje bedremmeld.

'Arme jongen. Ik heb een tijdje in Frankrijk gewerkt, dat levert een heel andere culinaire ervaring op.'

'Ik hou van zwaar eten.'

'Zwaar eten is iets anders dan Oostenrijks eten. Maar als jij zo van Salzburger Nockerln houdt, zal ik die voor jou maken. Als je dat wilt natuurlijk.'

'Wil je nog wat drinken?'

'Graag.' Ik sla het glas rode wijn achterover en kijk er blij bij. 'Doe eigenlijk maar een Drambuie met ijs in een whiskyglas in plaats van een rode wijn.'

Van rode wijn word ik slaperig en van Drambuie word ik, zoals Desirée fijntjes geanalyseerd had, brutaal en overmoedig, en dat kan geen kwaad in het gezelschap van een man. Misschien dat de suiker iets doet met de chemische huishouding in mijn hersens, want daar komt het allemaal door. Hoe we ons voelen komt allemaal door de chemische huishouding in onze hersens en is begonnen met de chemische huishouding in de baarmoeder, die weer het resultaat is van de chemische huishouding van de hersens van onze moeder. Tel uit je winst in mijn geval. Alles is chemie en stofjes die op elkaar reageren, dat weet ik als geen ander. Ik zou nog wel een snuifje lusten. Als ik de zaak in kijk zie ik dubbel. Daniël is nog in zijn eentje, maar verderop begint het beeld te verschuiven. Achter in de zaak is het opeens verdacht vol. Ik leg mijn hand op mijn oog en floep, alles weer normaal. Wat heb ik tot nu toe op, een paar glazen Drambuie, wat champagne, beetje rode wijn. En toch ben ik broodje nuchter. Komt door die snuif natuurlijk, en de emoties en de adrenaline. Ik sta bol van de adrenaline en dat is altijd lekker. Doet wonderen. Ik zou wel een injectienaald adrenaline op zak willen hebben om de gebruikelijke dipjes door te komen. Heerlijk. Ik voel me heerlijk. Ik ben klaar om het leven in de kuierlatten te bijten.

'Heerlijk,' zeg ik hardop, 'ik voel me heerlijk.' Ik hef mijn glas en Daniël heft het zijne. Hij lacht.

'Je hebt het wel naar je zin, hè?'

'Ja, heel erg. Wat drink jij nou?'

'Campari.'

'Campari?' herhaal ik met een vies gezicht. 'Dat zoete spul?'

'Nee, wat jij drinkt is bitter, nou goed.'

'Nee, joe is lekker bezig.' We schieten allebei in de lach. Ik mag die Daniël wel. Ik zou Desirée wel even willen sms'en dat ik een gewone man heb ontmoet en hem nog leuk vind ook. En ik geloof verdomd dat hij mij ook leuk vindt. Ach wat heerlijk, het leven tilt me op en neemt me mee. Het leven is begonnen, *bye bye* Damien, de ballen! Ik schiet weer in de lach.

'Wat is er zo grappig?'

'Niets, binnenpretje.'

'Over mij?'

'Nee, niet over jou, over iets wat vanavond is gebeurd. Het is een lang verhaal, grappig, maar een lang verhaal en jij zou het niet leuk vinden, geloof me.'

'Ik zou toch graag mee willen lachen.'

'Nou dat gaat toch lekker niet gebeuren,' fluister ik in zijn oor.

Hij kijkt me aan en buigt zich voorover.

'Weet je, ik weet eigenlijk helemaal niet hoe Drambuie smaakt.'

'Echt niet?' zeg ik zonder mijn gezicht terug te trekken. Ik neem een slokje en doop mijn lippen in het drankje. Zijn mond komt dichterbij en zijn tong likt de likeur van mijn lippen. 'Lekker?'

'Heerlijk! Mag ik ook een hapje Salzburger Nockerln?'

'Daniël, zit je me hier te versieren?'

'Heb je daar bezwaar tegen?' Hij komt nog dichterbij en zoent me zachtjes op mijn mond.

'Er zijn een heleboel dingen die ik met je zou willen doen,' zegt hij.

Ka-ching! doet mijn hoofd. Nieuwsgierigheid kent geen tijd. Seks seks seks. Seks om Damien te vergeten. Een man als nicotinepleister. Seks seks seks. Goed idee. Seks. Het is een lekker ding die Daniël.

'*Your place or mine?*' vraag ik zachtjes. Ik heb het gezegd voor ik er erg in heb. Wat kan mij het schelen. Het leven moet NU geleefd worden.

'Je gaat wel heel snel.'

'Het leven is kort. Ik woon hier vlakbij. Op de Lauriergracht.'

'Oké.'

15

EEN EMMERTJE, EEN EMMERTJE
MY KINGDOM VOOR EEN EMMERTJE

Terwijl ik achter op zijn fiets zit en Daniël door de natte sneeuw naar mijn huis peddelt hoor ik het piepje van mijn mobiel. Mijn hart veert op. Niemand stuurt mij midden in de nacht berichtjes, alleen Damien. Ik graai in mijn tas op zoek naar mijn telefoontje. Het is van Desirée. Of ik goed thuisgekomen ben. En dat ze me morgenochtend om acht uur ophaalt. Ik sms terug:

Ja hoor. Alles goed.
Lig lekker in bed.

Nou ja, bijna dan. Ik kijk op mijn horloge. Het is bijna een uur. Moet kunnen. Ik heb voor hetere vuren gestaan. Ik kijk weer even naar mijn mobieltje. Zal ik hem een bericht sturen met de mededeling dat ik op z'n *Turks Fruit* achter op de fiets door Amsterdam rij, mijn nieuwe geluk tegemoet? Met één oog dicht en met mijn schouder tegen de rug van Daniël gedrukt om mijn evenwicht te bewaren maak ik een bericht:

Ik mis je zo.

De tranen prikken in mijn ogen. Ik steek mijn gezicht in de wind en sla mijn arm om de winterjas van Daniël.
'Hoe heet je eigenlijk van je achternaam?'
'Cooper,' roept hij mijn kant op. Hij hijgt. We fietsen een brug bij de Prinsengracht op.
'Als in Mini Cooper?'
'Ja.'

'Ik hoor geen accent.'

'Mijn vader is Amerikaan, maar ik ben hier geboren en getogen.'

'Leuk,' roep ik tegen de wind in. 'Hier naar links, daar vlak bij de hoek woon ik.'

'Ik heb geloof ik iets te veel gedronken,' giechel ik als ik met wankele enkels over straat loop. Mijn hoge hakken schieten tussen de stenen door. Ik zie dat ik een ladder in mijn kous heb. En er zit een kloddertje prinsessenglazuur op mijn rechterschoen.

Ik adem de koude lucht diep in. Waar ben ik mee bezig, schiet het even door mijn hoofd. Ik kijk naar de vreemde man die handenwrijvend naast me loopt.

'Koud, hè?'

'Ja.'

'Gelukkig heb ik een heel warm huis. Ik heb vloerverwarming.'

'Da's mooi, dan ga ik op de grond liggen met jouw goedvinden.'

Ik doe de deur open en laat hem binnen.

'Niet op de rommel letten, ik heb niet op bezoek gerekend.'

Op tafel ligt een stapel post en oude kranten, op het aanrecht een berg afwas, ik zie stofvlokken in de hoeken van de kamer. Aan de muur de collectie foto's die Damien de afgelopen maanden van ons heeft gemaakt. Ik sla mijn armen om zijn nek om hem af te leiden. 'Wil je nog wat drinken?'

'Misschien wat koffie?' zegt hij lachend.

'Wil je dat ik koffiezet? Kan hoor. Dat komt goed uit want ik heb hier een Nespresso-apparaat staan dat ik bijna nooit gebruik, maar gezien het feit dat jij best een beetje op George Clooney lijkt, is het wel toepasselijk als ik een Nespressootje voor je maak.'

'*What else*?' zegt hij en hij probeert hopeloos mislukt de ironische blik van George te kopiëren.

Ik schop mijn schoenen uit en haal opgelucht adem. Ik zou wel even willen douchen. Maar ja, dan zit onze Daniël in zijn eentje in een vreemd huis. Ook weer zo lullig. Een nieuwe vreemde man. Wat moet ik ermee? Ik mis het gemak waarmee ik me kon bewegen als Damien hier was. Misschien maar meteen het bed in duiken. Dan zijn we er maar vanaf. Gewoon verstand op nul en blik op oneindig. Ik schenk een glas water voor mezelf in.

'Jij ook?'

'Ja lekker.'

Ik geef hem een glas water dat hij in één teug leegdrinkt.

'Misschien kun jij even mijn jurk losmaken, dat is nogal een klusje namelijk.'

Ik draai mijn rug naar hem toe. Hij trekt de veters en het korset los. Hij laat zijn handen onder de jurk glijden, neemt mijn borsten in zijn handen en knijpt zachtjes in mijn tepels. En nee, het windt me niet op. Mijn lichaam reageert niet op deze vreemde handen.

'De slaapkamer is die deur door.' Terwijl hij mijn borsten zachtjes masseert schuifelen we samen door de kamer richting slaapkamer.

Mijn bed is onopgemaakt. Kleren op de grond. Er liggen proppen tissues om het bed, opgebrande waxinelichtjes, gedoofde wierook. Een lege fles chinon naast het bed.

'Feestje gehad?'

'Mjah,' mompel ik, 'zoiets.'

Ik draai me om en laat me achterover op bed vallen. Hij komt naast me liggen en laat zijn hand tussen mijn benen glijden.

'Je hebt kousen aan,' fluistert hij.

'Ja,' mompel ik. Dan herinner ik me dat ik nog een halve joint naast het bed heb liggen. Dat kan de pret enorm verhogen. Seks terwijl je zo stoned bent als een kanarie is fantastisch. Misschien dat mijn lichaam dan zijn monogame neiging vergeet en gewoon doet waar ik zin in heb, namelijk seks hebben. Iets klopt er niet in deze redenering maar wat kan het bommen.

'Ik heb nog een halve joint liggen. Vind je dat lekker? Ik vind het altijd een beetje spannend zo'n eerste keer.'

'Oké.'

Zo gewoon is hij gelukkig ook weer niet.

Ik reik naar het nachtkastje, steek de joint op, inhaleer diep en geef hem door aan Daniël.

'Doe je dat weleens? Stoned seks hebben?'

'Soms,' zegt hij.

Ik wil rechtop gaan zitten om zijn overhemd open te knopen maar dan begint de kamer te draaien.

'Oeps.' De kamer draait.

'Wat is er?'

'Alles draait.' De kamer begint harder te draaien. Ik doe mijn ogen dicht en doe ze meteen weer open. Ik knijp in het matras. Laat het ophouden. Laat het ophouden. Ik word misselijk. Ik ben misselijk en ik kan niet opstaan. Ik ga overgeven met Daniël naast me in bed die het vlees van mijn dijen kneedt en hoopt op een passievolle nacht. Ik schaam me dood.

'Ik ben niet zo lekker,' zeg ik. Emmertje, denk ik erachteraan. Mama, emmertje! Ik voel hoe het water in mijn wangen loopt. O mijn hemel, ik ben zo ziek als een hond.

'Ben zo terug,' mompel ik. Ik sta op, zoek steun tegen de muur en zigzaggend vind ik mijn weg naar de badkamer. Ik doe de deur dicht en kniel naast het bad op de betegelde vloer. Het toilet is drie passen verderop, dat haal ik niet.

Ik grijp de emmer die ernaast staat en steek mijn hoofd erin.

Ik probeer zo geluidloos mogelijk te kotsen. Om het geluid te dempen steek ik mijn hoofd dieper in de emmer. De zure lucht van het braaksel doet me nog meer overgeven.

'Gaat het?' hoor ik Daniël in de slaapkamer zeggen.

'Nee,' roep ik terwijl ik hijgend in de emmer hang. 'Misschien is het beter als je naar huis gaat,' weet ik nog net uit te brengen voordat ik wederom sproeibrakend mijn maag leeg.

'Sorry,' roep ik. Braak.

Even later hoor ik de voordeur in het slot vallen.

Mijn maag kalmeert. Ik kruip op handen en voeten naar het douchegedeelte in de hoek van de badkamer. Ik val om. Het antieke, porseleinen schaaltje dat ik ooit van Desirée voor mijn verjaardag heb gekregen met het dode zeezout waarmee ik me elke dag scrub valt op de betegelde vloer in twee stukken. Ik snij mijn hand eraan. Ik ben motorisch uitgeschakeld. Ik geef me over. Ik lig tegen de betegelde muur en trek met een ruk aan de doucheslang waardoor de douchekop op mijn borst valt. Er druppelt bloed op de tegels en op mijn benen. Ik sla met mijn hand tegen de kraan waardoor het water gaat lopen. Ik richt de warmwaterstraal op mijn gezicht en laat me opzij op de stenen vloer vallen.

In de woonkamer hoor ik hoe er in mijn tas een sms binnenkomt.

16

AND ACTION!

... En... actie! De opnameleider wijst mijn kant op ten teken dat we gaan beginnen. Het ei in mijn hand voelt koel aan. Alles ligt op zijn plek. Olie staat klaar, scheutje azijn in een kommetje, beetje mosterd, een garde. Desirée staat naast me en doet snel een extra knoopje open, op het laatste moment, zodat de dame van de kleding het niet meer met een geïrriteerd gezicht dicht kan knopen. Desirée kent het klappen van de zweep. *'If you've got it, flaunt it,'* zei ze terwijl ze haar borsten opschudde in de kleedkamer. Ik heb een heftige, scherpe, bonzende hoofdpijn achter mijn rechterslaap. En ook achter mijn linkerslaap trouwens. Mijn hele hoofd bonkt van de hoofdpijn. Ik ben een beetje misselijk. Ik zie lichtflitsen.

De make-updame keek me via de spiegel met een vragend gezicht aan. Ik mompelde iets over dat het laat was geworden en ze ging met verve aan de slag.

Thuis had ik ijspakjes op mijn ogen gelegd maar dat had niet veel geholpen. Mijn ogen waren gezwollen, de huid onder mijn ogen was blauw, mijn gezicht zag eruit alsof ik door een vrachtwagen was aangereden maar op een haar na had weten te ontkomen. Ik was psychisch overreden. Het verdriet lag als een natte vaatdoek op mijn gezicht. Ze streek even over mijn wang en zei: 'Komt goed.' De schat. Het strijken van de zachte penselen voelde weldadig. 'Wil je een kopje koffie of een glaasje water?'

'Allebei graag,' antwoordde ik.

'Kan ik nog iets voor je doen?' Ik keek haar dankbaar aan en schudde mijn hoofd. Nee, niemand kan iets voor me doen. De tijd terugdraaien, ja graag, de tijd terugdraaien tot voor het ongeluk en daar stilzetten.

Daar heb ik wat aan. Zodat ik er net zo lang naar kan kijken tot ik weet wat er is misgegaan. Ik zoek een zwart gat in de tijd waar ik hem terug kan vinden. Het sms'je vannacht was van Damien.

Ik jou ook.

'Het is alweer een tijdje geleden dat jullie geweest zijn,' zei ze.

'Ja,' antwoordde ik om er meteen achteraan te zeggen: 'Mijn liefde heeft me verlaten,' omdat ik voelde dat ze die kant op wilde. Waar komen die blauwe kringen vandaan, die vale kleur, die treurige ogen? Ze vraagt het allemaal met één oogopslag. 'Och arme,' en ze streek me weer met een zachte dichtgevouwen hand over mijn wang, zoals een lieve moeder bij haar kind doet. 'Mag ik jou mee naar huis nemen?' vroeg ik. 'En dat je me dan de hele dag bepenseelt en over mijn wangen strijkt?' Ze ging achter me staan en streek met haar handen door mijn haren, masseerde de onderkant van mijn schedel. Ik sloot mijn ogen en genoot van de aanraking. Ik hou ervan om aangeraakt te worden, ik heb het nodig om aangeraakt te worden. Als ik te lang niet word aangeraakt dan ga ik dood, emotioneel dood, dan word ik stil en dan word ik bang. En feitelijk maakt het niet uit wie me aanraakt, als iemand me maar aanraakt. Het zal met oxytocine te maken hebben, onbegrijpelijk dat dat niet in kauwgumpjes op de markt wordt gebracht. Of in chocolaatjes. Het knuffelhormoon, het hormoon waar niemand te veel van kan hebben, volgens mij. Het wordt aangemaakt bij positief contact maar ook bij het verrichten van zorgtaken. Misschien dat ik daarom ben gaan koken. Misschien sta ik tijdens het koken heimelijk oxytocine aan te maken en gaat het daar allemaal om. Dat verklaart veel. Waarom ben je gaan koken? Omdat ik niet genoeg aangeraakt ben in mijn jeugd waardoor ik met een chronisch tekort aan oxytocine rondloop en ik doe alles maar dan ook werkelijk alles om het aan te maken, maar deze wereld is niet ingesteld op het aanmaken van een knuffelhormoon. In deze wereld moeten we altijd verder, ons vermannen, hup de schouders eronder en doorgaan, naakt in diezelfde orkaan, ja Ramses had het ook, dat tekort. Die compenseerde het met drank en dan noemt iedereen het 'hij heeft geleefd'. Ik vraag het me af. Ik denk dat hij zijn hele leven lang heel graag wilde leven maar dat hij er nét niet bij kon. Dat de angst om te leven het altijd won en alleen met veel alcohol tot zwijgen gebracht kon worden.

Ik vroeg Annet, want zo heette de make-updame, of ze een aspirientje had. 'Een APC'tje of iets stevigers?' vroeg ze met veel gevoel voor understatement. Ik gebaarde dat dat laatste wel erg fijn zou zijn. Even later zette ze een glas water met ibuprofen 600 voor me neer. Ik dronk het glas leeg, sloot mijn ogen en toen ik ze weer opendeed was ik veranderd in een gladde barbie. Weer vroeg ik of ik haar niet mee naar huis mocht nemen, maar dat mocht niet. Ze zei het glimlachend terwijl ze me over mijn arm aaide.

Toen ik opstond begon mijn hoofd angstaanjagend hard te bonzen. Ik deed mijn ogen even dicht en haalde een paar keer adem tot de duizeligheid wegebde. Ik draaide me om naar Desirée die inmiddels was binnengekomen en druk in gesprek was met haar visagiste. 'Ben je er klaar voor?' vroeg ze. 'Ja,' zei ik. Meteen voelde ik de spanning in mijn nek en schouders en het bonzen in mijn hoofd toenemen.

Een ei hoort erbij, denk ik terwijl ik het in mijn hand laat rollen. Ik tik het op de rand van een grote porseleinen kom kapot en laat de dooier in mijn hand glijden zodat het eiwit tussen mijn vingers door kan lopen. Wie lekker wil koken moet niet bang zijn om vieze handen te krijgen. Een ei scheiden kun je ook door het ei te breken en de dooier van de ene halve schaal in de andere te kieperen, maar dit is sneller en lekkerder. Ik lach in de camera. In opdracht van de producent. Het moet sexyer! Geiler! Anders zappen de mensen weg. Vandaar dat Desirée haar cup D in een push-upbeha van Victoria's Secret heeft gesnoerd, waardoor volgens mij iedereen alleen nog met open mond naar de twee deinende puddinkjes in haar zwarte truitje kijkt. Ik kom niet verder dan een leuke cup B die ik ook in een Victoria's Secret heb gepusht, met als gevolg dat er achter het kookeiland vier deinende puddinkjes te zien zijn. Twee grote en twee kleine. We zijn vrouwen en we zijn tot deinende puddinkjes verworden. Wat we zeggen maakt niet uit, hoe we het zeggen des te meer. Verlekkerd lachen met veel pudding. *Tais-toi et sois belle.* Het ontbreekt er nog maar aan dat Dimitri zelf het woord doet en wij de eitjes en de olijfolie mogen aanreiken. 'Zo min mogelijk zeggen, dat leidt maar af, mensen luisteren toch niet, mensen kijken tv precies om die reden, om te kijken,' is een van zijn gevleugelde uitspraken.

Ik heb een cursus zelfhypnose gedaan om over mijn cameraangst heen te komen nadat Desirée en ik waren gevraagd om een kookitem te verzorgen in dit lifestyleprogramma. Haar voluptueuze verschijning en flirterige presentatietechniek gecombineerd met mijn luchtige manier van koken is een goede combinatie. Desirée voelt zich vanaf de eerste dag als een vis in het water, sterker nog, het lijkt wel of er een knopje in haar hoofd omgaat zodra het rode lichtje van de camera brandt. Ze praat, en ze stopt niet meer. En het is nog redelijk goed te volgen ook. Zelfs als ze klinkklare onzin uitkraamt, klinkt het nog steeds aannemelijk. Ik hakkel te veel en ik zeg te vaak 'uh'. Ik denk terwijl ik praat en dat moet je niet doen bij televisie. Bij televisie moet je kunnen praten zonder te denken en wanneer je het dan presteert om nog steeds zinnige dingen te zeggen, ben je goed bezig. Ik ben een zapmoment, heeft Dimitri de producent me al eens ingefluisterd, om meteen daarna de focus bij Desirée te leggen. Desirée, die het beeld voornamelijk vult met haar cup D en ook nog weleens een likje saus op haar weelderige decolleté wil laten vallen om het koket van haar blanke huid op te lepelen met een bevallig vingertje. Dat is goede televisie, is me uitgelegd. Blijkbaar begrijp ik niets van televisie. Het gaat om verlekkerd in de camera kijken en mayonaise van je eigen decolleté aflikken. En daar zo veel mogelijk onzin bij verkondigen. Dat schijnt goede televisie te zijn. Ik ben nog een tijdje in de veronderstelling geweest dat het ging om het eten wat we stonden te maken en dat dat goed moest zijn, maar ook dat was een zapmoment. Dat verkoopt niet. Zoals begrip en verdraagzaamheid ook niet verkopen. Sinds ik bij de televisie werk zie ik de toekomst van deze wereld heel somber in. Het belangrijkste medium ter wereld vertoont geen verdraagzaamheid, maar drama, ellende, leugens en narigheid want dat verkoopt lekker. De adverteerders bepalen de programma's en de programma's worden gevuld met rotzooi. Ons item gaat dus allang niet meer over goed eten, maar wordt inhoudelijk samengesteld door de bemoeizuchtige sponsor.

Ik sta nog steeds met de eidooier in mijn hand als een malloot te glimlachen in de camera en ben op slag vergeten wat de bedoeling was. Ik zou een mayonaise tikken en laten zien hoe gemakkelijk dat eigenlijk is. Dat is waar ook. Opeens vind ik het wonderlijk dat ik de embryo van een kuiken in een pan gooi of tot een roomzalvige saus sla. Je staat er nooit bij stil, een ei is een ei en allang niet meer iets dierlijks of iets wat in een premature fase van iets van een dier verkeert. Net als dat een biefstuk volledig is losgezongen van de koe. Ik kijk naar de dooier in mijn hand. Ik heb zojuist abortus op een kip gepleegd, schiet het door mijn hoofd. Ik kijk opzij. Desirée lacht naar me, professioneel, ze lacht niet naar mij, ze lacht via mij naar de mensen thuis die naar ons kijken. Hoeveel zouden het er zijn deze ochtend? Dertigduizend? Niet gek veel. De kijkcijfers van dit dag-programma zijn niet om over naar huis te schrijven, maar het levert ons geld en nieuwe klanten op en daar doen we het voor. Ik ben toch zo blij dat Desirée ambitieus is en de kar trekt, want ik zou het alleen niet kunnen. Zonder haar lag ik nu thuis in een hoekje en ik weet niet of ik er ooit nog uit zou komen. Ze is de wind onder mijn vleu-gels. Ik hoor Bette Midler in de verte zingen. 'Je bent de wind onder mijn vleugels,' zeg ik zachtjes tegen haar. Ze buigt zich naar me toe.

'Wat?'

'Ik bedenk opeens dat je de wind onder mijn vleugels bent.'

'Ja. Straks. We zijn begonnen.'

Ik laat de dooier in de plastic kom glijden en pak de garde. 'Mayo-naise is helemaal niet moeilijk om te maken. Het belangrijkste is dat alles op kamertemperatuur is,' hoor ik Desirée uitleggen terwijl zij de kom met het eitwit in haar handen heeft waar ik straks îles flot-tantes van zal maken. Ik pak nog een ei uit het doosje van zes. Ik buig me voorover om te inspecteren welk nummer erop staat. Zijn ze wel biologisch? Je kunt de productie niet vertrouwen.

Ik werk alleen met eieren met een 0. Hoe lager het nummer dat erop staat, hoe beter de dieren het gehad hebben. Dat we ze opeten is tot daar aan toe maar laten we er wel voor zorgen dat ze tot die tijd een goed leven hebben gehad. Dat is toch het minste wat we kunnen doen met z'n allen. Ons kookitem moest een dier- en mili-euvriendelijk karakter hebben. Bewust met eten omgaan en dat dat niet betekent dat je niet lekker eet, maar dat dat alleen betekent dat je er een beetje bij nadenkt. Nadenkt over de herkomst van het eten en wat de gevolgen van je daden zijn op de lange termijn en voor het grote geheel, zodat ons ecosysteem dat volledig uit balans is, zijn evenwicht weer zal vinden. Dat probeerden we met het tikken van een mayonaise te vertellen. Wij droegen ons steentje bij door onze bedrijfsvoering hierop te baseren en door een kookprogramma te maken dat leuk en lekker is om naar te kijken en heel zachtjes iets meer meedeelt dan alleen maar: *eat all you can*! Een kreet die bij wet verboden zou moeten worden, maar goed. Liefde voor eten, liefde voor ingrediënten, kwaliteit laten prevaleren boven kwantiteit, natuurlijke ingrediënten van biologische herkomst, alleen echt eten. Geen producten die in een fabriek zijn bedacht en gefabriceerd, een smaak die is bedacht, een product waarvan de vorm bij de verpakking past. Denk aan Pringles. Dat is geen eten, dat is een marketingidee. Briljant bedacht, maar op de lange duur dodelijk. Door de grote hoeveelheden verslavende corn syrup, met alle gevolgen van dien en de enorme hoeveelheid zout, met alle gevolgen van dien, om nog niet te spreken van alle smaakversterkers die erin zitten.

Wij gingen het verschil maken. Zonder iets slechts te vertellen over slechte producten gingen wij vertellen over wat wij echt lekker vinden. Dat is wat wij wilden en dat is ook wat Dimitri, onze producent, een FANTASTISCH idee vond. Twee lekkere wijven die ouwehoeren over lekker eten, wat wil je nog meer? Dimitri vond een geïnteresseerde zender en een bijpassend programma met bijpassende sponsors, waardoor wij genoodzaakt zijn met spullen te werken waar we niets mee hebben. De handtekeningen zijn gezet en nu staan we tussen de Conimex-pakjes en de zakjes Knorr die bol staan van de geur- en smaakstoffen. Allemaal levensmiddelen waarvan de smaken bedacht zijn in een laboratorium om een zo groot mogelijk publiek te bedienen en die bol staan van de fructose waardoor we geen verzadigingsgevoel meer hebben en wat een van de belangrijkste oorzaken van obesitas is (iets wat de gezondheidszorg miljarden kost). En omdat we door fructose steeds meer gaan eten, moeten we steeds meer grondstoffen gaan gebruiken en wordt de aarde met nog grotere snelheid uitgeput. En daartussen staan wij dan hopeloos ons best te doen om er nog wat van te maken.

De tranen prikken in mijn ogen wanneer ik naar het ei kijk. Mijn hoofd lijkt uit elkaar te ploffen. De bonkende koppijn achter mijn ogen is nu ondraaglijk. Er staat een hoog nummer gestempeld op het ei, het is een legbatterij-ei. Een legbatterei. Het is een legbatterei van de ergste soort, daar waar de snaveltjes van de kippen worden afgeknipt en ze met z'n allen op elkaar gestapeld worden onder de vlag van economische groei. En opeens is de wereld van vandaag een wereld waarin ik niet meer wil leven. Ik wil niet meer. Ik kan niet meer. Ik voel een ader in mijn hals opzwellen, ik voel aderen kloppen waarvan ik het bestaan niet wist. Het zweet breekt me uit.

Ik veeg met mijn hand over mijn voorhoofd. In de verte staat Annet te wachten met een grote poederdoos. Rechts van mij zie ik de presentatrice in de gezellige studiohuiskamer zitten terwijl ze met de vriendelijkste glimlach die ze in huis heeft de kijkers toespreekt. De opnameleider geeft het teken dat de camera op ons gaat. Twee van de drie camera's komen onze kant op. Ik moet een kunstje doen.

'Ik werk niet met een legbatterei, dat is niet ethisch,' mompel ik. Desirée port me in mijn zij om me tot stilte te manen. Het ei ligt in de kom van mijn hand. Het beweegt. Het ei beweegt. Beweegt het door de warmte van mijn hand? Of door de warmte van de lampen? Deze studio lijkt verdacht veel op een legbatterij met die hete lampen. Heb ik mijn hand onwillekeurig bewogen? Het ei beweegt weer. Zonder dat mijn hand beweegt zie ik hoe het ei van links naar rechts beweegt alsof iemand in het ei heen en weer rolt net zolang tot het van mijn hand op de grond zal vallen waardoor het kapotgaat en de inhoud weg kan rennen. Er zit een kuiken in dit ei. Ik hou het ei bij mijn oor en schud het zachtjes. Ik hoor gepiep. 'Er zit een kuiken in dit ei,' zeg ik. Er zit een kuiken in dit ei, het wil eruit. 'Het zit in een ei en wil eruit. Het zit in een ei en het wil eruit,' zeg ik in de camera. Ik hou het ei omhoog en kijk ernaar. We gaan getuige zijn van een geboorte. De geboorte van een kip. Dit is een legbatterij-ei dus het wordt de geboorte van een plofkip, een kip die niet tegen licht kan en niet kan lopen. En deze kip gaan we eten geven tot hij groot is en we leren hem lopen, we leren hem weer kip te zijn, en dan, na een mooi leven slachten we hem en maken we er kip in het pannetje van. Zodat nooit meer iemand vergeet dat een ei uit de kip komt. Op eigen kracht, daar komt geen machine bij kijken. Dit ei leeft, ik moet dit ei redden. Er zit een kuiken in dit ei. 'Ik zit in een eitje en kan er niet uit,' ik heb het ooit tegen een psycholoog gezegd die aan zijn sigaar trok en gebaarde: 'vertel verder' en vermoedelijk niks anders dacht dan: best een lekker wijf. Maar meer kon ik niet vertellen. Dit had hem alles moeten vertellen. Er bestond toch wel een hoofdstuk over 'mensen die het gevoel hebben dat ze in een eitje zitten' in de opleiding tot psycholoog? Waarom begreep deze man niet waar ik het over had? Waarom was het leven pijnlijk, ingewikkeld en onverdraaglijk moeilijk? Ik wilde leren leven, dat is wat ik wilde en niemand hielp me. Ik sta er alleen voor en nu hou ik een bewegend ei in mijn handen en de denkbeeldige aanblik van het kuikentje dat zo meteen zijn weg uit de schaal pikt en er alleen voor zal staan omdat zijn moeder in een legbatterij zit, doet me de tranen in de ogen springen. Hij zal mij aanzien voor mijn moeder. 'Hij zal mij aanzien voor zijn moeder en dat ben ik niet.'

'Wat zeg je nou?' sist Desirée weer. In de verte zie ik de opname-leider naar de presentatrice zwaaien die haar beste lach tevoorschijn tovert en van de autocue begint te lezen die inmiddels razendsnel is doorgedraaid naar het volgende item. Vanuit mijn ooghoek zie ik Dimitri onze kant op komen. Hij ziet vuurrood. Ik wil leven horen waar het niet is, leven zien waar het niet is, leven geven, beter leven, anders leven, ik wil leven. De tranen rollen over mijn wangen, ik sta te trillen op mijn benen, het zweet gutst van mijn gezicht. 'Er zit een kuiken in dit ei, ik moet dit kuiken redden, ik moet een kip vinden voordat het ei uitkomt anders ziet hij mij voor zijn moeder aan, en ik ben zijn moeder niet. Dit is geen biologisch ei, dit ei is in de war,' zeg ik tegen Dimitri. Zijn mond zakt een stukje open en dan klappen zijn kaken met een droge tik weer op elkaar. Ik zie hoe zijn kaakspieren zich spannen, hij slaat met zijn opgerolde draaiboek op het werkblad. 'We zijn hier een programma aan het maken en jij houdt je bezig met een kuiken. Wat bezielt je?'

'Ik voel me niet zo goed, sorry.' Dimitri krijgt een heel klein hoofd, dan een heel groot hoofd, zijn hoofd barst uit elkaar, er komt een gigantisch kuiken uit tevoorschijn en dan is alles zwart.

En de dag kwam dat het risico van stil in de knop te blijven zitten meer pijn deed dan het risico van tot bloei komen.

– Anais Nin

17

DRS. WÜSTHOF

'Vertel eens, wat is er aan het handje?'

Drs. E. Wüsthof heeft een enorm vermogen om niet met zijn ogen te knipperen. Hij kijkt me met wijd opengesperde ogen aan. IJsblauw, maar met een warme gloed. Uit zijn oren groeien pluimen zacht, wit haar. Zijn gezicht is overwoekerd door rimpels en ouderdomsvlekken. Hij is in de zeventig maar heeft nog steeds iets jongs, iets jongensachtig, misschien door zijn kleding, een spijkerjasje met een witte coltrui.

Toen hij me het kantoor binnenliet en terugliep naar zijn bureau nam hij een snelle draai en belandde met een pirouette in zijn stoel. 'Had je niet gedacht, hè?' zei hij met ogen die lachten van pret.

Op de muur achter het bureau hangt een groot schilderij waarop de afbeelding van een tabletje staat met de naam:

FUKITOL

Achter de witte vitrage staan sanseveria's op de vensterbank en voor het raam hangt, zo te zien al heel lang, grijsgroene luxaflex. De kamer ademt rust uit en dat geldt, ondanks zijn speelsheid, ook voor de man achter het bureau. Niet meer de jongste maar toch niet onaantrekkelijk. Om een goede eerste indruk te maken heb ik me netjes aangekleed. Een pak van Hugo Boss, zwart met een glansje. Ik wil een serieuze en vooral stabiele indruk maken. En dat is knap lastig met de hoogste hakken die ik kon vinden aan mijn voeten. Toen ik de kamer in stapte struikelde ik over de omgekrulde rand van het Perzische tapijt en kon ik me nog net aan de deurklink vastgrijpen om te voorkomen dat ik languit in de kamer terecht zou komen. Nou ja, dan lig ik maar vast, kan hij meteen beginnen: 'Doet u uw ogen maar dicht en vertel eens, wat zijn de problemen?' Ik herstelde me en glimlachte verontschuldigend naar drs. Wüsthof, die me onverstoord vrolijk aankeek. Deze man heeft gekkere dingen gezien, dat is duidelijk. Dit is een man die een beetje gekte wel kan waarderen. Gezien worden in je labiliteit en nog steeds gewaardeerd worden, is dat niet waar we allemaal heimelijk naar smachten, dacht ik, en keek om me heen. Voor ik kon zeggen: 'Waar is de divan waar ik op moet gaan liggen?', heeft hij al gezegd: 'Gaat u hier maar zitten,' waarop ik bedacht dat we het probleem meteen bij de staart hebben. Ik wil te snel gaan liggen in het gezelschap van een man. Hij wees naar de leren clubfauteuil. Ik nam plaats en zakte verder weg in de kussens dan verwacht. Hoeps. Maar drs. Wüsthof vertrekt geen enkele lachspier. Alleen zijn ijsblauwe ogen fonkelen van plezier.

Nadat ik wakker was geworden op de grond in de kleedkamer van de studio in Hilversum keek ik in het bezorgde gezicht van Desirée. De visagiste die zich eerder die ochtend liefdevol over me had ontfermd, hield mijn hoofd in haar handen en masseerde de onderkant van mijn schedel. Desirée zag lijkbleek en hield een glaasje water in haar hand waar ze eerst zelf een slok van nam alvorens mij eruit te laten drinken. Het bleek suikerwater om mijn suikerspiegel weer op niveau te brengen. 'Het gaat wel weer jongens,' mompelde ik en ik wilde overeind krabbelen waarop ik meteen weer duizelig werd, 'O, nee, dat gaat toch niet,' en ik ging weer liggen. Ik had een stekende hoofdpijn. Had ik een hersenbloeding gehad door overmatig cocaïnegebruik? Een kleine tia, helaas mevrouwtje, tja, dan moeten we maar niet van die gekke dingen doen. U hebt uw amygdala willen stilleggen en daar bent u in geslaagd. Bijkomend nadeel is wel dat u een onherstelbare hersenbeschadiging hebt opgelopen, met andere woorden: u bent op slag zo gek als een deur geworden. Maar niets om u zorgen over te maken, met gekte zijn veel mensen een heel eind gekomen in hun leven. 'Wat is er gebeurd?' vroeg ik. Desirée vertelde dat ik hallucineerde, een groot dreigend ei zag, begon te gillen, en voor de camera neerstortte. Ze hebben me naar de kleedkamer gedragen waar ik met vlugzout ben bijgebracht. Dat was dan wel weer een geluk bij een ongeluk. Mijn hele leven heb ik me afgevraagd wat vlugzout is. Eline Vere, Madame Bovary, Lady Chatterley, iedere hysterische vrouw in de geschiedenis heeft ermee te maken gehad, het goedje heeft me altijd mateloos geïntrigeerd. In films zag ik hoe het onder de neuzen van flauwgevallen vrouwen werd gehouden die dan met een schok weer bijkwamen, maar naar het werkzame bestanddeel tastte ik in het duister. Maar nu weet ik het. Het is ammoniumcarbonaat, een stof waarbij ammoniak vrijkomt wanneer hij aan de lucht wordt blootgesteld. Het wordt bijvoorbeeld gebruikt als rijsmiddel in cake of eierkoeken. Eerder die week was Sonja Bakker in de studio geweest om toe te lichten waarom eierkoeken deel uitmaakten van haar dieet. De redactie had de ingrediënten in huis gehaald zodat ze ook kon uitleggen waarom er in haar dieet zoveel E-nummers voorkomen, en of die wel of niet schadelijk zijn voor de gezondheid. Het E-nummer van ammoniumcarbonaat is E31. Het leven staat bol van troostrijke, mooie toevalligheden. Was Sonja niet langsgekomen, dan was ik in een coma blijven liggen tot een prins mij wakker had gekust. Want dat is natuurlijk de diepere betekenis van mijn toestand, dat zal drs. Wüsthof mij zo dadelijk gaan uitleggen. Ik wil slapen tot in de eeuwigheid en nooit meer wakker worden, mits wakker gekust door de man van mijn dromen. Maar nee, zo zoet is het leven niet. Ik werd wakker gemaakt door de geur van ammoniak.

Ik heb zelfgemaakte truffels meegenomen. Ze liggen onaangeroerd op het bureau en vullen de ruimte met de geur van chocolade. Mijn neusvleugels trillen ervan. Wanneer ik in de buurt van chocolade ben dan moet ik het opeten, tot de laatste kruimel, dat is niet anders. Ik begrijp niet dat drs. Wüsthof er zo onbewogen bij kan zitten en zich niet op het zakje truffels stort. Hoe doen andere mensen dat toch? Is zelfbeheersing en matiging aangeboren of iets wat te leren valt? Ik roer in mijn kopje thee en kijk met een schuin oog naar het dichtgevouwen zakje. Het is onbeleefd om als eerste naar de truffels te graaien, ik heb ze immers voor hem meegebracht. Ik ben in staat om zonder erbij na te denken het zakje leeg te eten dat ik voor iemand anders heb meegenomen. Dat is geen hebzucht, het is een gulzigheid die voortkomt uit een hartstocht voor het leven. Het is een verlangen dat diep in mijn ziel verankerd ligt om het leven voluit te leven. Maar het is ook protest. Een protest tegen de vervlakking, tegen het opgeven, het komt voort uit mijn razernij over de moeilijkheidsgraad van het leven en ik doe alles om dat te verzachten, ik doe alles om het leven mooier, beter, vreugdevoller te maken. En daar ben ik hopeloos niet in geslaagd. Vandaag geen protest, geen hartstocht, vandaag wil ik chocolade als verdovend middel, voor de aanmaak van endorfine, serotonine, dopamine, de natuurlijke pijnstillers van het lichaam. Het protest en de hartstocht zijn gaan liggen. Ik voel me mat, ik ben moegestreden, het leven heeft gewonnen, ik ben verslagen. Dus hou ik het zakje omhoog en vraag hem nogmaals of hij echt geen truffel wil proberen. 'Ik heb ze zelf gemaakt, ze zijn erg lekker.' Ik ben van weinig dingen zeker in het leven maar dat durf ik met grote stelligheid te beweren.

'Nou vooruit dan maar, eentje kan geen kwaad lijkt me zo,' zegt hij en zijn gerimpelde hand met talloze levervlekken zoekt zijn weg in het zakje naar een truffel.

'Ah, een prachtexemplaar,' zegt drs. Wüsthof terwijl hij de truffel van alle kanten bekijkt. 'Zelfgemaakt zei je? Nou, daar gaan we.' Hij steekt hem in zijn mond en begint er met zijn ogen dicht op te kauwen. Ik steek er ook een in mijn mond. Dan realiseer ik me dat ik hier ben om te praten en dat ik dat nu schier onmogelijk heb gemaakt. Zou ik eten om niet te hoeven praten? Ligt daar mijn probleem? Nou, daar zijn we dan snel uit, ik kan weer gaan, een heel fijne middag nog.

'Verrukkelijk,' mompelt hij. 'Verrukkelijk, mijn kind, je hebt talent. Wat proef ik daar in de verte? Ik proef iets wonderlijks.'

'Kardemom, er zit een vleugje kardemom door de chocolade. Ik heb bittere chocolade laten smelten met wat kardemom erdoor en die over de truffelvulling met amandelen gegoten. De noten in combinatie met de chocolade en kardemom geeft deze truffel iets heel bijzonders.'

'Je hebt er verstand van.'

Ik knik. 'Ik ben kokkin.'

'Ah, een creatief brein gecombineerd met de ijzeren discipline van hard werken. En uitermate passievol. Koks zijn misschien wel de meest gecompliceerde mensen ter wereld, juist omdat ze zoveel disciplines moeten beheersen. Wat doe je precies? Werk je in een restaurant?'

'Nee, ik heb samen met een vriendin een klein cateringbedrijf. We specialiseren ons in thuisdiners op maat. En daarom zit ik hier, ik ben buiten westen geraakt op de werkvloer. Ik heb een inzinking gehad.'

Ik schuif even heen en weer op mijn stoel, trek mijn colbertje recht en krabbel aan een klein chocoladevlekje op mijn pantalon.

'Enig idee wat de aanleiding voor deze inzinking zou kunnen zijn?'

Wat ga ik deze man verder vertellen? Ik zie eieren in het rond vliegen? Dat lijkt me wel een goeie beginzin. Maar dat kan ik die man toch niet vertellen? Nou ja, laat ik maar eerlijk zijn, wat heb je er anders aan. Ik zit hier om de kille waarheid over mezelf op tafel te leggen en de waarheid is dat ik nog nooit gelukkig ben geweest met een man. Of laat ik het anders zeggen: ik doe al heel lang mijn best om gelukkig te zijn met een man maar het lukt me niet. Ik kan het niet. Ik ben er niet toe uitgerust. Het ontbreekt mij aan de juiste vaardigheden. Ja, met Damien was ik gelukkig. Zielsgelukkig. Als hij er was. Maar hij was er meestal niet. En elke keer wanneer hij op reis was, beet ik mijn tanden stuk uit angst dat hij niet meer terug zou komen. Dat er op een dag een mailtje binnen zou komen met de mededeling dat hij een Nubische prinses had ontmoet, mooier, bijzonderder, vrolijker en veelbelovender dan ik. Of nog erger, dat ik op een dag nooit meer iets van hem zou vernemen.

'Ik ben verlaten.'

Ik sla mijn benen over elkaar en kruis mijn armen voor mijn borst, bedenk dat ik dat te defensief vind en leg mijn handen in mijn schoot, waarbij ik hem zo open mogelijk aankijk, met een lichte glimlach en mijn gezicht een beetje bevallig scheef. Ach welja, ik ben nu al aan het flirten. Er zit een man voor me en die roept als pavlov-reactie meteen de slettebak in mij op. Het feit dat hij hoogbejaard is doet daar niets aan af. Het gebeurt geheel automatisch, ik hoef er niets voor te doen. Mijn lichaam doet wat het altijd doet zonder dat ik achter het stuur zit. Ik zet mijn hoofd recht op mijn romp en pro-beer hem net zo onverstoorbaar aan te kijken als hij mij.

'Je bent verlaten. Door wie ben je verlaten?'

'Door mijn geliefde. Mijn grote liefde. Ik vermoed dat ik daar niet zo goed op gereageerd heb.'

'Ah.'

'Ja.'

'En waarom heeft hij je verlaten?'

'Dat is de moeilijkheid, dat kon hij me niet uitleggen. Hij begon over een zomer die hem bang maakte voor de winter, nam me in zijn armen en zei: "Het is voorbij".'

Au, het doet zeer om dat te zeggen. De tranen prikken in mijn ogen. Drs. Wüsthof schuift een grote doos roze tissues naar me toe.

Ik trek er een uit en verfrommel hem in mijn hand.

'Liefdespijn. Ja, schat, de liefde gaat diep, dat raakt je in je essentie. Alles gaat goed behalve de liefde, heb ik het bij het rechte eind?'

Ik knik.

'Ja, dan ben je een stevige tante met een groot ego. Als er een pilletje bestond om je ego te verkleinen zou ik hem geven. Maar die zijn er niet. Dit pilletje,' hij wijst op het schilderij achter zich, 'verkleint het ego. Fukitol! Zeg het eens?'

'Wat?'

'Fukitol.'

Enigszins bedeesd zeg ik hardop: 'FUKITOL.'

'Harder.'

'Fukitol.'

'Nog harder. Zo hard je kunt. Geef het alles wat je in je hebt.'

'FUKITOL!' schreeuw ik zo hard mogelijk en het volgende moment zit ik luid te snikken.

'Zo, dat is beter.' Hij schuift de doos tissues nog iets dichterbij. 'Dat lucht op, gooi het er maar lekker uit. Zal ik nog iets voor je inschenken?'

'Nee, dank u.'

'Zeker weten, niet nog wat thee? Die truffel was werkelijk voortreffelijk overigens.'

'Ja, nog een kopje thee vind ik wel lekker.' Ik snuit mijn neus. Hij staat op en loopt naar het dressoir in de hoek waar een waterkoker en een ouderwets koffiezetapparaat staat. Er staat een doosje Melitta-filters naast, en ik zou durven zweren dat er een klein, verroest blikje Buisman-poeder staat. Buisman-poeder. Het is gemaakt van glucosestroop en melasse. Het wordt ook weleens koffiestroop genoemd. Persoonlijk vind ik het smerig en ik haat het gebruik van glucosestroop vanuit het diepst van mijn hart, maar desondanks roept het blikje beelden bij me op van een gezellige huiselijkheid die ik nooit heb gekend.

Hij schenkt wat kokend water in het kopje, laat er een paar keer een theezakje in zakken, wandelt weer terug waarbij hij het omgeslagen Perzische tapijtje met zijn voet terugklapt en zet het kopje thee voor me neer.

Hij buigt zich een beetje voorover en zegt zacht: 'Je realiseert je toch wel dat je een heel sterke vrouw bent? Je bent te lang te sterk geweest. En nu heb je te snel te veel gevoeld. Een crisis is het gevolg van een reeks verkeerde of uitgestelde beslissingen en over het algemeen niets anders dan verzet tegen je huidige realiteit. En dan – knak – breek je. Dat begrijp je nu nog niet, maar dat is goed nieuws.'

'Ik heb een gebroken hart. Ik snap niet wat daar voor goed nieuws aan is.' Ik steek nog een truffel in mijn mond.

'Dat komt nog wel.' Hij aait me even over mijn rug en gaat weer achter zijn bureau zitten.

'Goed. Waar was ik? Nou ben ik even kwijt waar we waren gebleven.' Hij gaat met zijn hand door zijn witte haar.

'Ik ben verlaten.'

'Ach ja. Natuurlijk. Wie is de gelukkige die jouw prachtige hart heeft mogen breken?'

'Damien,' zeg ik terwijl ik mijn hand voor mijn mond hou om de man het uitzicht op een vermalen truffel te ontnemen.

'Hij ging weg en dat was beter voor mij, zei hij.'

'Misschien moet je hem geloven. Mannen zeggen meestal precies wat ze bedoelen.'

Ik kijk hem aan en ik voel het bloed naar mijn hoofd stromen.

'Wat heb ik daar nou aan?' zeg ik nijdig. 'Ik heb me nog nooit zo geliefd gevoeld als bij deze man, hij aanbad me en op een dag wordt hij wakker en stapt op. Dat is niet te begrijpen, dat doet pijn, en ik wil dat de pijn ophoudt. Hij is in de war. Hij moet inzien dat hij van me houdt en dat hij terug moet komen.'

'Dus je zit hier omdat hij moet inzien dat hij een probleem heeft?'

Ik open mijn mond om iets te zeggen maar kan niet bedenken wat en doe mijn mond dus maar weer dicht. Ik pak een nieuwe tissue om te verfrommelen.

'Hoe lang zijn jullie samen geweest?'

'Iets minder dan een jaar.'

Dat hij daarvan minder dan een kwart in mijn buurt is geweest laat ik voor het gemak maar even achterwege.

'En zagen jullie elkaar vaak?'

Ah, hij heeft me in de smiezen. Goed, ik prik de droom wel door. Het zal even pijn doen, maar vooruit.

'Niet zo heel vaak. Hij moest voor zijn werk veel weg. Hij is cameraman voor natuurfilms. Ik zag hem een paar dagen per maand. Als ik geluk had,' mompel ik er nauwelijks verstaanbaar achteraan.

'Hoe vond jij dat, dat je hem zo weinig zag? Hoe ging je daarmee om?'

Hoe ging ik daarmee om? Nou niet van die rare vragen stellen, meneer Wüsthof. Hoe ging ik daarmee om? Zoals mensen die verliefd zijn daarmee omgaan. Namelijk met heel veel moeite. Met veel gezucht, hartenpijn, verlangen en heel veel angst om hem kwijt te raken.

'Gewoon.' Ik haal mijn schouders op. 'Ik vond het wel prima, ik heb een druk bestaan.'

'Nooit bang om hem kwijt te raken omdat hij zoveel onderweg was?'

'Ja natuurlijk wel,' zeg ik bits.

'Hoe reageerde je op die angst om hem kwijt te raken?'

Nog zo'n vraag waar ik geen antwoord op wil geven. Als reactie op de angst om hem kwijt te raken deed ik alles wat hij wilde. Ik werd wie hij wilde dat ik was. Ik kookte en neukte het vuur uit mijn sloffen, ik aanbad hem, ik gaf hem alles waar hij mogelijkerwijs van kon dromen, als er Olympische Spelen bestonden voor de beste minnares dan had ik een gouden plak gewonnen en dat alles uit angst. Ik voegde me naar zijn wensen, ik gaf hem echte liefde, of wat hij vond dat daarvoor door moest gaan, en dat alles uit angst om afgewezen te worden. De schellen vallen me van de ogen.

'Ik werd de perfecte minnares.'

Drs. Wüsthof knikt.

'En vertel eens, wat moet ik me daarbij voorstellen?'

Ik zucht en neem een slok thee. Ik voel me ongemakkelijk. Ik heb geen zin om dit te vertellen.

'Als het je helpt kun je ook je ogen sluiten.'

Ik leg mijn handen om het warme kopje thee en doe mijn ogen dicht.

'Ik ben als een kameleon, ik word wie ik denk dat de ander wil dat ik ben. Ik bereid zijn favoriete gerechten, ik stem me af op zijn behoeften en vergeet mezelf, ik zet mezelf opzij. Mijn behoeften doen er niet toe. Ik mag er alleen zijn voor de ander. In de hoop dat hij van me houdt en lief voor me is. Als hij maar gelukkig is. Als hij dat niet is, dan doe ik iets niet goed. Dan moet ik harder werken, het beter doen.'

'Onbewust modelleer je je naar de angsten van een ander om confrontaties en spanningen te voorkomen en om de intimiteit niet aan te hoeven gaan. Je hebt een hechtingsstoornis.'

Ik bijt op mijn lip. Een lichte paniek maakt zich van me meester. Ik wil weg. Instinctief weet ik dat er iets waardevols in zijn woorden verborgen ligt en dat het de moeite waard is om te blijven zitten. Luisteren. Gewoon maar eens luisteren. Ik ben dol op luisteren. Ik hou niet zo van praten, van praten ben ik nog nooit iets wijzer geworden. Van luisteren wel.

'Goed, dus je zet jezelf opzij om het hem naar de zin te maken. Wanneer ben je daarmee begonnen?'

Ik doe mijn ogen weer open.

'Geen idee. Dat is toch liefde?'

'Lieve schat, je verwart emotionele pijn met liefde en spanning met hartstocht. Jouw Damien klinkt als een stevig geval van bindingsangst. Wat zegt dat over jou?'

'Dat ik iets verkeerd doe?'

'Ah, daar ga je al, dat klopt niet. Je doet het heel goed want je zit hier. Wanneer je toegeeft dat je een probleem hebt, ben je al halverwege. Het ego wordt gevoed door angst en verzet zich tegen genezing omdat het kwetsbaar maakt. Bovendien verzet ons oerinstinct zich van nature tegen verandering omdat het als bedreigend wordt ervaren, dus het onderkennen van een probleem is zo eenvoudig nog niet. Er vindt veel tegenwerking plaats van ons ego. En daarom is het goed nieuws dat je bent ingestort. Je afweermechanismen liggen op hun gat. De wond ligt open. Het helen van je hart kan beginnen. Dat is dus goed nieuws.'

Het is maar wat je goed nieuws noemt.

'Maar de vraag was wat het over jou zegt dat je een man uitkiest als Damien, een man die zich niet wil of kan binden?'

Ik denk aan de woorden van Desirée. Goed, ik moet eraan geloven. Ik geef het niet graag toe maar daar gaan we.

'Ik val op de verkeerde mannen.'

'Dan leg je het probleem bij hen, daar heb je niet zoveel aan.'

'Dat begrijp ik niet.'

'Je kiest mannen uit bij wie je je eigen angst voor intimiteit niet hoeft te voelen. Jouw moed om je te binden bestaat bij de gratie van zijn angst. Doordat hij steeds weg was hoefde jij je eigen angst voor binding en intimiteit niet te voelen. Voordat jij angstig kon worden omdat hij te dichtbij kwam, was hij alweer weg. In feite loste hij je angst op door steeds weg te gaan. Op die manier was hij een veilige partner voor je zonder dat hij het zelf besefte. Wanneer je een man tegen zou komen die niet steeds wegvluchtte zou je je waarschijnlijk net zo wispelturig gaan gedragen als Damien. Maar zo'n man vind je te bedreigend. Doordat de afstand het op een bepaalde manier veilig voor je maakte heeft het ervoor gezorgd dat je je heel diep hebt kunnen verbinden, dat maakt het verlies ook zo groot. En hoe wreed dat nu ook klinkt, dat is toch goed nieuws. Dus er is ook veel om je over te verheugen. Dat lukt nu nog niet, maar dat komt wel. Je hebt een hechtingsprobleem. Je hebt net als Damien bindingsangst, een onderschat probleem wat veel emotionele pijn kan veroorzaken. Er zit pijn in jou die van ver komt, die niets met Damien te maken heeft. Hij was jouw verdoving tegen de pijn. De verdoving is uitgewerkt. En daarom zit je hier. Begrijp je dat?'

Drs. Wüsthof knikt langzaam met zijn hoofd, alsof hij me wil aanmoedigen om 'ja, ik snap het' te zeggen, terwijl hij me doordringend aankijkt. Zijn kin rust op zijn gevouwen handen.

Nee, ik geloof niet dat ik het begrijp maar ik knik ja. Misschien komt het nog.

'Wat voel je nu?'

'Mijn lichaam doet pijn. Het voelt alsof mijn lichaam in brand staat. Ik voel niets anders dan het branden van mijn buik.'

'Dat is verdriet wat zich lichamelijk manifesteert. Verdriet is een geschenk van de natuur. Als je die gave onderdrukt, zit je voor de rest van je leven in de rouw. Geef er zo veel mogelijk aan toe. De liefde brandt schoon. Begin eens met naar jezelf te luisteren. Naar een zacht stemmetje in je. Niet het gekrakeel in je hoofd, daar heb je allemaal niks aan, dat zijn alleen maar overlevings- en verdedigingsmechanismes, nee, er dwarrelt een zacht stemmetje in je, ga eens proberen daarnaar te luisteren. Om dat te kunnen horen zul je rust moeten zoeken. Luister naar je hart.'

'Mijn hart is gebroken, ik geloof niet dat er veel te luisteren valt.'

'Ook een gebroken hart heeft een verhaal en een wens. Het hart, het gaat om het hart.' Hij klopt zichzelf wild op de borst. 'Wist je dat het hart een eigen intelligentie heeft, dat er hersencellen zijn gevonden in het hart? Alles draait om het hart en verder,' hij wijst naar het affiche achter hem: 'FUKITOL.' Hij slaat met zijn hand op het bureau, zo hard dat het blocnoteje er een stukje van in de lucht vliegt en voor het eerst deze middag begint drs. Wüsthof luid te schateren.

Hij praat meer dan welke psycholoog die ik ooit ontmoet heb.

'Laat me je dit even zien.' Hij staat op en loopt naar de muur waar een schilderijlijstje hangt. Hij haalt het van de muur en houdt het voor zijn gezicht. Hij leest voor:

furu ike ya
kawazu tobikomu
mizu no oto

oude vijver
een kikker springt erin
geluid van water

'Prachtig, is het niet? Een haiku. Drie zinnen recht uit het hart met een diepgang en van een ongelofelijke schoonheid.' Hij kijkt op het klokje dat op zijn bureau staat. Het uur is bijna om.

'Ik stel voor dat we elkaar volgende week weer zien. Wat vind je daarvan?'

'Dat lijkt me goed.'

'Tot die tijd kan het je helpen om als je je verdrietig voelt of Damien mist naar het bos te gaan, of naar de botanische tuin en luister dan naar de vogels. Dieren en de natuur geven troost en rust. Kijk naar de bloemen en probeer er niets van te vinden. Dat brengt je gedachten tot bedaren. We zijn opgeleid en getraind om te oordelen, maar geluk ligt in het waarnemen zonder oordeel, alleen maar kijken en zonder oordeel ervaren. De schoonheid en het geluk zullen je in het hart treffen. Het is een probaat middel tegen eenzaamheid. Omdat het je contact doet maken met je diepste zelf. Een groter geluk is er feitelijk niet. Verliefdheid is niets anders dan dat. Doordat de ander met zoveel liefde naar je kijkt, ben je in staat om meer van jezelf te houden en dus dieper contact met jezelf te maken. Daarom kan de liefde een transformerende ervaring zijn. Hou van jezelf. Dat geeft je een basis en het maakt je een betere partner voor de volgende man in je leven. Want je denkt nu wel dat die niet meer komt maar hij staat om de hoek te wachten. Tot jij denkt dat je weer wil. Maar haast je niet. Je denkt dat je een nieuwe liefde nodig hebt, maar dat is het laatste wat je nodig hebt. Neem een sabbatical van je eigen hoofd, van je oordelen, van wat je moet zijn van jezelf. Laat de drang om te presteren los. Verder kan het je helpen om spijtgevoelens onder ogen te zien. Rouwen om het verlies van je geliefde, maar ook rouwen om je leven en dat het niet is gegaan zoals je had gedacht, rouwen om de verkeerde beslissingen en keuzes die ertoe hebben geleid dat je hier zit. Het komt goed schat. Zullen we zeggen volgende week zelfde tijd, dinsdag om drie uur? Afgesproken?'

'Afgesproken.'

18

KOFFIE, KOFFIE, LEKKER BAKKIE KOFFIE

Ik loop de trap af bij drs. Wüsthof. Tja. Wat zal ik ervan zeggen? Een sabbatical van mijn hoofd? Spijtgevoelens onder ogen zien? Een hechtingsstoornis? Wat moet ik me daarbij voorstellen? Allemaal leuk en aardig maar hij vertelt er niet bij hoe ik ervan afkom. Ik ga in therapie om verlost te worden van een probleem en volgens mij heb ik er nu een probleem bij. Gisteren was ik alleen overspannen, vandaag heb ik een hechtingsstoornis. Dat schiet op. En waar komt dat vandaan? Wanneer is dat begonnen? Zwarte gaten in mijn geheugen. Dikke deuren die zijn dichtgeslagen. Het verleden. Wat moet je met het verleden? Het verleden is precies dat: verleden tijd. Voorbij. De toekomst is een illusie, wat overblijft is nu. En wat doe ik nu?

Ik ga naar de bedrijfsruimte waar Desirée op me wacht. Ik loop door de Staalstraat langs de winkel waar oude filmfoto's en posters worden verkocht. In de etalage hangt het originele affiche van *Gejaagd door de wind*, de eerste film die Desirée en ik samen zagen. Het was op een snikhete zondagmiddag en we zaten met nog vijf mensen in de zaal die de hitte trotseerden en allen snikkend de zaal verlieten nadat Scarlett had gezegd: '*Tomorrow I'll find a way to win him back.*' Ik stop en kijk naar de poster. Ze ligt met zwoegende boezem in de armen van Rhett Butler, een losgeslagen type, een gokker, een womanizer, een charmante en bindingsbange man die in Scarlett zijn evenknie vond. Zij was nog erger dan hij. Het spel kon beginnen. Grappig eigenlijk. Degene die er het meest last van heeft, lijdt het minst onder de relatie. Zou Damien me komen redden wanneer er een burgeroorlog uitbrak en de stad in brand stond? Net zoals Rhett heeft gedaan? Ben ik verliefd op sprookjesprinsen en ben ik verziekt door televisie en filmdrama? Heb ik onbewust het filmdrama willen herhalen? Ben ik verliefd op de liefde? Ben ik verliefd op drama?

Ik rij de Bloemstraat in waar onze bedrijfsruimte is gevestigd, net om de hoek van de Prinsengracht. Het is de bel-etage van het pand waar Desirée en haar gezin wonen. Ik vis mijn sleutels uit mijn tas, steek de sleutel in het slot waarbij ik tegelijkertijd tegen de onderkant van de deur schop omdat hij klemt. De deur zwaait open.

'Desirée? Ben je er?'

Geen antwoord. De keuken is opgeruimd en schoon. Het ruikt naar groene zeep. Peter heeft schoongemaakt. Hij noemt zichzelf een ecologische medewerker en weigert met chemische middelen te werken. In de eerste plaats omdat hij er uitslag van krijgt op zijn handen, maar, zo redeneert hij, als zijn huid er niet goed op reageert kan het ook niet goed zijn voor het milieu. En dus doet hij alles met groene zeep en schoonmaakazijn. Ik vind het best zolang de boel maar schoon wordt. De koelkast zoemt. Mijn koksmessen hangen blinkend aan een magneetstrip aan de muur. Ik hou van mijn messen. Ik heb ze onlangs laten slijpen. Geen grotere ergernis dan een bot mes. Een goed mes is onontbeerlijk. Een goede kok herken je aan zijn messen, want als je van koken houdt dan hou je van messen. In alle soorten en maten. Een koket aardappelmesje met houten handvat, uitgehold van het jarenlange gebruik. Dat is scherp. Vlijmscherp. Mijn favoriete mes is een eenvoudig vormgegeven mes, een Windmühler *messer*, of kort gezegd een molenmes. Dat is zo scherp, dat je je ermee kunt scheren. Als je de scherpte van een mes wilt testen moet je er geen druk op uitoefenen maar het mes zelf het werk laten doen. Ik laat het mes de tomaat snijden. Ik doe niets. Wanneer het er in één keer doorheen glijdt, zonder kracht te zetten, dan is het scherp. Dat is het mes waar ik van hou. Uit pure vreugde om de scherpte van het mes snij ik als een ninja een komkommer in de lucht. Om een mes op ambachtelijke wijze echt goed te slijpen heb je een centimeters dikke walrushuid nodig. De walrus behoort tot een beschermde diersoort dus behalve walrussen worden ook scherpe messen schaars. Ik heb ooit met een scherp mes een stukje van mijn duim gesneden. Dat risico loop je met vlijmscherpe messen. Het gebeurde terwijl ik een tomaat stond te snijden en ik een klein moment opzij in de braadpan keek om te inspecteren of de boter heet genoeg was om de runderlappen erbij te gooien. Ik voelde niets, dat heb je met een vlijmscherp mes. Ik merkte het pas nadat ik het bloed op het aanrecht zag sijpelen. Toen zag ik dat ik een plakje van mijn duim had gesneden. Ik wikkelde mijn hand in een thee-doek en vroeg Desirée mijn stukje duim te zoeken. Ik vond het een onverdraaglijk idee dat er een stukje van mezelf in een vaatdoekje terecht zou komen en met het afvalwater weggespoeld zou worden. Ik weigerde naar het ziekenhuis te gaan zonder mijn stukje duim. Nadat ze drie keer een stukje tomaat had opgeraapt in de overtui-ging te maken te hebben met het plakje van mijn duim, kwam ik op het idee dat het stukje duim bloedeloos en dus wit moest zijn. Toen was het snel gevonden. Ik legde het stukje duim onder mijn tong. Ik had weleens gelezen over het protocol bij afgesneden lichaamsde-len, je moet de boel onder de tong op lichaamstemperatuur houden, met een afgerukt been is dat wat lastig, maar met een stukje duim is het prima te doen, en we zijn naar het ziekenhuis gereden waar ons werd verteld dat het er niet meer aangezet kon worden. Te klein, te veel besmettingsgevaar omdat ik met het mes ook rundvlees had ge-sneden. Grote kans dat je met het hechten van de wond meteen een klein miljoen salmonellabacteriën meehecht en dan heb je de pop-pen aan het dansen. En dus moest ik afstand doen van een stukje van mijn lichaam. Dat vond ik moeilijk. Ik ben niet goed in afscheid nemen van iets waar ik van hou.

Op de grote werktafel ligt de agenda. Ik sla hem open. Het enige wat er vandaag in staat, is mijn afspraak met drs. Wüsthof. Desirée heeft de afspraak zonder mijn medeweten gemaakt en me voor het blok gezet. Het was een bedrijfsinvestering in haar ogen. Als ik zo door-ging zou ik ons bedrijf kapotmaken. Ik loop naar de verwarming en zet hem hoog, schop mijn schoenen uit en kijk om me heen. Als het goed is moeten hier ergens een paar uggs liggen. Ik ben niet kouwe-lijk maar ik heb het graag warm. Desirée is waarschijnlijk boven. Ik gooi mijn tas op tafel, loop naar het espressoapparaat en druk op de knop van de babyfoon die ernaast hangt.
    'Dees? Ben je boven?'
    Even later klinkt het uit de babyfoon: 'Ja, ik hoorde je al binnen-komen. Ik kom eraan.'
    'Zal ik voor jou ook koffie maken? En weet jij waar mijn uggs liggen?'
    'Ja. Lekker. Die liggen hierboven. Ik neem ze mee.'

Ik open de bus met koffie die is gevuld met Yirgacheffe, Ethiopische koffie en voor zover ik weet de beste koffie ter wereld. Het kost een beetje, maar dan heb je ook wat. Ik neem weleens een zakje bonen mee als ik ze tegenkom tijdens een bezoek aan de ISPC in Breda of wanneer ik Parijs ben om inkopen te doen. Eén keer in het jaar gaan we samen naar Italië, om inspiratie op te doen, naar de Salone del Gusto bijvoorbeeld, de Slow Food beurs in Turijn die eens in de twee jaar wordt georganiseerd. Of we doen een kookcursus in Toscane. Een paar keer per jaar ga ik in mijn eentje naar Parijs om nieuwe restaurants te bezoeken en ideeën op te doen. Ik spreek vloeiend Frans. Een deel van mijn opleiding heb ik in Frankrijk genoten. Ik ben nooit naar de koksschool geweest, ik ben autodidact. Ik heb alles in de praktijk geleerd door in restaurants te werken.

Ik duw mijn neus in de bus en snuif de geur op. Ik haal mijn hand even door de bonen. Het is mijn kleine ritueel. De gladde koffiebonen door mijn handen laten glijden waarbij ze hun geur prijsgeven vind ik iets heerlijks. Dan de bonen malen en de koffie zetten. Ik zet twee kopjes onder de piston en terwijl ik de melk aan het opschuimen ben hoor ik Desirée de trap afkomen.

'Hé daar.'

'Ho daar.'

Ze geeft me een kus op mijn wang.

'Hier.' Ze zet de uggs op de grond. 'Ze zijn lekker warm want ik heb ze aangehad vanmorgen. Hoe was het?'

Ik haal mijn schouders op.

'Oké wel. Aardige man. Voor een psycholoog praatte hij nogal veel.'

Ik heb natuurlijk niet veel vergelijkingsmateriaal. Alleen die psycholoog die aan zijn sigaar lurkte terwijl hij naar mijn benen zat te loeren en me totaal niet van mijn depressiviteit kon afhelpen. Het enige antwoord dat hij kon bedenken was: 'Je moet jezelf maar als invalide beschouwen.' Met andere woorden: 'Je bent een hopeloos geval, je kunt jezelf net zo goed opknopen. En leg er een pistool naast voor het geval het touw breekt.' Ik ben hard gaan werken. Dat hielp ook. Tot voor een paar dagen geleden dan.

Wat zei drs. Wüsthof nou allemaal?

Neem een sabbatical van je eigen hoofd. Van je oordelen, van wat je moet zijn van jezelf, van je eigen verwachtingen. Neem het leven een tijdje zoals het komt. Probeer het een weekje en volg je hart. Verder kan het je helpen om spijtgevoelens onder ogen te zien. Rouwen om het verlies van je geliefde, maar ook rouwen om je leven en dat het niet is gegaan zoals je had gedacht, rouwen om de verkeerde beslissingen en keuzes die ertoe hebben geleid dat je hier zit. Laat de drang om te presteren los.

Makkelijker gezegd dan gedaan met een bloeiend bedrijf.

Nadat ik wat kaneel op de schuimige melk heb gestrooid, zet ik het kopje cappuccino voor haar neer, ga zitten en trek de warme uggs aan.

'Hè, lekker warm.' Ik leg mijn handen om het warme koffiekopje en kijk haar aan.

'Alles goed met jou? Je ziet er een beetje moe uit.'

Ze roert in haar kopje.

'Ja, alles goed. Ik ben blij dat ik zit, dat wel. De dag is nog niet begonnen of ik ben al kapot. We hebben ons vanmorgen verslapen dus ik heb lopen rennen en vliegen om iedereen de deur uit te krijgen en de kinderen naar school te brengen. Ik heb net het huis aan kant gemaakt en mailtjes beantwoord.'

Ze slaakt een diepe zucht. 'Hè heerlijk, ik heb nog geen koffie gehad. Hebben we er nog iets bij?'

Ik sta op en trek de koelkast open. Hij moet nodig schoongemaakt worden. De koelkast is mijn verantwoordelijkheid als het op schoonmaken aankomt. Dat vertrouw ik een ander niet toe. Ten eerste moet het goed gebeuren voor het geval de keuringsdienst langskomt en ten tweede ben ik daardoor precies op de hoogte van alles wat we in huis hebben. Zo zie ik een bolletje rauw korstdeeg liggen. Kijk, dat zijn van die kleine dingen waar een mens gelukkig van kan worden. Rauw deeg. Ik wil weleens laat op de avond het recept voor appeltaartdeeg door tien delen en een kleine hoeveelheid deeg maken die ik uit het vuistje opeet. Verrukkelijk. Maar Desirée is er geen fan van. Er ligt ook nog een halve tarte tatin. Ik snij het stuk omgekeerde appeltaart in tweeën en ga naast Desirée zitten. We happen tegelijkertijd in de taart. Hij is niet meer zo vers maar hij is er niet minder lekker om.

'God wat is dat toch lekker,' mompelt Desirée.

'Oud, koud en toch lekker. Was ik maar een tarte tatin.'

We grinniken.

De appels zijn mooi versmolten met de karamel, zoet zonder dat het de smaak van de appels overheerst. Alleen het deeg is een beetje taai omdat hij al een paar dagen in de koelkast ligt.

'Vertel nou eens even over je gesprek met de psycholoog.'

'Ik heb een hechtingsprobleem.'

'Een wat?'

'Bindingsangst. Zoiets in elk geval. Het is complexer dan dat.'

'Waar komt dat vandaan?'

'Dat vertelde hij er niet bij. Het zal wel een soort trauma zijn. Ongetwijfeld als gevolg van een nijpend gebrek aan ouderliefde.'

Mooi. De diagnose ligt op tafel, mijn ouders hebben iets niet goed gedaan, jammer dan, niks aan te doen, het leven gaat door.

'Hoe kom je ervan af?'

'Heeft hij ook niet verteld. Dat hoop ik in de volgende sessie te weten te komen. Klantenbinding denk ik, niet meteen alles verklappen.'

Desirée grinnikt.

'Hij heeft toch wel iets gezegd?'

'Ik moet spijtgevoelens onder ogen zien. En rouwen om het verlies van Damien.'

Wanneer ik het zeg prikken meteen de tranen in mijn ogen. Ander onderwerp.

'Hoe ben je eigenlijk aan die psych gekomen?' vraag ik.

Ze haalt haar schouders op.

'Ik had weleens van hem gehoord.'

'Je had weleens van hem gehoord? Op de televisie? In de krant? Hoe had je weleens van hem gehoord?'

Ze roert weer in haar koffie.

'Ik ben een tijdje bij hem geweest,' zegt ze schoorvoetend.

'Jij?'

Blijkbaar ben ik niet de enige die niet wil praten over haar sessies bij de psycholoog.

'Krijg nou wat. Waarom heb je me daar nooit iets over verteld?'

'Waarom wel?' Ze kijkt me oprecht verbaasd aan met die blinkend blauwe kijkers van haar.

'Ja, hallo, waarom wel, weet ik veel. Misschien omdat ik je vriendin ben, omdat we samenwerken, omdat ik dacht dat we elkaar alles vertelden, omdat je altijd doet alsof alles zo geweldig gaat bij jou? Dat helpt, weet je, wanneer je me vertelt dat jij het ook weleens moeilijk hebt. Ik zit altijd maar naar zo'n überfantastische vrouw te kijken die alles aankan terwijl ik niets aankan. Jij hebt alles. Jij hebt een man, jij hebt kinderen, bij jou is alles in orde. Bij mij gaat altijd alles stuk, ik maak altijd alles stuk. Er is iets mis met mij. En nu moet ik heel erg huilen en dat wil ik niet.'

Ik begin te snikken. Desirée slaat een arm om me heen.

'Jij kunt ook alles aan. Jij kunt andere dingen aan.'

Ik knik.

'Heb je enig idee hoe ik jou bewonder? Jij bent veel sterker dan ik.'

Ze pakt mijn hand.

'Iedereen loopt beschadigd rond maar bijna niemand wil ervoor uitkomen.'

Ik snuit mijn neus.

'Vertel op. Waarom ben je bij een therapeut geweest?'

'Omdat ik moeilijkheden had natuurlijk. Waarom ga je anders naar een therapeut.'

'Wat voor moeilijkheden?'

'Ja, nou ja, huwelijksmoeilijkheden. Het ging gewoon niet goed tussen ons.'

Als je op de oprijlaan gaat liggen omdat je een Cadillac wilt en je krijgt hem, wat kan er dan nog misgaan in het leven? Ik heb nooit iets gemerkt van problemen. Desirée is altijd spic en span, vrolijk, kordaat, daadkrachtig, praktisch, rationeel en altijd keurig gekapt met oorbellen in. Ik heb vakantiefoto's van haar gezien terwijl ze met haar gezin aan het wildwaterkanoën was. Joelend van pret zat ze keurig in de krul met grote gouden oorbellen in een kano. Desirée is iemand uit een soapserie, een vrouw die 's ochtends wakker wordt en beeldig en voortreffelijk in de make-up opstaat. Zo is ze geboren. Desirée de onoverwinnelijke. Desirée die overal tegen kan. Het is niet eerlijk. Maar wie zei ook alweer dat het leven eerlijk was? Als het leven eerlijk was dan liep er nu een krokodil rond met een handtas gemaakt van Roderick. Maar het leven is niet eerlijk. Zelfs voor Desirée niet.

Ze staat op. 'Jij nog koffie?'

'Lekker.'

Ze pakt de kopjes van tafel en loopt naar het espressoapparaat.

'Ik heb anorexia nervosa gehad gecombineerd met vreetbuien.'

Mijn bek valt open.

'Anorexia? Maar hoe kan het dat ik daar nog nooit iets van heb gemerkt? Ik zie je altijd eten. Ik heb je altijd zien eten. Je runt een cateringbedrijf.'

'Ik ben altijd een meester geweest in het doen alsof ik eet. Ik hou ook wel van eten, ik ben er alleen niet zo goed in om het ook binnen te houden. Ik at heel weinig of ik at de hele koelkast leeg om het er daarna weer uit te gooien.'

Ze giechelt.

'Ed kwam erachter. En toen hadden we de poppen aan het dansen.'

'Maar waarom weet ik dat niet? Waarom heb je me dat nooit verteld?'

'Het heeft heel lang geduurd voordat ik het zelf onder ogen durfde te komen. Zolang je dat niet doet, heb je geen probleem en hoef je er dus ook niet mee te dealen. Een verslaafde doet en vertelt zichzelf alles om zijn verslaving te rechtvaardigen.' Ze lacht weer.

Ik kijk haar met open mond aan. 'Maar waarom? Je bent mooi, je bent succesvol, je bent geboren met een ingebouwde rode loper, de wereld ligt aan je voeten.'

'Zelfhaat. Kort gezegd. Er is me geleerd om een fantastische dochter voor mijn ouders te zijn. Een fantastische moeder, echtgenoot, bedrijfspartner. Ik ben overdreven gericht op mijn omgeving.'

Klinkt bekend.

'Er is me alleen nooit geleerd hoe ik fantastisch voor mezelf kan zijn. Ik was destructief.'

Wie had durven denken dat we zoveel gemeen zouden hebben.

Ze zet de kopjes koffie op tafel en propt het laatste stukje taart in haar mond.

'Maar zoals je ziet gaat het nu een stuk beter met me,' zegt ze met volle mond.

We gieren het uit. Het is voor het eerst dat ik weer voluit lach sinds het vertrek van Damien.

'En drs. Wüsthof heeft je geholpen?'

'Hij heeft me op weg geholpen. In het begin vond ik het maar een rare man maar ik ben veel gaan begrijpen. Het is gewoon eng zoals hij voelt waar de pijn zit. Hij verricht wonderen als je het mij vraagt. Ed en ik werken nu aan onze relatie. En dat gaat eigenlijk heel goed.'

Ik kijk haar aan. De vraag die ik haar al jaren wil stellen en nooit heb durven vragen brandt op mijn lippen. Ik gooi het er maar uit, we zijn nou toch bezig.

'Waarom ben je met Ed getrouwd?'

Ze haalt haar schouders op.

'Ik ben nooit verliefd op hem geweest, als dat is wat je bedoelt. Ik was zeker van hem, hij zal nooit bij me weggaan, hoe moeilijk ik het hem ook maak. En geloof maar dat ik het hem soms moeilijk maak.'

Daar kan ik me wel iets bij voorstellen. Als je op de oprijlaan gaat liggen maak je het iemand in elk geval niet makkelijk.

Ze buigt een beetje voorover, alsof we in een restaurant zitten en het tafeltje naast ons het niet mag horen.

'Zal ik heel eerlijk zijn? Hij houdt meer van mij dan ik van hem en ik ben erachter gekomen dat ik dat prettig vind, dat ik me daar veilig bij voel. Het is niet anders. Ik weet dat hij heel stug overkomt maar het is ook een lieve man die veel voor me overheeft. Ik had de nodige narigheid achter de rug met mannen, ik denk dat ik in Ed een goede oplossing zag voor mijn problemen.'

'En? Was hij de oplossing?'

Is trouwen met een lelijkerd met zestien creditcards de oplossing voor mijn problemen? En hoe is de seks? Nog zo'n vraag die me al jaren op de lippen brandt en die ik niet durf te stellen. Ik kan me er niets bij voorstellen, maar wie weet wat een wonderschone dingen er gebeuren als hij zijn jampotglazen afdoet en de muziek wat harder wordt gezet zodat je zijn astmatische longetjes niet meer hoort. Misschien stel ik te hoge eisen op seksgebied. Het kwartje valt. Ik kies mijn mannen niet uit op functionaliteit maar op seks. Op seksuele aantrekkelijkheid. Maar is het dan zo dat een seksueel aantrekkelijke man per definitie een verkeerde man voor mij is? Dat is toch wel heel zuur. Misschien dan toch maar de rest van mijn leven de verkeerde man want ik vind seks gewoon heel erg leuk. Is het te veel gevraagd in het leven om met een man te willen zijn tot wie je je seksueel aangetrokken voelt? Heb ik seks aangezien voor liefde? Ik wil seks en liefde. Daar gaat het toch om? Of snap ik iets niet?

'Eva, je hebt te veel romantische voorstellingen van een relatie. Laat me je uit de droom helpen. Het is werk. Het huwelijk is een bedrijf. Het huwelijk heeft niet zoveel met liefde te maken. Alles is economie, ook in de liefde, schat.'

O ja, da's waar ook. Dat heeft ze me al eens eerder verteld. Ik wil goede seks en ik wil liefde. Dat is de fout die ik altijd heb gemaakt. Dom. Dom. Dom. Desirée stelt heel andere eisen. Daar heb je wat aan. Daar kom je verder mee. Een slimme meid is op haar toekomst voorbereid.

'En kinderen, schat. Het zijn de kinderen waar je gelukkig van wordt. Je bent nooit zeker van een man zonder erfgenaam, je moet beminnelijk zijn, geduldig, niet reageren, lief zijn en alles doen wat hij vraagt.'

En af en toe op de oprijlaan gaan liggen.

'Daarnaast ga je lekker je eigen gang. Geen fijnere man dan een workaholic die lekker veel weg is. Ondertussen heb ik een heerlijk leven.'

Ze barst in schaterlachen uit.

'En een eetprobleem. En dat eetprobleem heb je niet omdat je zo gelukkig bent.'

'Volgens mij verwacht je er te veel van.'

'Van wat?'

'Van relaties. En word je daarom altijd teleurgesteld.'

'O ja, krijgen we die. Ik ben te kritisch. Volgens mij verwacht ik te weinig en wordt het tijd dat ik eens wat meer verwacht.'

Nu heb ik van mijn psycholoog al te horen gekregen dat het allemaal aan mij ligt en dan begint mijn vriendin ook nog eens een keer. Ander onderwerp.

'Weet jij of hier nog ergens een tubetje lijm ligt?'

Desirée weet altijd alles.

Ze staat op, trekt een la open en haalt een cakeblik tevoorschijn met allerhande rommeltjes. Een klein schaartje dat ik al een halfjaar kwijt ben. Een Alessi-kurkentrekker die ik al maanden loop te zoeken. Lucifers, wierook, een eierwekkertje, een enorme bos reservesleutels met etiketjes eraan en een tube van de heftigste contactlijm die er te krijgen is.

'Wie bewaart er nou spullen in een cakeblik?'

'Alle losse rommel bij elkaar. Als je iets niet kan vinden, kijk dan hier. Ik zei toch dat ik de keuken heb opgeruimd. Ik kom overal rotzooi tegen en daar kan ik niet tegen. Alles wat rondslingert gooi ik hierin. Dan weet je dat. Waar heb je die lijm voor nodig?'

'Ik heb thuis iets gebroken.'

'Wat?'

Hè, vraag nou niet altijd door, laat me nou toch.

'Het porseleinen schaaltje dat ik van jou heb gekregen. Het is gevallen. Maar ik kan het nog wel lijmen denk ik.'

Shit, ander onderwerp! Er zijn ergere dingen in de wereld maar ik zie al aan haar gezicht dat het voor Desirée reden is om drama te maken. Ik heb het van haar gekregen, hoe kan ik dat nou kapot laten vallen, dan heb ik het zeker ergens neergezet waar het niet veilig staat. Allemaal opmerkingen waar ik nu niets meer aan heb en waarvan ik weet dat Desirée er met liefde een fikse boom over opzet. Over dingen die al gebeurd zijn en die niet meer te veranderen zijn. Volkomen zinloos. Zoals het ook zinloos is om nu te zeggen dat ik een andere man had moeten kiezen. Het kalf is al verdronken, het heeft geen enkele zin om nu te gaan zitten vertellen dat ik de put had moeten dempen. Ik weet het. Het is kapot, het is allemaal kapot. Niks aan te doen, we moeten verder.

Ik gooi de tube lijm in mijn tas en haal de agenda naar me toe.

'Hoe staat het met de business? Nog iets van Dimitri gehoord? Zijn we eruit geknikkerd?'

'Ze hebben het fragment gisteravond in *De Wereld Draait Door* uitgezonden.'

'Dat meen je niet. Hoe kan dat nou, ze zullen toch wel overge-schakeld hebben naar de presentatrice?'

'Ja, maar de cameraman heeft het gewoon gedraaid. Die vond het wel een leuke show. Dus het stond op band en toen heeft Dimitri het naar DWDD gestuurd.'

'Allemachtig. En wat lieten ze zien?'

'Ik sta schaapachtig in de camera te lachen terwijl jij iets over een ei begint te gillen en aanstalten maakt om Dimitri voor zijn hoofd te slaan, om vervolgens achter het kookeiland te verdwijnen. En daar sta ik heel raar naar te kijken en dan zeg ik met een gek piepstemmetje: "Eva?" Het is heel grappig. Er zijn talloze e-mailtjes over binnengekomen. We zijn een hit. Dus nee, we zijn er niet uit geknikkerd. En ik heb Maartje gevraagd of ze ons een paar dagen kan helpen, dan kun jij het even rustig aan doen.'

'Maartje kan niet koken,' mopper ik.

'Maartje kan wel koken, ze kan alleen niets verzinnen dus jij moet haar vertellen wat ze moet doen, maar de uitvoering is prima.'

'Misschien is er niet zoveel aan de hand en had ik alleen maar te veel gedronken en een beetje te veel verdriet en moet ik maar ge-woon weer doorgaan met het leven.'

'Nee, ik denk niet dat het goed is als je meteen weer aan het werk gaat. Je bent overwerkt. Je moet rust nemen.'

'En vergeet het onder ogen zien van spijtgevoelens niet.'

'Trouwens, dat is waar ook. Oscar heeft gebeld.'

Over spijtgevoelens gesproken. Als je het over de duivel hebt trap je op z'n staart.

'Oscar? Waarom heeft Oscar gebeld?'

Misschien gaat hij trouwen en wil hij ons het eten laten verzorgen? God straft onmiddellijk als je op de duivel zijn staart trapt.

'Hij had het fragment in DWDD gezien en vroeg zich af hoe het met je ging.'

Hij vroeg zich af hoe het met mij ging? Veel gekker moet het niet worden. Ik moet het verleden onder ogen komen. Ik wil niet. Maar er is geen ontsnapping mogelijk. Het verleden zoekt mij op. Als Mohammed niet naar de berg komt, komt de berg wel naar Mohammed. Ik ben klaar met het verleden, ik beschik over een uitzonderlijk vermogen om dikke deuren dicht te slaan maar de klap die het leven heeft uitgedeeld, heeft de deuren op een kier gezet en het verleden sluipt naar binnen.

Oscar.

19

OSCAR VAN LEEUWEN

De laatste keer dat ik Oscar zag was in de Yab Yum. Waar? In de Yab
Yum. Ik was zijn verjaardagscadeau. Het was een idee van Desirée.
Yab Yum, het clubhuis van Holleeder en Klaas Bruinsma, een van
de meest exclusieve en tot de verbeelding sprekende seksclubs van
Nederland aan de hoofdstedelijke Singel. Desirée deed het niet voor
minder. 'Anders wordt het ranzig,' zei ze, 'het kost een duit maar dan
heb je ook wat.' Ik wilde hem een heel mooi cadeau geven. 'Wat is er
mooier dan jezelf cadeau doen?' zei ze. Ik had haar even niet-begrijpend aangestaard. Ik kon wel een paar dingen bedenken. Een Alfa
Romeo Giulietta, een Patek Philippe-polshorloge, een kilo Sveruga-
kaviaar, een mand oesters, een handje witte zomertruffels. Hoe gelukkig kan een mens niet worden van risotto met vers eekhoorntjes-
brood en cantharellen? Maar ze hield vol. Huur een kamer in de Yab
Yum en speel de hoer voor je man. Volgens haar kon je een man geen
groter plezier doen. Ze had hetzelfde gedaan voor Ed toen ze vijf jaar
getrouwd waren. Het had voor nog eens vijf mooie jaren gezorgd.
Volgens haar was dit dé manier waarop vrouwen van rijke, vooraan-
staande mannen hun echtgenoten geïnteresseerd hielden. Door de
hoer voor hen te spelen. Ik ben de kwaadste niet dus ik dacht vooruit
maar met de geit. Als hij dat nou leuk vindt, dan doe je dat toch? Het
is immers je mannetje, en daar gaat het om, je mannetje.

Ik kwam hem tegen in de Koffiesalon in de Utrechtsestraat. Ik stond
in de rij om een chocoladeroomkoek en een cappuccino te bestellen
en terwijl ik stond te wachten ging er van alles door mijn hoofd. Dat
onbeperkt spareribs eten bij wet verboden zou moeten worden; dat
ik nog nooit weespermoppen had gemaakt en dat het hoog tijd werd
omdat ik dol ben op weespermoppen; via de weespermop moest ik

denken aan een vakantie in Italië waar ik kennis had gemaakt met de *bocconcini*, een heerlijk amandelkoekje gevuld met limoencrème. Op datzelfde moment bedacht ik dat wanneer ik een amarenekers in een weespermop zou stoppen ik een subliem koekje zou krijgen. Precies wat ik zocht voor de catering die ik aan het voorbereiden was. Daardoor vergat ik een kort moment waar ik was en maakte met mijn ogen dicht een klein vreugdesprongetje waarbij ik mijn evenwicht verloor en tegen de vitrine met taarten belandde. Ondertussen stond er een man met een rode das en een wit gesteven overhemd, met op zijn neus een subtiel gouden brilletje, geamuseerd naar me te kijken. De waarheid gebiedt me te vertellen dat ik dit heel misschien wel gezien heb en dat ik me gewoon stond aan te stellen, geheel waardig aan mijn behaagziekte die zich blijkbaar in meerdere opzichten openbaart. Hij begon te lachen en vroeg of het goed met me ging. 'Ja hoor,' antwoordde ik lachend. Ik ging boven aan de grote leestafel zitten en even later werd er een kaartje naast mijn kopje cappuccino gelegd. 'Als je ooit iets wilt drinken...' stond er in een sierlijk handschrift geschreven. Ik keek op in de reebruine ogen van de serveerster. 'Dit moest ik u geven van die meneer die naast u stond.' Geraffineerd, zoals alles aan Oscar geraffineerd was. Hij was een grote speler op de vastgoedmarkt. Later begreep ik dat het donkerblauwe pak met rode das een gimmick was in verband met een presentatie voor een conservatieve klant. Hij liep er liever wat hipper bij, maar wisselde zijn imago al naargelang de omstandigheden in hoge snelheid af. Moeiteloos switchte hij van het charmante straatboefje naar de snelle betrouwbare man. En alles wat daartussen zat.

Hij was gedistingeerd, fris gedoucht, een heer, met toch iets guitigs, iets jongensachtigs in zijn blik. Hij was erudiet, kunstzinnig, interessant en beschikte over een sardonisch gevoel voor humor. Hij was alles wat ik wilde zijn en niet was. Hij was in mij geïnteresseerd, hij was charmant, hij was aantrekkelijk, hij was gepassioneerd, hij was manisch, hij was knettergek. Gedurende de periode van het hof maken, waar hij volgens mij een afgemeten aantal dagen voor uit had getrokken, kuste hij de grond waarop ik liep. Al na drie weken liep hij rond te bazuinen dat ik de vrouw was met wie hij de rest van zijn leven ging doorbrengen.

Op het moment dat ik me aan hem overgaf veranderde hij als een blad aan de boom.

Hij werd afstandelijk en kritisch, zag alleen nog maar verschillen en geen overeenkomsten en deed mij geloven dat het allemaal aan mij lag. Hij voelde zich snel gekrenkt en ondergewaardeerd. Hij eiste een voorkeursbehandeling en die gaf ik hem. Zodra mijn aandacht verslapte zocht hij zijn soelaas bij andere bewonderaarsters. En zo hield hij me scherp. Ik ben goed in aandacht geven, het is mijn beroep, een kok geeft het eten en zijn gasten alle aandacht die hij heeft, dus we waren een goed stel. Ik gaf en hij nam.

Ik was stekeblind. Zijn arrogantie hield ik voor een fenomenale exercitie van ironie en humor. Zijn afstandelijkheid was te wijten aan een problematische en liefdeloze jeugd. En ik zag natuurlijk weer een huilend, eenzaam jongetje over wie ik me wilde ontfermen, in ruil waarvoor hij heel veel van mij zou gaan houden. Ik was de vrouw die het grote verschil ging maken.

20

YAB YUM

En daar zat ik dan. In de Yab Yum. Roodgeverfde muren, een gigantische kroonluchter en een met bladgoud bewerkt hemelbed met aan het hoofdeinde twee uit hout gesneden blote dames. In de hoek van de kamer bevond zich een rond roze bubbelbad. Desirée had me in haar kleren gestoken. Wulps, weelderig en zwoel. Een rode zijden jurk waaronder een zwart korsetje met jarretelles en zeven denier dunne, zijden kousen. Ik heb nooit geweten dat er zulke dunne kousen bestonden. De ladders schieten er al in als je ernaar kijkt. Mijn haar was opgestoken, smokey eyes en felrode lippenstift. Ze had me besprenkeld met haar Chanel nummer 5. Ik was het cadeau en ik was prachtig verpakt. Ik had champagne en blini's met kaviaar besteld. Niets stond een romantische avond in de weg. Ik had Oscar anoniem laten weten dat hij hier om acht uur moest zijn. Het was nu tien over halfacht.

Ik had mijn twijfels. Ik was een beetje nerveus. Ik heb het niet zo op verrassingen. Van verrassingen komt niets goeds, want het betekent dat de afloop onzeker is. Ik hou niet van onzeker. Ik weet graag precies waar ik aan toe ben. Dan kan ik me ontspannen. Misschien kwam hij wel niet. Waarom zou hij ingaan op een anonieme uitnodiging om naar de Yab Yum te komen? Ik wist eigenlijk niet hoe leuk ik het vond als hij daar op inging. Dat had ik ook gezegd tegen Desirée. Maar zij reageerde heel laconiek: 'Natuurlijk gaat hij naar de Yab Yum als hij een uitnodiging krijgt, maar daar ben jij dan toch? Dan steekt er toch geen kwaad in?' Tegen die redenering kon ik weinig inbrengen.

Ik voelde de vering van het matras. Heel even kwam ik in de verleiding om hard op het bed te gaan springen, gewoon omdat dit bed zich daar heel goed voor leende, maar ik hield me in. Bommetje spelen in een zijden jurk in een bordeel geeft geen pas. Ik sloeg mijn benen over elkaar, stak een sigaret op, nam een Marlène Dietrich-pose aan en keek naar mezelf in de spiegel naast het bed. Ik schoot in de lach. Ik bleef het een beetje bizar vinden om hier, verkleed als hoer, op mijn vriend te wachten.

Misschien kwam hij wel niet. Misschien was hij naar huis gegaan in de hoop dat zijn meisje thuis op hem wachtte met een cadeautje en een fles champoepel. Dan zat ik hier zwaar voor lul, wat wel weer aardig was gezien het feit ik me in een bordeel bevond. Maar ik was hier voor een goed doel. We waren hier om seks te hebben, om zijn belangstelling voor mij weer nieuw leven in te blazen. Hij had me al weken niet aangeraakt. Onze relatie verliep turbulent, het ging een tijdje goed en dan ging het weer een tijdje niet goed. Als het goed ging, hadden we seks en als het niet goed ging niet. Het ging nu al een tijdje niet goed.

De telefoon ging. Het was Misja, een nicht als een kathedraal. Er werkten hier veel homo's, dat bracht de clientèle niet in verwarring. 'Je man komt nu naar boven, schat.' Even later werd er op de deur geklopt. Op aanraden van Desirée had ik Misja opdracht gegeven hem te blinddoeken om de verrassing groter te maken. Eerst zou ik hem langzaam opgeilen, dan zou hij me snel genoeg herkennen en kon het feest beginnen. De deur ging open en Oscar werd door Misja naar binnen geleid. Hij draaide hem een paar keer in het rond alsof het om een kinderspelletje ging, gaf me een knipoog en verliet de kamer.

Om te voorkomen dat hij mijn stem zou herkennen hield ik een handdoek voor mijn mond. Ik gaf hem een glas champagne en klinkte. 'Proost,' zei ik met een iets lagere stem in de handdoek. Oscar grinnikte. Hij strekte zijn arm uit op de tast naar de geheimzinnige vrouw voor zich. 'Wat wil je dat ik doe?' vroeg ik met de handdoek voor mijn mond. Ik heb weleens gehoord dat een hoer zo min mogelijk doet. Veel badderen om de werkelijke daad zo lang mogelijk uit te stellen, zodat het er misschien niet van komt. De man in een heet bubbelbad gaar laten koken, zorgen dat hij zo snel mogelijk in slaap valt, dat is wat ze doen, volgens mij. O mijn god, als hij nu maar niet iets ging vragen waarvan ik me doodschrok.

Poep- of plasseks. 'Maar wel alles binnen het normale,' murmelde ik er snel achteraan in de roze en opvallend zachte handdoek. Hij begon te lachen. 'Verras me maar.'

Ik pakte een blini met kaviaar van het schaaltje. 'Mond open,' murmelde ik. Ik hield de handdoek nog steeds voor mijn mond.
'Alleen als ik weet wat je erin steekt,' zei hij.
'Iets wat je lekker vindt, geloof me,' antwoordde ik op fluistertoon en duwde de blini in zijn mond. Hij was gek op kaviaar. We zijn ooit op vakantie in New York geweest waar we vlak bij Pravda logeerden, een *underground caviar bar* op Lafayette Street waar ze tien verschillende soorten kaviaar serveren, zeventig verschillende soorten wodka en uitstekende dikke, verse frieten met zelfgemaakte mayonaise. Een weergaloze combinatie. Ik verdenk hem ervan dat hij kaviaar voornamelijk lekker vond omdat het een luxe delicatesse is. Hij vond het sexy om kaviaar te kunnen eten en het te kunnen betalen. Hij was een fijnbesnaarde barbaar, een contradictio in terminis, *Dr. Jekyll and Mr. Hyde.* Hij kon het ene moment een vurig betoog houden over milieubescherming om het volgende moment in zijn benzineslurpende Land Rover te stappen en beweren dat het allemaal zo'n vaart niet liep.

Ik legde mijn hand op zijn gulp. Hij had een stijve. Nee hoor, niets stond een romantische avond in de weg. Hij streelde mijn arm. 'Wat heb je een zachte huid.' Ik moest denken aan het sprookje van Roodkapje. 'Wat lach je?' vroeg hij. 'Binnenpretje,' antwoordde ik in de handdoek. Ik draaide me om en duwde mijn billen tegen hem aan. Zijn handen gleden over de zijden jurk en hij murmelde iets onverstaanbaars. Hij kuste me in mijn nek en drukte zijn erectie tegen me aan. Hij trok mijn jurk omhoog en liet zijn handen over mijn dijen glijden en nam mijn billen in zijn hand. Elk moment verwachtte ik een kreet van herkenning. 'Eva, wat ben je aan het doen?' of 'Eva ben jij het?' met veel verbazing in zijn stem waarop hij in lachen zou uitbarsten en kirrend van plezier en dol van hernieuwde verliefdheid in mijn armen zou vallen. Wat een gekkie was ik toch, wat een lekker gek mens was ik toch. Het was een kwestie van tijd voor zijn zintuigen de informatie aan zijn kleine hersentjes door zouden geven dat ik het was, zijn bloedeigenste Eva, zijn geliefde, zijn vriendin, zijn vrouw, zijn muze.

Ik propte nog een blini in zijn mond en ging op mijn knieën zitten. Ik maakte zijn broek open, nam een slok champagne en nam zijn lul in mijn mond waarover hij me altijd met trots vertelde dat die drieënhalve centimeter langer was dan het nationale gemiddelde. Geen idee wat het nationale gemiddelde is, maar ik geloofde hem op zijn woord. De bubbeltjes in de champagne gaven hem een extra sensatie. Ik hoorde hem kreunen. Zijn begeerte wond me op. Ik keek naar mezelf in de spiegel. Ik merkte dat het me opwond dat hij een blinddoek voor had. Het was zo'n slecht idee nog niet van Desirée. Ik draaide me om en fluisterde dat hij op zijn knieën moest gaan zitten. Hij schoof mijn jurk omhoog en liet zijn handen over het korset dwalen, voelde de jarretelles, mijn huid, penetreerde me en begon me geestdriftig te neuken. Hij was enthousiaster dan ik hem in tijden had meegemaakt. Ik genoot ervan. Ik genoot van zijn begeerte. Ik gaf me over aan het liefdesspel. Hij prevelde geile woordjes, iets wat hij nooit eerder had gedaan. Ik had nog nooit meegemaakt dat hij zich zo liet gaan. Oscar was een beheerste minnaar die het meeste werk aan mij overliet. En toen, *call me foolish, call me stupid*, drong het pas tot me door. De tranen sprongen in mijn ogen terwijl Oscar wild in en uit me bewoog. Deze man verlangde niet naar mij, hij verlangde naar een anoniem spel. Er was niets afwerends in zijn houding. Niets onderzoekends. Hij gedroeg zich routineus. Hij was op zijn gemak. Oscar was op zijn gemak. Hij was hier vaker geweest. Dit was bekend terrein. Ik wilde zo hartstochtelijk dat hij voor mij zou kiezen, dat hij van mij hield, en nu had ik een situatie gecreëerd waarin ik mezelf nog meer opzijzette om het hem naar de zin te maken. Ik ontkende mezelf, ik ontkende mijn eigen bestaan, en ik gaf hem toestemming mij te ontkennen. Hij hoefde me niet te zien, niet te ruiken. Ik werd iemand anders om het hem naar de zin te maken en dat stond lijnrecht tegenover alles wat ik wilde, namelijk dat hij voor mij zou kiezen. De tranen rolden over mijn wangen. Wild stotend en kreunend kwam hij klaar. We hadden allebei onze kleren nog aan. Gedeeltelijk. Ik knoopte de blinddoek los. 'Verrassing,' zei ik en ik keek er blij bij. En dan zie ik het bevestigd. De teleurstelling. Hij was teleurgesteld dat ik het was. Hij had zich verheugd op een hoer. Op een echte hoer. Niet op zijn vriendin die doet alsof ze een hoer is. Ik ben naar huis gereden, heb mijn spullen gepakt en ik ben weggegaan. En ik heb hem nooit meer gesproken. Niet echt. Een kort telefoongesprek om een aantal zakelijke dingen te regelen. We hebben er nooit meer met een woord over gerept. Ik heb een dikke deur dichtgedaan en ben verdergegaan met mijn leven. Ik weigerde verdriet te hebben. 'Nee, nee, nee, ik zal geen traan om je laten, nee, nee, ik gooi je brief in de haard, nee, nee, nee, ik zal geen traan om je laten, nee, nee, nee, want je bent mijn tranen niet waard.'

Korte tijd later kwam ik Roderick tegen en het baltsen kon opnieuw beginnen.

21

RAUW DEEG

'Ga je hem bellen?'

'Ik weet het niet. Hoe doe je dat eigenlijk, spijtgevoelens onder ogen zien? Zeg je na het derde glas wijn "wat ben jij een vergissing geweest", om elkaar nog één keer diep in de ogen te kijken en daarna hoofdschuddend voorgoed uit elkanders leven te verdwijnen?'

'Ik heb geen idee,' zegt Desirée terwijl ze de schuimige melk uit haar kopje lepelt.

'Ik weet wat ik wel ga doen, ik ga de koelkast schoonmaken.'

'Doe niet zo raar.'

'Jawel, daar heb ik zin in.'

'Rust nemen is iets anders dan de koelkast schoonmaken, Eva.'

Desirée is streng voor me. Dat is goed. Ze zorgt voor me. Dat is fijn. Dat heb ik nodig. Ik waardeer het. Maar ik heb het nog meer nodig om de koelkast schoon te maken.

'Voor mij is rust de koelkast schoonmaken. Ik zeg altijd maar zo: je hoofd is als je koelkast. Wanneer die schoon en opgeruimd is, is je hoofd het ook. Oké?'

Desirée blijft me aankijken alsof ik gek ben geworden, wat misschien ook zo is, wie zal het zeggen. Misschien zijn de stoppen definitief doorgeslagen en ga ik verder door het leven als een *raving lunatic* die overal waar ze komt als een bezetene koelkasten begint schoon te schrobben omdat zich ergens in haar hoofd het idee heeft vastgezet dat de koelkast symbool staat voor haar hart. Meneer Wüsthof heeft gezegd dat ik de drang om te presteren los moet laten. Ik moet rust nemen. Valt de koelkast schoonmaken onder presteren? Ik vind van niet. Dus ik ga niet in bed liggen, ik ga er lekker met een schuursponsje op los jiffen.

'Oké,' zegt Desirée.

'Ga jij maar naar boven. Laat me maar. Ik wil even nadenken.'
Niets zo belangrijk voor een goede keuken als een schone koelkast.

De bovenste plank van de koelkast staat vol met potjes jam, augurkjes, een weckpot pesto. Zelfgemaakt natuurlijk. Pesto komt van *pestare*, wat stampen betekent en dat is absoluut nodig. In een vijzel dus, en niet met de keukenmachine want die maakt de pesto te warm, en de warmte zorgt voor een of andere chemische reactie wat de smaak niet ten goede komt. Het oorspronkelijke recept wordt met veel boter gemaakt, alleen dan kun je het niet goed bewaren. Maak maar eens een potje pesto en gooi daar een kwak boter doorheen, dan is hij veel lekkerder en zachter van smaak. Pesto komt uit Genova. De basilicum groeit daar aan de kust en daardoor zitten er veel meer zouten en mineralen in, waardoor de basilicum pittiger van smaak is. We zijn weleens speciaal naar Genova gegaan om daar de pesto te proeven. Zo ben ik ook eens naar Treviso gereisd om daar de echte tiramisu te proeven. Ongelofelijk dat ik diverse malen met Desirée op vakantie ben geweest en nooit iets heb gemerkt van haar eetstoornis.

Ik ruim de koelkast verder leeg. Diverse soorten mosterd en mayonaise om in sauzen te verwerken. Mayonaise. Een standbeeld voor de uitvinder van mayonaise. Van het woord alleen al word ik gelukkig. Nog mooier is het in het Frans: *mazjoonaizz.*

En niet alleen is de Franse uitspraak favoriet, ook mijn favoriete mayonaise is Frans. Amora. Die pot staat binnen handbereik in de deur onder een plastic klepje en wordt alleen door mij gebruikt. In de Nederlandse fabrieksmayonaise wordt suiker gedaan. En volgens mij doen ze dat voornamelijk omdat suiker verslavend is zodat de verkoop lekker op gang blijft. Franse mayonaise daarentegen is pittig met veel mosterd en bovenal zonder suiker. Als er iets niet thuishoort in mayonaise is het suiker. Maar dat is mijn bescheiden mening. Ik sla onze mayonaise meestal zelf. Maar wanneer ik hem in een saus verwerk en ik weinig tijd heb wil ik er weleens een pot tegenaan gooien. Omdat het voor een goede basis zorgt en ik hem daarna altijd nog op smaak kan brengen. Opeens begrijp ik iets meer van de wonderlijke eetgewoontes van Desirée. Ik heb het namelijk altijd onbegrijpelijk gevonden dat iemand niet van mayonaise hield. Zij gruwt ervan. Ik daarentegen, heb het liefst een krat op het balkon staan en altijd een pot in het dashboardkastje liggen, zodat ik mezelf van een uitstekende mayonaise kan bedienen voor het geval ik onverhoeds trek heb in een frietje. Wat best weleens wil voorkomen. Vooral wanneer ik in België ben, waar een friteskot langs de autoweg eerder regel is dan uitzondering en ik lekker mijn eigen mayonaise wil gebruiken. Dit is belangrijk om te weten: fritessaus is geen mayonaise. Fritessaus is een laffe, goedkope variant van mayonaise. Mayonaise is lekker, fritessaus is smerig, daar kan ik kort over zijn.

Ik pel het bolletje rauw deeg uit de vershoudfolie en stop het in mijn mond. Met enige regelmaat dank ik God op mijn blote knietjes dat ik de spijsvertering van een aalscholver heb. Ik trek mijn turkooizen huishoudhandschoenen aan die ik de laatste keer dat ik in Frankrijk was om inkopen te doen, heb meegenomen. Waarom ze niet in die kleur in Nederland te krijgen zijn, maar alleen in dat vreselijke geel of roze, is me een raadsel.

Oscar. Wat idioot dat hij heeft gebeld. Ik heb nooit meer aan hem gedacht. Nauwelijks. Ik dender maar door. Ik denk nooit ergens aan terug. Tijdverspilling. En nu, door die therapie moet ik opeens nadenken over mezelf. Hoe slechter Oscar me behandelde hoe harder ik mijn best deed om bij hem in de smaak te vallen. Hoe meer aandacht van andere vrouwen, hoe aantrekkelijker ik hem vond. En dat was bij Roderick precies hetzelfde. Ik wil iets goedmaken, ik voel een diepe behoefte om mijn best te doen en Oscar was een man die me er als geen ander toe aanzette, door me altijd het gevoel te geven dat ik niet voldeed, dat ik tekortschoot. Er ligt in mijn bewustzijn een blauwdruk opgeslagen, iets waar mijn wezen op reageert, iets waardoor ik denk: hier ben ik thuis, wanneer ik iemand tegenkom die me niet waardeert en me vernedert. Wat is er misgegaan? Of liever gezegd, waar is het misgegaan? Waarom word ik aangetrokken door mannen die niet van me houden? Mannen die niet in staat zijn van me te houden. Waarom kies ik mannen die me afwijzen? Zoals een hond bij zijn baasje blijft ook al wordt hij geslagen. Gewoon omdat hij trouw is. Omdat een hond geconditioneerd is om bij zijn baas te blijven, ongeacht de behandeling. Het is een conditionering. Waar komt die conditionering vandaan?

Ik gooi een potje beschimmelde gemberjam weg. Ik haal over alle potjes en flesjes een vaatdoekje. Ik gooi een bakje beschimmelde clotted cream weg. Ik haal de planken eruit en hou ze onder de hete kraan. Ik haal de twee groentelades eruit en schud ze leeg boven de pedaalemmer en spoel ze af. Ik leg alles op het aanrecht om te drogen. Ik maak het rubber van de deur met een vaatdoekje schoon.

Ik weet één ding: ik wil weer gelukkig worden.

Ik bel Oscar.

OH...
OESTERS MET HOLLANDAISE!

OPEN OESTERS MET EEN OESTERMES

POCHEER ZE IN HUN EIGEN VOCHT

SCHEP ZE MET EEN SCHUIMSPAAN UIT DE PAN

LEG ZE TERUG IN DE SCHELP

& OVERGIET ZE MET WARME HOLLANDAISE SAUS...

(WAAR U WAT GEKNIPTE BIESLOOK DOOR HEEFT GEROERD)

22

OESTERS EN EEN DODE MUIS

De oesters worden geserveerd. Op een schaal met ijs liggen ze te glanzen en hun laatste adem uit te blazen. Ik stel me de worsteling van het weke beestje voor, dat krampachtig zijn schelp had proberen dicht te houden toen de kok zijn sluitspier met een scherp mes doorsneed en zijn dakpannetje lichtte. Van dat soort dappere strijders lagen er nog elf op het ijs op de schaal voor me. Een waar slagveld van amechtig naar water happende, stervende oestertjes. Maar ja, wie gaat er dan ook in een schelp wonen? Oesters. Heerlijk. Daar kun je me midden in de nacht voor wakker maken. En dat is precies wat Oscar deed toen we elkaar net kenden. Hij belde midden in de nacht aan met een mand oesters en een fles champagne onder zijn arm. Ik maakte weleens oesters in champagnesaus voor hem. Dat gaat als volgt: open de oesters en vang het oestervocht op. Bewaar de bolle schelpen. Kook de champagne en sjalotten tot het vocht tot de helft is gereduceerd. Voeg room toe en laat ook dit weer tot de helft inkoken. Roer het oestervocht erdoor en maak de saus op smaak af. Maak in een ovenvaste schaal een bedje van grof zeezout en druk de halve schelpen daarin. Doe de rauwe oesters in de schelp en schenk de saus erover. Schuif de schaal een paar minuten onder een voorverwarmde grill tot de saus flink borrelt. Bestrooi de oesters met kervel en dien ze op. Hij smikkelde ze kreunend van genot op. Ik eet ze liever naturel. Ik ben een puritein als het om oesters gaat. Elke bewerking van de oester is een gruwel voor de verfijnde nasmaak. De ware liefhebber eet de oester rauw, levend en vers, met een glas koude witte wijn.

Hij heeft ze meteen bij binnenkomst besteld, samen met een fles Vasse Felix, zijn favoriete wijn, een beetje een vettige Australische chardonnay die tien jaar op hout heeft gelegen en mooi in het glas blijft hangen. Zonder iets te vragen schonk hij mijn glas vol. De snelle, betrouwbare man staat stevig aan het roer. Ik bestudeer de menukaart. Misschien een kreeft als hoofdgerecht? Ik ben in een moordzuchtige bui. Wat kan mij het schelen. Ik kies hem zelf wel uit. Wanneer ik voor het aquarium sta zet ik me schrap, wijs de dikste aan en roep: '*Off with his head*.' Geen sentimenteel gedoe of gezeur over dierenleed. Met kreeften hoef je geen medelijden te hebben. Ik heb eens in een natuurfilm gezien hoe ze op de bodem van de zee in grote legers andere dieren aanvallen. Heel ruw en meedogenloos. Het zijn ellendelingen! Schoften! Die verdienen wat ze krijgen! Mooi, ik heb mezelf overtuigd. Het wordt dus kreeft.

'Wat neem jij?' vraag ik.

'Ik zit te denken aan de zeebaars, de eendenborst of de tartaar van kalf. Nee, ik weet het. Ik ga voor het Wagyu-vlees.'

Wagyu, de keizerlijke koeien uit Japan, die met bier gemasseerd worden en voor astronomische bedragen op de menukaarten van de toprestaurants van Tokio staan, lopen nu ook in de Nederlandse weide.

Hij klapt de menukaart dicht, legt hem weg en kijkt me glimlachend aan.

'Je ziet er goed uit.'

'Dank je, jij ook.'

Er wordt nog een mandje brood op tafel gezet door de beminnelijke serveerster. Ik zie hoe Oscar razendsnel zijn ogen goedkeurend over haar lichaam laat glijden om daarna de bestelling door te geven. Een en al charme.

'Het vlees graag saignant.'

Oscar houdt van bloederig. Dat komt goed uit. Ik ook.

'Hoe gaat het met je?'

Ik ben flauwgevallen tijdens een liveopname, heb mezelf onsterfelijk belachelijk gemaakt door een stevig robbertje projectielbraken tijdens een onenightstand, ben verlaten door mijn geliefde en heb van de weeromstuit de ballen van een andere ex ingesmeerd met Dr. Oetker-prinsessenglazuur, ook niet iets wat je elke dag doet zal ik maar zeggen, dus nee, met mij gaat het prima. Het leven is nog nooit zo mooi geweest.

Ik neem een slok wijn en strijk een lok haar van mijn voorhoofd.

'Prima. En met jou?'

Een mens moet ergens beginnen met een gesprek, ik kan geen

creatievere vraag bedenken. In elk geval geen vraag die binnen de grenzen van het betamelijke valt.

'Ook goed. Prima.'

'Waarom wilde je me spreken?'

Ik val maar met de deur in huis. Tijd is geld en geld moet rollen.

'Gewoon. Ik was benieuwd hoe het met je ging. Ik schrok toen ik je op televisie zag flauwvallen. En ik hoorde via via dat je verkering uit was.'

Aha. Wanneer ex-geliefden naar je liefdesleven beginnen te informeren is het oppassen geblazen.

'Ja, dat klopt. En jij? Hoe is het met jouw liefdesleven?'

Ik kop hem er maar meteen in.

Hij haalt zijn schouders op.

'Ach, wat zal ik zeggen. De meeste vrouwen veranderen na een paar maanden in complete hysterici.'

En dat ligt natuurlijk niet aan hem.

'Ik ben ermee opgehouden,' zegt hij, dan buigt hij over de tafel en pakt mijn hand vast.

'Waarom ben ik eigenlijk nooit met jou getrouwd?'

Grappig, dat wilde ik net aan hem vragen. Ik heb opeens zin in een oestertje.

Ik bekijk de oesters op de schaal met ijs, trek voorzichtig mijn hand onder de zijne vandaan en kies er eentje uit. Het zijn Franse creuses en de smaak van deze stevige hooghartige oester is vet en vol met een zachte, zoete nasmaak.

Ik zet de schelp aan mijn lippen en laat hem in mijn mond glijden.

'Heerlijk.' Ik veeg wat water van mijn kin. Oscar besprenkelt de kleine zeediertjes kwistig met citroensap en tabasco. Wat hem betreft zijn oesters alleen lekker wanneer ze zo min mogelijk naar oester smaken. Dat vind ik raar maar hij niet. Daarover verschillen wij van mening. Zoals wij wel over meer dingen van mening verschillen.

Hij zet een schelp aan zijn lippen, slurpt de oester naar binnen en slikt hem zonder kauwen door.

'Lekker hoor,' mompelt hij terwijl hij met zijn servet zijn mond afveegt.

'Hield je van mij?' vraag ik.

Het is eruit voor ik er erg in heb. Het is sterker dan ikzelf. Ik kan er niets aan doen. Ik ben een rem kwijt. Een rem die toch al niet erg ontwikkeld was. Dat krijg je ervan als je niets meer te verliezen hebt.

Hij trekt zijn hand terug en neemt een flinke slok wijn.

'Nou?'

'Jeetje, Eva, houden van, houden van, dat zijn van die grote woorden. Dat zijn woorden uit damesromans, dat zijn boeketreekswoorden. Daar ben jij toch niet van? Zo diep ben je toch niet gezonken?'

Hij begint weer te grinniken. Het is een handige manoeuvre om van onderwerp te veranderen, ik heb hem door. Nog even en we zetten een flinke boom op over literatuur. Alles om maar niet over de gevoelens van Oscar te praten.

'Nou ja, zo ingewikkeld is dat toch niet, we zijn tweeënhalf jaar samen geweest, allicht weet je toch wel of je van me hield?'

'Tja, houden van, ik denk dat ik wel van je gehouden heb, soort van.'

'Soort van?'

'Ja, soort van.'

'Je hebt me gezegd dat ik de ware was.'

Het zijn de woorden geweest waar ik me toen als een drenkeling aan heb vastgehouden.

'Ik denk altijd dat iemand de ware is, de eerste drie maanden.'

'O.' Die voetnoot had hij er wel even bij kunnen vermelden. Vrouwen nemen woorden heel serieus. En dat is dom, dat weet ik, het gaat om wat hij doet en niet om wat hij zegt. Maar ja, daar kom je pas achter als het te laat is. Als het kalf verdronken is, dempt men de put en wie zijn billen brandt moet op de blaren zitten, al doende leert men maar tegen die tijd ben je oud, vervallen en versleten.

Hij begint hard te lachen. Hij schopt zachtjes tegen mijn scheen en knipoogt erbij. Het is lief bedoeld. Oscar is geen agressieve man. Op zijn driftbuien na dan.

'Dus je hield soort van van me? Wat houdt dat in, soort van?'

Hij haalt zijn schouders op terwijl hij zijn servet terugvouwt op zijn schoot. 'Niet genoeg denk ik. Anders was ik wel bij je gebleven.'

Was ik wel bij je gebleven? We hebben allebei een geheugen wat ons aan de lopende band in de maling neemt.

'Als ik me goed herinner ben ik bij jou weggegaan.'

'Gaan we daar ruzie over maken, over wie bij wie wegging?'

'Ik vind het geen onbelangrijk detail. Laat me je geheugen even opfrissen: ik ben bij jou weggegaan.'

'Ik herinner het me anders.'

'Hoe dan?'

'Zeg, zitten we hier om ruzie te maken?'

'Nee, we zitten hier niet om ruzie te maken.'

'Mooi. Nou, wil je het echt weten? Ik hield niet genoeg van je. Ik heb het allemaal nooit zo serieus genomen.'

Ik wilde dat hij een dode muis in zijn brood vond. Het overkwam de Brit Stephen Forse toen hij een lunch voor zijn kinderen bereidde. In eerste instantie dacht hij dat de donkere plek in het brood slecht gemengd deeg was. Pas daarna ontdekte hij dat de donkere plek een vachtje had. Het staartje was zoek, waarschijnlijk al opgegeten.

'Je hield niet genoeg van me?'

'Inderdaad, dat lijkt me een plausibele verklaring. Als ik echt van je hield was het wel goed gegaan, lijkt me zo.'

'Ja. Dat is zo. Zit wat in. Is tweeënhalf jaar lang niet genoeg?'

'Dat denk ik. Je vraagt er toch naar?'

'Denk je niet dat het bindingsangst is geweest?'

'Bindings... ach hemeltjelief Eva, je gaat nou toch niet aankomen met die damesbladenprietpraat. Bindingsangst.' Het laatste woord spreekt hij met de nodige minachting uit.

'Zou toch kunnen,' zeg ik, terwijl ik nog een oester aan mijn lippen zet en naar binnen laat glijden. Oscar kijkt naar me. Ik weet waar hij aan denkt. Maar ik denk echt niet aan een penis als ik in een oester hap. Dat zit alleen in het hoofd van Oscar. Voor mij gaat het over eten, maar mannen denken altijd dat het over hen gaat. Daar kunnen ze niets aan doen. Zo zijn ze. Als je met een man in een restaurant zit en je kijkt tot twee keer toe op de klok achter zijn rug, dan denkt zo'n man niet: ze verveelt zich met me, maar: zie je wel, ze ziet me hele-maal zitten. Mannen zijn zelfverzekerd. Dat moeten we bewonderen.

'De verliefdheid is gewoon nooit in echt houden van omgeslagen.'

Een dode muis. Meer vraag ik niet.

'Ik heb er weleens een boek over gelezen.'

Ja, dat is waar ook. Oscar las graag. Castaneda, Vallarta of boeken over het menselijk instinct. Hij was driftig op zoek naar de waarheid omtrent zijn eigen gecompliceerdheid, maar wilde het maar niet vin-den. Niets hielp, want elk vermogen tot zelfreflectie was hem vreemd.

'De verliefdheid wordt opgewekt door stofjes en dan denk je dat het allemaal geweldig is, maar dat de verliefdheid wordt omgezet in echte liefde is geen vanzelfsprekendheid.'

Heel netjes uit het hoofd geleerd, Oscar. Hij heeft mij gemaakt tot een biologisch object, iets wat wetenschappelijk te verklaren is, ik ben een bundeling stofjes die haar uitwerking op een dag verloor.

Dat is het. Fijn dat ik het ook weet.

'Ik was niet leuk genoeg dus.'

'Dat zijn jouw woorden.'

'Dat is toch wat je zegt. Ik was niet om van te houden.'

'Ik bestel nog een flesje,' zegt Oscar. 'Misschien dat het dan toch nog gezellig wordt.' Hij knipoogt. Nee, je kunt veel van hem zeggen maar niet dat hij snel uit het veld is geslagen.

De serveerster vraagt of alles naar wens is. Dat is het en of er nog een fles kan komen.

'Dus je hield niet van me. Waarom niet en waarom ben je dan niet bij me weggegaan?'

'Jezus, wat een gezeik, zeg, ik dacht dat we even gezellig gingen bijkletsen, word ik hier op de pijnbank gelegd. Weet ik veel waarom ik niet van je hield, wat is dat eigenlijk, houden van? Weet jij het? Ik niet. Ik geloof het niet.'

'Dan zijn we daar uit, je weet niet wat liefde is, dat klinkt allicht beter.'

Een tafeltje verderop zwaait er een man met een kaalgeschoren hoofd naar Oscar. Hij excuseert zich. 'Een makker van me, even gedag zeggen.' Hij dept zijn mond met het witte linnen servet en loopt naar het andere tafeltje alwaar hij met veel en hard gelach wordt ontvangen en broederlijk op de schouder wordt geslagen. Ik durf al liplezend te wedden dat ik de man 'toffe peer' zie zeggen. Ik bekijk de schaal met oesters nog maar eens. Er liggen er nog vier. Twee aan mijn kant en twee aan zijn kant. Ach, wat schattig. We gaan gelijk op. We hebben wel degelijk overeenkomsten. We eten net zo snel. Maar ja, daar red je het geen leven lang mee.

Ik laat nog een oester in mijn mond glijden. Dan gebeurt er iets wonderlijks. In een nanoseconde ben ik een sensatie gewaar die ik niet ken bij het nuttigen van een oester. Het is geen smaaksensatie maar de lichte prikkeling van mijn slijmvliezen die mij zonder erbij na te denken, alsof de film wordt teruggedraaid, in een vloeiende beweging de oester uit mijn mond terug laat glijden in de schelp. Een bedorven oester. Er zijn virussen die de oester doen bederven en een ondragelijke stank voortbrengen, maar er zijn ook virussen die zich geur- en kleurloos schuilhouden. Dankzij mijn uitstekend afgestelde zintuigen ben ik gered van een paar dagen braken en buikkrampen. Ik kijk naar de pratende Oscar. Hoe hij lacht. Nee, ik ben niet rancuneus, ik ben niet bitter, ik ben niet boos. Een beetje teleurgesteld, dat wel. Het is allicht aardiger als hij zegt: 'We hebben een fantastische tijd gehad, ik denk nog vaak aan je, je neemt een speciale plaats in mijn hart in, ik zal de herinnering aan jou altijd bij me dragen, maar het ging niet, zeg nou zelf, het is beter dat we uit elkaar zijn gegaan voor we elkaar nog meer pijn zouden doen.' Maar Oscar heeft nooit pijn gehad. Dat is eigenlijk wat ik het ergst vind. Ik wil hem aan het huilen maken. Ik wil hem pijn doen. Dat is eigenlijk wat ik wil.

Een kort moment is het stil in mij. Dan leg ik de oester aan de kant van Oscar. Ik sprenkel er wat citroensap overheen en druppel er extra veel tabasco op. Alles precies zoals hij het lekker vindt. Zoals altijd.

Ik hoor hem lachen en 'ja, ja' zeggen. Hij kijkt over zijn schouder naar mij. De andere mannen kijken ook. Ik beweeg mijn hand zoals de koningin doet vanuit de koets op Prinsjesdag. Oscar loopt weer naar ons tafeltje.

'Zo, waar waren we?' Hij kijkt met een brede grijns naar de schaal oesters.

'O ja, we waren deze rekeltjes aan het opeten.'

Hij pakt de bedorven oester, kijkt blij en zet de schelp aan zijn lippen. Hij laat zijn hoofd achterovervallen en slikt de oester zonder te kauwen door.

'Hè, heerlijk. Zullen we er anders nog twaalf doen? Lekker gek doen net als vroeger?'

'Ja, waarom niet? Over gek doen gesproken. Kom je nog weleens in de Yab Yum?'

Ik vraag het langs de neus en voor de vuist weg. Nonchalant en onbekommerd.

'De Yab Yum is dicht,' zegt hij achteloos.

'O, dus je bent op de hoogte.'

'Hoe bedoel je?'

'Dat je vaste klant was in de Yab Yum, dat bedoel ik.'

Het is even stil. Hij kijkt me nijdig aan.

'Dat is toch zo. Zeg het nou maar eerlijk. Je kwam er vaker.'

'Wat verwacht je nou van me? Hè? Nou? Begin je weer te zeiken? Ik had het kunnen weten. Ik denk je gezellig mee uit eten te nemen, maar jij moet weer oude koeien uit de sloot halen. Ik dacht: misschien is er wel iets veranderd, maar nee, je bent nog steeds hetzelfde zeikwijf.'

Oscar zit tegen een driftbui aan. Een driftbui om de vijand te intimideren. Oscar kreeg graag zijn gelijk en hij hanteerde daarvoor het volgende stappenplan: hij begon met flemen en als dat niet werkte begon hij te jammeren en als dat niet werkte kreeg hij een woede-aanval, iets wat meestal werkte omdat ik er doodsbang van werd.

'Wat verwacht je nou van me? Dat ik een uitnodiging van de Yab Yum krijg en hem dan niet aanneem? Wat is dat nou voor een gelul? Je geeft me een cadeau maar ik mag het niet openmaken. Zo zit het toch?'

'Je hoeft het toch niet leuk te vinden als je denkt dat ik het niet ben?'

'Maar dat ís toch leuk!' Hij heeft het gezegd voor hij het in kon slikken, achter de ziekmakende oester aan. Om de vijand te intimideren gaat hij vol in de aanval.

Hij slaat met zijn vlakke hand op tafel. 'Ik dacht dat je me een plezier wilde doen, maar je wilde me testen.'

'Je dacht niet dat ik je een plezier wilde doen want je wist niet dat de uitnodiging van mij kwam. Wel de boel in perspectief blijven zien. Ik heb je niet willen testen. Ik dacht je een plezier te doen en ik dacht ook, heel dom, dat je me zou herkennen, dat je me zou ruiken, mijn huid zou voelen en me zou herkennen en dat je niet zomaar tekeer zou gaan met een vreemde vrouw. Ik heb er niet bij nagedacht. Desirée had het verzonnen, het was niet mijn idee, ik heb het niet bedacht.'

'Nou dat is dan goed stom. Er is geen man ter wereld die "nee dank je" zegt als hij een anonieme uitnodiging krijgt voor de Yab Yum.'

'Die zijn er wel. Mannen die deugen.'

'Gelul. Trouwens, wie zegt dat ik je niet heb herkend? Misschien deed ik wel net alsof ik je niet herkende, zoals jij ook deed alsof je mij niet kende.'

Slimme voorzet, slimme leugen.

'Je lult uit je nek. Dan had je wel anders gereageerd toen je zag dat ik het was. Je was teleurgesteld dat ik het was. Enig idee hoe kwetsend dat was?'

'Ik was verbaasd.'

'Verbaasd? En net zeg je nog dat je wist dat ik het was maar dat je deed alsof.'

Hij neemt een grote slok wijn.

'Je kwam er vaker. Je kunt het nu wel zeggen, we zijn nu zoveel jaar verder. Waarom zeg je niks?'

'Omdat er met jou niet te praten valt.'

'En zo kunnen we nog uren doorgaan.'

'Ik voel me niet lekker,' zegt hij.

'Is het al zo laat?' zeg ik.

23

MACARONS

'Ik heb de kreeft afbesteld en ben weggegaan.'

'Dus je hebt wraak genomen.' Drs. Wüsthof begint met wijd open-gesperde ogen te lachen. Ik heb hem zojuist blozend en schoorvoetend van de bedorven oester en het prinsessenglazuur verteld.

'En beviel het?'

Ik knik.

'Mooi zo.'

'Mooi zo?'

'Liefje, die man herstelt wel van die oester, je hebt hem toch geen drie kogels door zijn lijf gejaagd? Wraak is een gezonde emotie. Wraak is zoet omdat een geslaagde wraakactie verloren eigenwaarde compenseert, gezichtsverlies tenietdoet en een vernederd en gekrenkt ego herstelt. Het is goed voor het terugvinden van een gevoel van macht en kracht. En daar had je blijkbaar behoefte aan. Op zich is dat een prima ontwikkeling. En? Voel je je nu beter?'

'Ja, best wel. Het voelt als een bevrijding.'

Ik ben zingend naar huis gefietst en ben onderweg een winkel in gedoken om een prachtig zwart wollen jurkje met een col te kopen. Ik vond dat ik wel een cadeau verdiend had na de ontboezeming van Oscar dat hij het geweldig had gevonden om het niet met mij te doen en dat ik daar alle begrip voor moest hebben.

'"Vrijheid is wat je doet met wat jou is aangedaan", een uitspraak van Sartre. Misschien is dit jouw manier om het af te sluiten en om het te verwerken. Niks mis mee. De boel goed afsluiten is heel belangrijk. Koffie? Of liever thee?'

Hij staat op en loopt naar het dressoir. Het lampje van het filter-apparaat brandt. De koffie is klaar. En wie weet hoe lang al.

'Liever thee.'

'Komt eraan.'

Hij drukt op het knopje van de waterkoker.

Ik graai in mijn tas en haal er een zakje uit.

'Heb je nu alweer iets lekkers meegenomen? Toch niet een bedorven oester bedekt met glazuur?' Hij begint hartelijk om zijn eigen grapje te lachen.

'Ik wilde u iets anders laten proeven. Macarons.'

'Nooit van gehoord.'

'Dat dacht ik al.' Ik vouw het zakje open en haal er een uit. Een roze.

Hij giet het water in het kopje, hangt er een theezakje in en zet het voor me neer.

'Dat ziet er mooi uit. Mag ik?'

'Ja, ik heb ze voor u meegebracht.'

'Zeg maar je, hoor. En je mag me ook wel Ernest noemen. Dat is mijn voornaam, Ernest.'

Hij steekt de macaron in zijn mond en begint er bedachtzaam op te kauwen. Ik beleef aan weinig dingen zoveel plezier als aan het gezicht van iemand die ik langzaam blij zie worden van iets wat ik heb gemaakt. Een goede macaron is het lekkerste zoete hapje dat je je kunt voorstellen. Het is een minigebakje waar je heel erg gelukkig van wordt. Het is feitelijk niks meer dan twee pastelkleurige eiwitschuimpjes met een kloddertje vulling ertussen. Om te beginnen moet je verleid worden door het uiterlijk: de perfect gladde, mooi gekleurde bovenkant, met onderaan het koekje een ruche-achtig randje, de zogenaamde 'voetjes'. Dan zet je je tanden erin: eerst voel je de brosse, knapperige korst, dan de zachtere, licht taaie meringue. Die meringue smelt op je tong samen met een zachte vulling, die niet te zoet mag zijn, niet te veel en niet te weinig, en waarvan de smaak verrast zonder dat je denkt 'wat eet ik nu weer voor iets raars?'. Exclusieve patissiers leven zich uit op het verzinnen van steeds nieuwe creaties zoals ganzenlevervulling of – leuk voor de kerst – bladgouddecoratie.

'Laat me raden. Framboos.'

Ik knik.

'Heerlijk. Dankjewel.'

Ik neem een slok van mijn thee en stop ook een macaron in mijn mond. Ik heb ze gisteravond gemaakt voor een catering die Maartje vandaag afwerkt. Er werd speciaal om macarons gevraagd en die vertrouwde ik haar niet toe. Het is een secuur werkje en het mislukt snel. Ik heb twee soorten gemaakt, framboos en kastanje met vanille.

'Wilt u er nog een proberen? Kastanje en vanille. Ook heerlijk.'

'Nog eentje dan.'

Hij steekt de beige macaron in zijn mond. Het raam staat open en de wind waait door de kamer. Het is een zachte, zonnige najaarsdag. Terwijl we allebei zitten te kauwen kijken we elkaar aan.

'De vorige keer heb je niets over je achtergrond verteld en daar ben ik eigenlijk wel nieuwsgierig naar. Hoe is het contact met je ouders?'

'Mijn ouders? Goed. Prima. Ik zie ze niet zo vaak. Ze zijn een paar jaar geleden naar Spanje geëmigreerd. Mijn vader heeft in het huis een atelier gebouwd waar hij Spaanse vergezichten en stillevens schildert in de charmante, oude Nederlandse traditie van olieverf op kleine doeken en panelen. Ze doen het heel aardig bij de Hollandse enclave die Zuid-Spanje rijk is. Ik heb zelf een exemplaar met calamares a la plancha en een met Spaanse rode pepers aan de muur van mijn bedrijfskeuken hangen. Helemaal niet onaardig. Mijn vader was streng en gevoelig. We waren stapelgek op elkaar maar hij had weinig tijd voor me, hij was altijd aan het werk. Ik ben vanaf mijn zesde bezig geweest hem te veroveren maar hij was toegewijd aan mijn moeder. Iets waar ik niets van begreep want ze was een kritische en dwingende vrouw, alles moest gaan en zijn zoals zij het wilde. Ik ben de reden dat ze zijn getrouwd. Ze heeft me weleens verteld dat ze abortus heeft overwogen nadat ze erachter kwam dat ze zwanger was en dat ze, als ze het over moest doen, de abortus had doorgezet omdat ze bij nader inzien toch liever geen kinderen had gehad.'

Ik neem een slok thee en kijk drs. Wüsthof aan. Deze zit met zijn handen onder zijn kin gevouwen aandachtig naar me te luisteren.

'Ik had een moeizame relatie met mijn moeder. Ze hield niet echt van me. Voor mij bestaat liefde voor negentig procent uit voeden en knuffelen, want dat heb ik thuis gemist. Na mijn geboorte werd ze depressief. Mijn ouders hadden vaak ruzie. Nu denk ik dat ze verbitterd was, omdat haar leven niet gegaan is zoals ze wilde. Het deed me pijn om ze zo met elkaar om te zien gaan, en later werd ik weleens boos dat hij zich zo door mijn moeder in een hoek liet drukken. Omdat mijn moeder met haar gezondheid tobde, leerde ik al vroeg rekening met haar houden. Conflicten ging ik zo veel mo-

173

gelijk uit de weg en ik wist mijn gevoelens goed te verbergen. Wanneer mijn ouders ruzie hadden, zorgde ik ervoor dat ze weer gingen praten en het uitgelezen moment daarvoor was aan de eettafel.'

Ik slaak een zucht.

'Hm,' bromt drs. Wüsthof. 'Nog thee?'

'Ja lekker.'

Neuriënd schenkt hij onze kopjes vol met heet water en laat er hetzelfde theezakje in zakken.

'Heb je er ooit verdriet om gehad? Wat je vertelt klinkt niet als een gelukkige jeugd.'

'Ik geloof niet dat ik ergens last van heb gehad. Ik was een vrolijk kind.'

'Heb je je veilig gevoeld in je jeugd?'

'Veilig?'

'Geliefd, gewenst, veilig gevoeld om te zijn wie je was?'

'Ik ging mijn gangetje. Ik speelde veel alleen, trok me vaak terug. Er waren veel spanningen thuis maar ik heb niet het gevoel dat ik daar enorm onder heb geleden.'

'Nee, maar misschien ben je er wel aan gewend geraakt en kun je er heel goed mee omgaan en kies je daarom levenspartners uit die veel spanning met zich meebrengen omdat dat vertrouwd voelt, wat me bij Oscar brengt.'

Ik zit hem verbluft aan te kijken.

'Ik hou van grote stappen, snel thuis,' zegt hij lachend.

'Ik heb me de afgelopen dagen wel lopen afvragen waarom ik in godsnaam op hem ben gevallen. Waarom ik niet eerder ben weggegaan. Waarom heb ik het me aan laten doen?'

'Pijn werkt als een magneet. Je trekt iemand aan die dezelfde pijn heeft, die kun je uitwerken of niet. Meestal gebeurt dat niet. De meeste mensen blijven in de ander de oorzaak van hun pijn zien en geven elkaar de schuld in plaats van hun eigen pijn onder ogen te zien.'

'Maar waarom is dat?'

'Ons systeem is van nature pijnvermijdend. Om problemen op te lossen zul je contact moeten maken met je eigen pijn. Een intimiteitsprobleem begint bij jezelf. Als je de intimiteit met een ander niet durft aan te gaan betekent dat in veel gevallen dat je ook niet diep in jezelf durft te kijken, uit angst voor wat je daar tegenkomt. Als je je om wat voor reden dan ook in je jeugd afgewezen hebt gevoeld dan doet je systeem er alles aan om dat in het vervolg te voorkomen. *Et voilà*, een hechtingsprobleem is geboren. Sommige mensen worden er heel gelukkig oud mee en anderen gaan er op den duur onder lijden. Ik neem nog zo'n hapje, van de dokter mag ik niet te veel suiker, maar wat kan het bommen.'

Hij steekt er nog een in zijn mond.

'Ouderdomssuiker en iets te veel borreltjes.' Hij grinnikt.

'Als ik opeens wartaal uit begin te slaan is het mijn suikerspiegel die uit balans is, dan weet je dat. Hoe was het om hem terug te zien? Oscar bedoel ik.'

'Bedoelt u of ik nog iets voor hem voelde?'

'Bijvoorbeeld.'

'Ik vond hem voornamelijk onaardig. Verbijsterend onaardig en onaantrekkelijk ook.'

'Dat was je nooit eerder opgevallen?'

'Wat? Dat ik hem onaantrekkelijk vond?'

'Ja.'

'Ik viel altijd als een blok voor hem.'

'En je vond hem ook nooit onaardig?'

'Niet echt. Ik heb het in elk geval nooit als zodanig ervaren. Hij vond mij moeilijk en ik geloofde hem. Ik dacht dat ik moeilijk was, ik dacht dat hij moest veranderen of dat ik moest veranderen. Nu ik erover nadenk ben ik voornamelijk bezig geweest met hoe mooi het zou kunnen zijn als hij zou veranderen, als hij het licht zou zien en zou begrijpen hoeveel ik voor hem betekende.'

'Gaf hij je ooit het gevoel dat je waardevol was?'

'Nee, eigenlijk niet. Heel soms.'

Terwijl ik dit zeg, zie ik opeens het patroon. De relatie met Oscar was eigenlijk precies zoals die van mijn ouders, alleen had ik de rol van mijn vader en Oscar de rol van mijn moeder. We zochten het conflict om de intimiteit nooit aan te hoeven gaan, we zochten het conflict omdat het de enige mogelijkheid was om bij elkaar te blijven. Aantrekken en afstoten. Het enige wat we gedaan hebben is ruziemaken en het weer goedmaken. Aan een normale relatie zijn we nooit toegekomen. Met al dat drama en al die ruzie hielden we de illusie van een grote liefde in stand. Het Grote Lijden Staat Gelijk Aan De Grote Liefde. En dat is niet zo. Dat klopt niet. Hoe kom ik aan dat idee? Alle damesbladen, alle liedjes, alle gejaagd-door-de-windfilms gaan over Het Grote Lijden Aan De Liefde. Er is nog nooit een film gemaakt over een volwaardige, liefdevolle, goed functionerende liefde. Ik wil een voorbeeld. Wie moet als rolmodel fungeren voor een succesvol en liefdevol liefdesleven? Ik ken ze niet. Ook mijn ouders niet. Al helemaal mijn ouders niet. Als ik iets niet heb willen worden of heb willen doen is het worden zoals mijn ouders. Maar hoe moet het dan?

'En hoe was dat bij Damien?'

'Bij hem was het precies andersom. Als hij bij me was voelde ik me altijd intens geliefd. En dat is precies de reden waarom ik hem zo vreselijk mis.'

Meteen stromen de tranen over mijn wangen en wellen alle zintuiglijke herinneringen aan hem op. Zijn geur, de zachtheid van zijn huid, de moedervlekjes op zijn wang naast het kleine litteken. Meteen voel ik wat ik voelde als hij langzaam op me afkwam en me in zijn armen nam. Vanzelfsprekend. Zwijgend. Onze lichamen begrepen elkaar. Wij begrepen elkaar. Tot we bang werden. Bang werden elkaar te verliezen. Ik stuur hem sms'jes en e-mails. Ik vraag hem van alles en vertel over mijn verdriet. Hij sms't en e-mailt terug, vertelt dat hij me ook mist en verdriet heeft, maar hij kan me niet uitleggen waarom hij niet bij me terugkomt. Ik begrijp er niets van. Deze liefde was in alles anders dan ik gewend was. Niets was hem te veel. Mijn aanrakingen niet. Mijn liefde niet. We liefkoosden elkaar de hele dag door. We raakten elkaar de hele dag aan. We sliepen zelfs hand in hand. Het liefst was ik in zijn broekzak gekropen om altijd zo dicht mogelijk bij hem te zijn. Het kon me niet dichtbij genoeg zijn. En als dat verstikkend klinkt, misschien was dat dan wel zo. En misschien verstikte ik mezelf ook een beetje. Dat kan. Maar nooit eerder was ik zo zeker van mijn liefde voor iemand en in een universum van onduidelijkheden, komt dit soort zekerheid slechts eenmaal voor, nooit meer, hoeveel levens je ook leeft. Dat weet ik zeker.

Drs. Wüsthof duwt de doos tissues mijn kant op.

'Wat denk je dat er gebeurd zou zijn als hij bij je was gebleven?'

Ik pluk aan de tissue in mijn hand.

'Ik snap de vraag niet.'

'Wat denk je dat er gebeurd zou zijn als Damien op een dag had gezegd: "Ik zoek een andere baan zodat ik elke dag bij jou kan zijn?"'

Ik schuifel wat heen en weer op mijn stoel. Aan die vraag ben ik nooit toegekomen. Ik ben nooit verder gekomen dan verlangen. Hoe zou dat geweest zijn? Ik heb een hechtingsprobleem en Damien waarschijnlijk ook. Ik moet de waarheid onder ogen zien. Graag wil ik geloven dat het altijd zo was gebleven, maar er zit een wond in mij en die wond was gaan opspelen. Terwijl ik wat kruimels van mijn broek veeg, zeg ik zonder al te veel enthousiasme: 'Vermoedelijk waren we het conflict gaan zoeken om de relatie in stand te houden. Het kat-en-muisspel. Aantrekken en afstoten. We hadden nu geen ruzie of spanning nodig om afstand te creëren en konden in volle overgave bij elkaar zijn omdat we wisten dat we weer uit elkaar zouden gaan.'

'Begrijp je dat je dus iets fantastisch hebt meegemaakt, iets wat je normaal gesproken niet toe zou laten?'

Ik knik.

Drs. Wüsthof kijkt op en wijst met zijn wijsvinger naar het raam.

'Hoor je die vogeltjes?'

'Vogeltjes?'

'Vinkjes, mereltjes, hoor hoe prachtig dat is, luister, ze geven elkaar antwoord. Meesterlijk. Ik kan er uren naar luisteren. Daar word ik zo gelukkig van. Doe je dat weleens? Naar vogeltjes luisteren?'

'Nee. Ik geloof het niet.'

'Doe je ogen dicht, leg je hand op je hart, concentreer je op je liefde voor Damien, wat voel je dan?'

Ik doe mijn ogen dicht, leg mijn hand op mijn borst en denk aan Damien. Mijn borst wordt warm. Als ik voorbijga aan het verdriet hem te moeten missen, is er ook iets anders. Dan ben ik blij dat hij er is, dat er iemand op deze wereld is waar ik veel van hou. Ook al kan ik niet van zijn aanwezigheid genieten, toch kan ik blij zijn dat hij er is. Dat hij bestaat.

'Is er iets wat je hem zou willen zeggen?'

'Het reizen zit je in je bloed. *A man's gotta do what a man's gotta do* en ik weet niet of jij nog kunt doen wat je moet doen als je mij op sleeptouw neemt. Ik hou zoveel van je dat ik de gedachte niet kan verdragen dat ik je in de weg zou staan. Dat zou gelijkstaan aan het schitterende, wilde dier in je doden. Daarmee zou ook je kracht sterven. Als je me dwong met je mee te gaan of op me in zou praten, zou ik overstag gaan. Maar dat doe je niet. Daarvoor ben je te gevoelig, te zeer bewust van wat er in me omgaat. Ik wil jou de vrijheid om te reizen niet afnemen en ik zou met je meegaan uit zelfzuchtig verlangen naar jou. En mijn liefde is niet zelfzuchtig. Voor het eerst voel ik een liefde die groter is dan dat.'

De tranen rollen over mijn wangen terwijl ik dit fluister.

Ik kijk drs. Wüsthof aan. Hij glimlacht en schuift de doos roze tissues nog iets meer mijn kant op.

'Zie je hoe mooi de liefde is? Als je er maar naar luistert. Hij wil niets liever dan jou gelukkig maken en zag daartoe geen kans zonder zichzelf ongelukkig te maken. Met de grootste liefde krijg je ook je grootste angst gepresenteerd en hoe groot die angst is, is voor iedereen anders en soms is het te veel om aan te gaan.'

Ik veeg mijn gezicht af met de tissue.

'Waar kwam dit vandaan?'

'Uit je hart. Je ego wil hem bezitten, het ego wil voldoen aan de beelden die we allemaal om ons heen zien, de Martini-plaatjes noem ik ze. De beelden van ideale mensen die ideale relaties hebben, waarmee we worden doodgegooid in de media, en die bedacht zijn door marketingstrategen om ons rommel te verkopen, met als doel om ons tot gehoorzame consumenten te maken die de economie in stand houden. Het heeft allemaal niets met liefde te maken. Liefde kent zijn eigen wetten die voor iedereen anders zijn. Je grootste daad van liefde is hem loslaten, en zijn grootste daad van liefde is jou loslaten. Omdat jullie elkaar in de weg zouden gaan zitten en het elkaar kwalijk zouden nemen en niet in staat zijn om het uit te werken. Dat kan te veel gevraagd zijn van een mens. Elkaar de vrijheid geven en de herinnering aan een prachtige liefde zonder die ooit teloor te moeten zien gaan, dat is toch prachtig? Wijs je liefde voor hem niet af. Blijf je liefde voor hem voelen. Als je die afwijst, wijs je ook jezelf af. Eerlijk gezegd denk ik dat Damien je een plezier heeft gedaan door weg te gaan. Weg te gaan voordat hij je zou gaan kwetsen zoals met de andere mannen is gebeurd. Hij is weggegaan voordat hij kon veranderen in een weerwolf. Dat is een grootse daad van liefde. Echt houden van gaat niet over, dat vindt een andere vorm. Het is natuurlijk een gillend misverstand dat wanneer je van iemand houdt er ook meteen getrouwd moet worden en wanneer dat niet gebeurt dat er dan iets aan de liefde mankeert. Onzin. Echte liefde doet wat goed is voor de ander. En wie zal zeggen dat Damien dat niet gedaan heeft? Vertrouw op de intelligentie van het leven.'

Ik snuit mijn neus en kijk drs. Wüsthof aan.

'Hij heeft net zoveel pijn als jij en hij doet het liever zichzelf aan dan jou. Dat is een cadeautje, want de meeste mensen projecteren hun pijn op de ander. Hij had ook kunnen blijven en het uitwerken maar dat is waarschijnlijk een te grote stap voor hem of hij realiseert zich niet dat dat ook kan.'

Ik herinner me wat hij tegen me zei.

Some people are afraid of the summer because they know the winter will come.

'Maar ik heb een enorme behoefte aan verbinding. Waarom lukt het me niet?'

'Laat me je iets uitleggen. Je kiest iemand uit die ongeschikt is voor een relatie om de relatie niet werkelijk aan te hoeven gaan en de onvrede die in jezelf leeft op te kunnen projecteren. Over het algemeen kiezen we mensen uit die ons behandelen zoals we gewend zijn behandeld te worden. Als we zijn opgegroeid met fysiek, verbaal of emotioneel geweld kiezen we later ook voor een leven met geweld omdat we daar het meest mee vertrouwd zijn. Dan zien we dat ten onrechte aan voor liefde. We hebben de behoefte datgene waarover we ons in het verleden machteloos hebben gevoeld goed te maken. Dus kiezen we partners uit bij wie we diezelfde machteloosheid ervaren en gaan met hem de tweestrijd aan, wat natuurlijk niet helpt, het maakt het gevoel van machteloosheid alleen maar erger. Het is een illusie dat je zo het probleem kunt oplossen. Wat je doet is telkens weer proberen de oude pijn niet te voelen, door te hopen dat het deze keer anders zal gaan. Je gebruikt de liefde als pijnstiller. De vraag is wat die oude pijn is. Wat is er gebeurd waardoor je je zo bent gaan afsluiten? Zullen we daar eens naar gaan kijken?'

Ik knik.

'Als het liefdesverdriet zo groot is als bij jou en Damien, is er vaak sprake van onverwerkt verdriet dat een uitweg zoekt. Enig idee?'

Ik voel hoe ik mijn lippen op elkaar pers. Ik schud mijn hoofd in ontkenning. Ik ben nog een beetje beduusd van mijn inzicht wat de relatie met Oscar betreft, maar omdat mijn relatie met Damien zo anders was, snap ik het nog steeds niet. Bovendien moet het ver voor Oscar misgegaan zijn.

'Komen er herinneringen bij je op?'

'Nee.'

'Je vertelde zojuist dat je moeder niet echt van je hield. Wat voor gevoel geeft je dat?'

'Onaangenaam.'

'Concentreer je op dat onaangename gevoel en laat je gedachten de vrije loop. Probeer jezelf niet te censureren, zeg maar alles wat er in je opkomt.'

Ik doe mijn ogen dicht.

'Niet geliefd, het voelt niet geliefd, waardeloos, ik ben een waardeloos ding.' Ik voelde me zo bij Oscar, bij Roderick, bij...

'En als je bij dat gevoel blijft, welk beeld komt er dan als eerste bij je op?'

Ik hap naar adem. Een lang vergeten herinnering dringt zich aan me op.

Mijn eerste liefde.

Patrick.

24

PATRICK SIMSON

Er is geen enkel moment waar ik met plezier aan terugdenk. Die momenten zullen er wel geweest zijn maar ik denk er niet aan. Door wat er is gebeurd, is de film in mijn geheugen bedekt met een grauwe sluier. De herinneringen bestaan uit beelden, er is geen geluid, geen kleur, geen geur, het zijn stomme beelden die me niet raken. Ze zijn voor een groot deel gebaseerd op de foto's die ik heb. Ze laten zien hoe hij voortdurend, zelfs tijdens het eten, mijn hand vasthield. Ik kan me geen geluk herinneren, geen lach, geen tedere streling. Die zullen er wel geweest zijn, maar ik herinner ze me niet. Herinneringen. Ik heb geen herinneringen. Geen fijne herinneringen. Alles is gecomprimeerd naar die ene avond en alles wat daarvoor is gebeurd is stilgelegd, doodgegaan, bevroren in de tijd. Daar haal ik geen enkele ontroering uit. Ook niet uit de foto's waarop ik blij zit te zwaaien terwijl hij naast me zit. Ik zie hoe gelukkig ik ben, maar ik kan het niet meer voelen. Het is dood. Mijn herinnering is dood. Patrick. Mijn eerste liefde. Ik plakte wikkeltjes van Mon Chérie-bonbons op de brieven die ik hem stuurde. Hij schreef dichtregels op mijn arm. *L'amour n'est pas l'amour qui change quand change les circonstances.* Mijn eerste les in filosofie was van hem. Ik zou nog veel meer leren over de liefde in de jaren daarna, maar dit was de eerste. De eerste liefde. De eerste les. Ik was zeventien.

Ik was een kind, een meisje. Dat bracht een zekere zorgeloosheid met zich mee.

Een kind leeft in het nu, onbevangen, een kind kent het leven niet en weet niet wat er komen gaat.

Er stond een advertentie in de krant waarin vakantiepersoneel werd gevraagd voor een nieuw te openen hotel in Noord-Frankrijk. Een

Frans-Nederlands echtpaar had een hotel gekocht in Montmédy, tussen Sedan en Verdun. In de streek La Gaume, een heuvelachtige streek dat een microklimaat heeft en waar het dus altijd een paar graden warmer is dan in de rest van het land. Ik heb gesolliciteerd met een vlammende brief waarin ik vertelde over mijn passie voor eten en koken (ik kookte thuis immers al vanaf mijn zesde). Om wat meer gewicht in de schaal te leggen jokte ik er een paar jaartjes bij, en werd tot mijn grote verbazing aangenomen. Als vliegende kiep en keukenhulp aan de koude kant. Ik las Anaïs Nin en Françoise Sagan. Met melancholieke titels als *Bonjour tristesse* en *Houdt u van Brahms...* De wereld lag aan mijn voeten, niets stond mij in de weg. *Pour moi la vie va commencer.*

Mijn ouders vonden het een goed idee en nadat zij een gesprek hadden gehad met Carla en Herman, de eigenaren van het hotel, was het beklonken. Mijn carrière als fotomodel was toch al na een paar flutopdrachten in de kiem gesmoord en ik was klaar met school. Ik heb mijn ouders er wel van verdacht dat ze blij waren dat ik in de vakantie in elk geval iets nuttigs ging doen en ze zich om mij niet hoefden te bekommeren. Toen ze op vakantie gingen, dropten ze mij onderweg bij Carla en Herman in Hôtel Le Cheval Blanc en zouden me na zes weken weer ophalen. Ik wilde werken, geld verdienen. Alles beter dan me weer een vakantie lang te pletter vervelen op de achterbank in de auto van mijn ouders. Mijn ouders reden altijd naar waar zij naartoe wilden en gaven zich op geen enkele manier rekenschap van het feit dat er een meisje op de achterbank zat. Ik had net zo goed een knikkebollend hondje op de hoedenplank kunnen zijn.

Carla was Frans en Herman een in zichzelf gekeerde Hollander met te veel geld die zijn vrouw een hotel cadeau had gedaan om geen last van haar te hebben. Hij zat meestal achter in de tuin pijp te roken en voor zich uit te staren. Carla regelde alles. Ze was vriendelijk, ze sprak Nederlands en ze wilde graag met Nederlands personeel werken. Die werkten harder volgens haar en het mocht niet te veel kosten, dus nam ze jong vakantiepersoneel aan. Het was een kleinschalig hotel zonder pretenties. Charmant met een eenvoudige maar goede keuken. Het huis leek op een klein kasteeltje. Het was opgebouwd uit massief zandsteen en dateerde uit 1870. Het had een zwembad van tien bij vijftien meter. Het water kwam uit eigen bron.

Er stond een oud tuinhuis dat als bruidsappartement was bedoeld. Op de begane grond bevonden zich het restaurant en de keuken, met daaronder de voorraadkelder. Naast het restaurant bevond zich de bibliotheek met een mooi bewerkt plafond en een mooie zwart marmeren schouw. Op de bovenste verdieping waren twee personeelskamers. Daar sliep ik. In de kamer ernaast sliep Stan, het meisje dat in de bediening hielp. In een ander gedeelte van de bovenste etage woonden Herman en Carla in een klein appartement.

Elke dag werd er een *menu du marché* samengesteld, een voor-, hoofd- en nagerecht. De gasten konden hierop inschrijven. Patrick was de chef-kok. Een Fransman die een paar jaar in Nederland had gewerkt. Hij was tien jaar ouder dan ik. Hij stond aan het begin van zijn carrière en was vastbesloten een Michelin-ster te behalen. Ooit. Dit was zijn eerste baan als chef-kok. Een uitdaging, een kans. Hij was ambitieus. Bevlogen. Gepassioneerd. Hij wist alles van eten wat ik wilde weten. In mijn moeders keuken zwaaide ik de scepter maar mijn culinaire beleving was nooit veel verder gekomen dan een uitstekende stamppot andijvie met een mooi balletje gehakt. De intrede van het fleurige culinaire maandblad *Tip* deed mijn kookkunsten opbloeien. Het ene licht na het andere ging mij op. Maar natuurlijk, varkensvlees met walnoten, waarom niet! Ik ontdekte bamboehart uit blik, nieuw en exotisch! Het was niet te vreten maar het was anders, en dat was al heel wat. Het diepvriesbladerdeeg lag voor het eerst in de schappen en gaf nieuwe impulsen aan mijn liefde voor koken. Van de weeromstuit begon ik alles in bladerdeeg te verpakken. Ik herinner me mijn eerste varkenshaasje in bladerdeeg geserveerd met een romig knoflooksausje. Tot dan toe het hoogtepunt van mijn kookkunsten. Zoals ik als meisje hartenkloppend op de plof van de *Tina* in de brievenbus had zitten wachten zo zat ik een paar jaar later met even veel ongeduld te wachten tot de *Tip* in de bus belandde. Ik verzamelde recepten en sorteerde ze keurig in een ordner. *Tip* blonk uit in de Hollandse pot met een vreemd tintje. Spruiten met druiven. Kipschotel met ananas en paprika, hoog op smaak door een flinke scheut whisky. *Tip* was leuk doen met spruitjes. Ik wilde meer. Ik wilde verder.

Patrick leerde me niet alleen wat lekker eten was, hij leerde me ook wat goed eten was. Dat verse ingrediënten van de beste kwaliteit van essentieel belang zijn. Koken doe je met je hart, met liefde voor de ingrediënten, met respect voor de dieren die worden gebruikt en die hun leven hebben gegeven om jou te voeden. Hij streelde het dode konijn voor hij het ontvelde.

Hij vertelde over het gebruik van verse kruiden, boter en citroensap en dat marinades voor vlees en wild uit den boze waren. Ik leerde de koningin aller sauzen maken. Bearnaisesaus. En niet een gewone bearnaisesaus maar een uitstekende bearnaisesaus. Met verse dragon, verse boter, dragonazijn en eieren nog warm van de billen van de kip die erop had gezeten. Dat eten zo lekker kon zijn wist ik niet. Het was een openbaring. Hij liet me zien hoe je bouillabaisse maakt met verse zonnevis, pietermannen, rode poon, dorade en rouille. Ik moest de knoflook in een vijzel fijnwrijven om er daarna met eigeel en olijfolie een mayonaiseachtige substantie van te roeren die ik op smaak bracht met saffraan. Hij leerde me dat je vlees moet braden in een mengeling van olijfolie en roomboter waardoor de boter heter kon worden zonder aan te branden en het vlees sneller dichtschroeide, wat de smaak ten goede kwam. Ik leerde hoe lekker een goed gemaakte salade niçoise kon zijn. Er stonden eenvoudige, eerlijke gerechten op het menu. Sint-Jakobsschelpen met saffraansaus. Gevogelteborst met basilicum en salade. Gebakken lamszadel met rozemarijncrème. Gestoomde griet met bieslooksaus.

Hij leerde me dat eten belangrijker is dan seks. Niets is zo belangrijk als eten. Je moet overleven voor je je kunt voortplanten. In elke cultuur die we kennen koken vrouwen voor mannen. Hij vertelde dat er in primitieve omstandigheden meer seksueel overspel voorkomt dan voedselpromiscuïteit. Als je als vrouw een man te eten geeft, voor hem kookt, dan ben je getrouwd met die man. Als een vrouw – zonder toestemming – kookt voor een andere man, dan is dat het einde van het huwelijk. Dan is ze getrouwd met die andere man. Het belangrijkste is dat ze een maaltijd voor hem maakt. Pas als ze niet meer kookt wordt het serieus.

Hij kookte voor mij en werd mijn man.

Ik stond aan de koude kant en was verantwoordelijk voor de voorgerechten. Salade van tuinbonen en zwarte olijven. Salade met inktvisjes met vierge olijfolie. Knapperige seizoensgroenten met ansjovispasta. Ik leerde een vispaté maken. Een lauwe salade met gestoomde zalm waar bovenop een flinke toef zelfgemaakte mayonaise werd geschept. Hij leerde me dat alle ingrediënten voor een mayonaise op kamertemperatuur moesten zijn en de outillage vetvrij omdat anders de kans bestond dat de saus zou schiften. En de desserts waren van mijn hand. Tarte tatin. Chocoladetrufffels met gemengde noten. Citroentaart. Ik leerde sorbetijs maken. Mousse van bittere chocolade. Ik stond elke dag watertandend in de keuken. Ik leerde snel. Ik wilde nooit meer iets anders. Ik was zielsgelukkig. Het was zomer, er heerste een hittegolf.

Hij had een onberekenbare energie. Hij was explosief en driftig of stil en in zichzelf gekeerd. Soms onverwacht teder, complimenteus en lief. Hij schold me uit voor badeend en truffeltrut als ik iets verkeerd deed om het 's nachts weer goed te maken. Dat hij het zo niet bedoelde. Dat het zo ging in een keuken. Hij was opgeleid met een militaristische discipline onder het motto dat vernedering een mens sterk maakt. Sterk om het leven aan te kunnen. *What doesn't kill you makes you stronger.* Ik moest ertegen kunnen. Dan zou ik een goede kok kunnen worden.

In het begin was hij nurks en teruggetrokken maar gaandeweg ontdooide hij. Na een week bakte hij een rumpsteak met groene pepersaus en frituurde verse patatten voor me die we opaten met de mayonaise die ik die middag had gemaakt. Ik kan me niet herinneren dat ik ooit malser vlees heb gegeten dan die zomer. Het was midden in de nacht en het hotel was in diepe rust. We hadden gezwommen en wijn gedronken. We hadden voor het eerst de liefde bedreven. *C'est un beau roman c'est une belle histoire. C'est une romance d'aujourd'hui*, zong hij tijdens het maken van de mise-en-place. Weer een week later maakten we plannen dat we samen in Frankrijk een hotel zouden beginnen.

Het was onbezorgd. Ik was onbezorgd en onbezonnen. Ik stortte me in zijn armen, ik stortte me in het geluk met alles wat ik in me had. Dit was mijn liefde. Hij was mijn man. Ik had mijn bestemming gevonden. Ik was thuis. Aan de eenzaamheid was een eind gekomen. Ik was verliefd. Op een prachtige man die heel erg verliefd op mij was. Hij had bruin halflang haar, dat hij soms in een staartje bond wanneer hij in de keuken stond, en heel blauwe ogen met lange wimpers en een Griekse neus. Hij zag eruit als een Griekse god. Hij droeg sieraden, zilveren armbanden en een gouden kettinkje met het yin-yangteken. Hij vond mij mooi.

Hij was de eerste man in wiens armen ik sliep. Ik was seksueel onervaren, ik had wat onhandige affaires met jongens gehad, maar niets om over naar huis te schrijven. Behalve koken leerde ik ook de liefde te bedrijven. Hij vertelde weinig over zichzelf. Ik hoefde niets te weten. Ik wist alles wat ik moest weten. We hielden allebei van eten en we hielden van elkaar en dat wilden we zo houden. Het leven kan zo simpel zijn.

Ik had het geheim van het leven ontdekt. En het geheim was dat het goed kan komen met het leven. Het maakt niet uit wat je meemaakt, als het op een dag goedkomt dan weet je: ik heb alles mee moeten maken om hier te komen en dan is het goed. Dan is het een queeste geweest met een gelukkige afloop. En iedereen is dol op een queeste. Al is het in het leven meestal zo dat je niet weet dat je op een queeste bent geweest tot op het moment dat je de heilige graal hebt gevonden. Het leven is veel minder overzichtelijk dan allerlei geschriften ons willen doen geloven. Achteraf kunnen we vertellen over de queeste, maar slechts weinigen beginnen op een dag aan hun queeste in het volle besef ook werkelijk aan hun queeste te beginnen. Maar dit was het volgens mij. Mijn zoektocht was ten einde, ik had mijn bestemming gevonden, ik wist hoe de rest van mijn leven eruit zou zien, ik werd gelukkig met deze man, we zouden samen een hotel beginnen, samen gingen we een bedrijf runnen dat ons leven zou zijn, twee krijtende kinderen in de tuin, twee katten en een hond. Dat was wat ik wilde. Dat is waar ik van had gedroomd. Ik wilde wat ik nooit had gehad. Een stabiele, gelukkige thuisbasis, geborgenheid, mensen die liefdevol met elkaar omgingen. Een liefdevolle relatie. Een leven gedreven door passie, voor elkaar en voor dat waar we van hielden. Eten.

Ik was jong. Ik was gelukkig. Ik was verliefd. Ik wist me omringd door alles waar ik van hield. En zo zou het altijd blijven. Ik was nog geen achttien. Wist ik veel.

HOLLANDAISE SAUS

KLOP 250 GRAM BOTER IN KLONTJES DOOR DE VOLGENDE INGREDIENTEN:

2 DOOIERS

2 EETL WATER

2 × AZIJN

1 EETL MOSTERD

MOSTERD

'AU BAIN MARIE'

BRENG EEN LAAGJE WATER IN EEN PAN AAN DE KOOK. ZET ER EEN KOM OP, ZORG DAT DE KOM 'T WATER NIET RAAKT. DRAAI 'T VUUR LAGER

25

SALUT

Op zondag en maandag werd er in Hôtel Le Cheval Blanc niet gekookt. Gasten werden verzocht in een restaurant in de buurt te
gaan eten. Op zondag en maandag waren we vrij. Dan ging Patrick
meestal naar zijn ouders. Zij woonden in Parijs en waren er nog niet
aan toe om mij te ontmoeten. Zijn vader was ziek. Dus bleef ik in en
om het hotel. Ik wandelde door de bossen.

Na zes weken kwamen mijn ouders me halen. Ze stonden op een
zondagochtend voor de deur. Patrick was naar zijn ouders in Parijs.
Ik had hem aan mijn ouders willen voorstellen, maar hij was gebeld
dat het erg slecht ging met zijn vader en moest dat weekend weg. We
hebben op zaterdag afscheid genomen. En plannen gemaakt. Ik zou
naar huis gaan, alles bespreken en snel terugkomen. Ik had net de
havo afgemaakt. Ik was vrij om te doen wat ik wilde. Ik zou zo snel
mogelijk terugkomen. En na de zomer, als het hoogseizoen voorbij
was, zou hij naar Nederland komen.

Na een week of drie besloot ik naar hem toe te gaan. Onverwacht.
Om hem te verrassen. Ik was op een leeftijd dat ik een verrassing
nog wel kon waarderen en dacht dat ik iemand blij kon maken met
een verrassing. Kort daarvoor bestonden verrassingen nog uit rol-
schaatsen of een Schotse rok. Verrassingen waren blij en onschul-
dig. En liepen altijd goed af.

Om een uur of tien 's avonds arriveerde ik in Montmédy. Het hotel
lag net even buiten het dorp. Ik zou morgen Carla en Herman wel
gedag gaan zeggen. Eerst naar Patrick. Ik had hem een paar keer aan
de telefoon gehad, hij was altijd druk of niet thuis. Daar had ik me

wel zorgen over gemaakt. Ik had hem de brieven met de Mon Chéri-wikkeltjes gestuurd, maar hij had nooit tijd om mijn brieven te beantwoorden. Hij was geen schrijver. Hij was een prater. En dus belde ik hem soms en praatten we een tijdje aan de telefoon. Internationaal telefoneren was duur en dus hielden we het kort. Natuurlijk had ik het vreemd moeten vinden dat ik een doosje kalmeringspillen had gekocht en in mijn toilettas had gedaan toen ik besloot mijn minnaar op te gaan zoeken.

Ik was op een leeftijd dat mijn intuïtie heel goed werkte maar ik was te jong om ernaar te luisteren.

Waarom moest ik de waarheid zonodig weten? Waarom heb ik op het moment dat ik het doosje pillen in mijn tas stopte niet gedacht: ho es even. Dit klopt niet. Hup je bed in jij. Uithuilen en opnieuw beginnen. Maar nee. Een meisje koestert haar valse hoop als een knuffeldier. Niet willen weten. Hopen op een wonder en met open ogen het hol van de leeuw in lopen. Als Roodkapje in het bos. Om te proberen op de bodem van de illusie een pareltje te vinden. Dat ligt daar natuurlijk niet. Die had ik maanden geleden al nietsvermoedend voor de zwijnen gegooid.

Het was warm. De terrassen op het marktplein zaten vol. Het dorp was intussen vertrouwd. Ik zei wat bekenden gedag. Toen ik vertelde dat ik op weg was naar Patrick zag ik iets over hun gezichten glijden. Later begreep ik wat het betekende, nadat ik de film had teruggespoeld om hem nog een keer te bekijken om te zien waar ik een andere beslissing had moeten nemen; waar ik links- dan wel rechtsaf had moeten gaan. Maar ik luisterde niet naar tekens, ik luisterde niet naar het stemmetje dat diep in me dwarrelde en me zacht influisterde dat ik naar huis moest gaan. Ik was jong, ik was naïef, *home is where the heart is*, dacht ik. Ik wist niet dat het leven waarschuwingen geeft, ik wist niet dat het leven klappen uitdeelt wanneer je niet luistert naar de waarschuwingen.

Ik wandelde door het dorp naar zijn huis. Mijn weekendtas had ik over mijn schouder gegooid. Ik kreeg pijn in mijn nek van het gewicht. Ik had hem moeten bellen om me van het station te halen maar dat zou de verrassing bederven. Ik keek op mijn horloge. Het was halfelf. Op dat tijdstip kwam hij meestal thuis. Ik had vrijwel elke nacht bij hem geslapen. Alleen als hij in Parijs was sliep ik op mijn kamer in het hotel. Die kamer was klein en benauwd met een schuin dak waar de zon de hele dag op stond. Het had een klein zolderraam dat niet voldoende ventileerde. Er was een gemeenschappelijke douche op de gang met een vaste wastafel op de kamer. Zijn huis was een kleine boerenwoning aan de rand van het dorp. Het was niet groot maar aangenaam van sfeer met een grote tuin. Een grote woonkeuken beneden en een zolderverdieping die over de gehele breedte van het huis liep en verdeeld was in een grote slaapkamer en een badkamer. Het tuinhek sleepte en ik moest het optillen om het open te kunnen doen. De tuin liep ver door naar achter, waar twee ligstoelen stonden. Ik liep langs het huis en keek door het raam naar binnen. Het was stil. Er was niemand thuis. Ik klopte op de voordeur maar niemand deed open.

Geen nood. Ik wachtte wel tot hij thuiskwam. Ik gooide mijn weekendtas op de grond en morrelde aan de deur van de garage. Na enig gepruts ging hij open. Ik deed het licht aan en keek om me heen. Ik was hier nog nooit geweest. Links was een deur die toegang moest bieden tot de keuken. Ik voelde aan de deurklink. Hij zat op slot. Ik voelde of er misschien een sleutel op de richel naast de deur lag. Die lag er niet. Ik keek om me heen. Er stond een hark en een kleine handzeis. Gereedschap. Een aluminium vierkante wasbak met een blauwe rand, zoals ik vroeger wel bij mijn oma op zolder had gezien. Er lag een stapel dekens op een oud spijlenbed in de hoek. Zijn racefiets stond tegen de muur. Op een klein houten tafeltje lag een Simson-reparatiedoosje. SIMSON, SINDS 1881 NEDERLANDS GROOTSTE PLAKKER stond erop. Grappig. Patrick heette ook Simson van zijn achternaam. Ik had eens een brief bestemd voor zijn ouders op tafel zien liggen waar de naam Chatelain op stond. Toen ik daarnaar vroeg, legde hij me uit dat hij geadopteerd was. Simson was zijn echte naam. Chatelain was de naam van zijn pleegouders. Hij wilde graag zijn eigen naam gebruiken. Simson. Of zijn echte ouders Nederlands waren wist hij me niet te vertellen. Hij wist alleen de naam. Meer niet. Misschien was hij wel familie van de grootste plakker van Nederland.

Ik pakte een deken, liep de tuin in en maakte het me gemakkelijk op de ligstoel. Ik sloeg de deken over me heen en wachtte. Ik wachtte tot ik zijn auto zou horen. Een grijze Peugeot 104. In het hotel werd het menu voor iedereen tegelijk klaargemaakt. Om een uur of negen was het dessert meestal uitgeserveerd en maakten we de keuken schoon. Het gebeurde zelden dat we niet voor tienen klaar waren. Patrick wilde altijd snel weg. Ik ging elke avond naar boven om later stiekem het hotel uit te glippen en naar hem toe te gaan. Herman en Carla mochten het niet weten. We moesten beschermen wat we hadden. Mensen praten. Mensen vinden altijd van alles. Er was een leeftijdsverschil tussen ons, ze zouden het niet begrijpen, het was niet goed als het personeel relaties onderling onderhield, dat was niet professioneel, zo vertelde hij me. En dus hield ik het geheim.

Ik ontspande me. Ik was moe van de reis. Ik genoot van de bloeiende kamperfoelie. Ik luisterde naar het geritsel in het gras. Het was windstil. Ik keek omhoog naar de grote kastanjeboom, hoe hij zich stilhield en zijn takken over me uitspreidde. Alsof hij wilde zeggen, kom maar bij mij, hier ben je veilig. Alsof hij me in zijn armen wilde nemen en in slaap wilde wiegen. Ik deed mijn ogen dicht. In de verte hoorde ik stemmen en gelach. Ik hoorde een ronkende motor. Ik spitste mijn oren. Ik had het geluid van zijn auto leren herkennen. Als hij zijn uitlaat intussen niet had laten maken dan zou dit zijn auto kunnen zijn. Ik krulde me nog iets meer op onder de deken. Dit zou een prachtig 'boe'-moment worden. Ik genoot ervan om hem aan het schrikken te maken door achter een deur of een gordijn te gaan staan en dan onverwacht 'boe' te roepen. Hij schrok altijd, zelfs als hij wist dat er een 'boe'-moment aan zat te komen. Ik maakte hem ermee aan het lachen. Ik hoorde hoe de deur werd dichtgeslagen. Ik richtte me een beetje op en hield mijn hoofd schuin. Voetstappen kwamen dichterbij. Toen zag ik Patrick naar het tuinhek lopen. Ik wachtte tot hij het tuinhek open had gemaakt en een paar stappen in de richting van de voordeur had gezet. En toen zei ik: 'BOE!'

Ik geloof niet dat ik ooit iemand zo erg heb zien schrikken. Hij gaf een gilletje en trok lijkbleek weg. Alsof ik zijn doodgewaande geliefde was. Een geest. Ik zwaaide en lachte en zei: 'Ik ben het maar.' Misschien zag hij me niet goed in het halfdonker, half verscholen onder de deken.

'Wat doe je hier?' vroeg hij.

'Wat denk je? Jou opzoeken natuurlijk,' zei ik lachend. Hij was moe, hij was schrikachtig, ik overviel hem. Ik had hem een paar dagen geleden nog even aan de telefoon gehad. Toen vertelde hij dat hij zich zorgen maakte over zijn vader. Daarom had ik ook besloten hem op te zoeken. Dat hij een groot deel van de dag zou moeten werken vond ik niet erg. Het leek me goed om bij hem te zijn. Om hem te steunen. Als hij in het weekend naar Parijs ging dan bleef ik wel hier. Dan kon ik zijn huis opruimen, hem helpen. Hij had het zwaar, dat hoorde ik aan zijn stem. 'Ik ben gekomen om je te helpen,' zei ik lachend. Als dat niet in goede aarde viel dan wist ik het niet meer.

'Mijn vrouw is hier,' zei hij.

O, dacht ik. Dat denk ik, maar met zekerheid durf ik het niet te zeggen. Misschien dacht ik wel helemaal niets. Zijn vrouw? Ik zag geen vrouw. Er was geen vrouw. Heel even dacht ik dat hij mij bedoelde. Hij noemde mij zijn vrouw. En ja hoor, daar was ik: zijn vrouw. 'Mijn vrouw is hier.' Ja, dat heb je goed begrepen, zoiets ging er denk ik door mijn hoofd en ik stond op het punt om dat tegen hem te zeggen, in het Frans natuurlijk en dat duurt toch altijd net even iets langer dan wanneer je gevat uit de hoek wilt komen in het Nederlands. Dus voor ik iets lolligs in het Nederlands had kunnen bedenken om het vervolgens in het Frans te vertalen had hij me al bij mijn arm gegrepen en duwde hij me de schuur in, deed de deur dicht en draaide hem op slot. Ik dacht weer even aan wat hij gezegd had. 'Mijn vrouw is hier.' Het is misschien heel gek maar ik kon me opeens niet aan de indruk onttrekken dat hij mij daar niet mee bedoelde.

Ik stond in de garage te wachten. Op deze reactie had ik niet gerekend. Wie rekent erop om in de garage opgesloten te worden als ze haar minnaar gaat opzoeken? Ik klopte op de deur. 'Patrick?' zei ik zachtjes.

'Stil. Straks. Stil,' siste hij.

Ik deed meestal wat hij van me vroeg dus nu ook. Ik hield me stil. Misschien had ik het verkeerd begrepen en was er iets heel anders aan de hand. Misschien had hij Herman en Carla meegenomen. Wie weet was er god weet wat aan de hand.

Een paar minuten later hoorde ik weer een auto voor het huis parkeren en een deur dichtslaan. Ik hoorde hoe het tuinhek werd dichtgedaan. Ik hoorde een vrouwenstem. Ik hoorde hem praten, met een andere toon in zijn stem. Ik hoorde hoe de voordeur werd opengemaakt. Ze gingen naar binnen. Het was een oud huis en oude huizen zijn gehorig. Even later hoorde ik boven mijn hoofd voetstappen. Er was iemand boven in de slaapkamer. Ik stond voor de deur van de garage met mijn voorhoofd tegen de deur aangeleund. Ik hield me stil. Ik luisterde. Ik probeerde te begrijpen wat er aan de hand was. Het rook er vochtig. Ik weet niet hoe lang ik daar gestaan heb. Toen ging de verbindingsdeur naar het huis open en kwam Patrick de garage binnen.

'Wat kom je doen?' vroeg hij.

'Jou opzoeken,' zei ik aarzelend. Meer tekst had ik niet. Ik begreep zijn vraag niet, ik begreep niet waarom ik moest uitleggen waarom ik hier was. Hij kwam naar me toe. 'Mijn vrouw is hier,' zei hij weer. 'Ik ben getrouwd.'

Dat had je me weleens even eerder kunnen vertellen, lamlul, is een logische reactie op deze mededeling. Maar die tekst had ik niet. Ik ben altijd zo jaloers op vrouwen in Amerikaanse films die aan het einde van de film met een spetterende monoloog de mannelijke hoofdpersoon in een adem en in klare taal de waarheid zeggen. *'And all you ever are is empty,'* een zin die ik me kan herinneren uit *The Fabulous Baker Boys* waarin Michelle Pfeiffer de bindingsbange Jeff Bridges aan het eind van het verhaal heel duidelijk vertelt wat er aan de hand is en hem met een bek vol tanden laat staan terwijl zij met een gelucht hart verder kan.

In het echte leven gaat het heel anders. Of laat ik het anders zeggen, in mijn leven gaat het anders. Op de moeilijkste momenten heb ik geen tekst. Zo ook nu niet. Ik had kunnen zeggen 'ik begrijp het niet, ik was toch je vrouw', maar het leek me raar om dat nu te zeggen. Dat zou betekenen dat ik niet begreep wat hij tegen me zei en ik begreep het heel goed, daarom stond ik nu met mijn mond vol tanden. Ik stond in een schuur met aan mijn linkerhand een racefiets en aan mijn rechterhand een kleine handzeis en een hark. Daar had ik best iets creatiefs mee kunnen doen, maar ook dat kwam niet in me op. Ik stond daar maar een beetje met grote hertenogen niet te begrijpen waarom hij me het niet had verteld, wat ik hier stond te doen, waarom ik het niet had gemerkt, hoe ik zo stom had kunnen zijn. Ik stond acuut spijt te hebben van alles wat er gebeurd was. Ik denk dat er sprake was van een kleine kortsluiting in mijn hoofd. Te veel contrasterende berichten en gevoelens en de boel ging op tilt. Ik stond hem wezenloos aan te kijken. Tranen over mijn wangen.

Zelfs een klein 'waarom' kwam er niet uit. Uiteindelijk zei ik zoiets als: 'Dus je vrouw is hier?' Bij gebrek aan passende woorden gewoon herhalen wat de ander zegt met een vraagteken erachter, dat geeft tijd om na te denken. Langzaam drong de waarheid tot me door.

Ik was een speeltje geweest, een versnapering, een amuse gueule. 'Waarom heb je me dat niet verteld?'

Hij haalde zijn schouders op. Ik ging op het bed zitten. Geen idee waarom ik niet boos werd. Ik huilde. Ik was verdrietig. Ik begreep er niets van. Hij knielde voor me, aaide me over mijn wang en streek het haar uit mijn gezicht. Ik boog me voorover. 'Blijf bij mij,' fluisterde ik terwijl de tranen over mijn wangen rolden. Hij begon me te strelen, hij veegde tranen van mijn wangen.

'Je had hier niet moeten komen,' zei hij en kuste mijn wangen. Hij was teder. Dezelfde man die me voor badeend uit had gescholden als ik iets verkeerd had gedaan in de keuken was teder. Zijn handen waren ruw van het werk.

'Waarom heb je me niets verteld?' vroeg ik weer. Eigenlijk wilde ik vragen 'Waarom ben je iets met me begonnen?', maar dat leek me evident, hij was verliefd op mij. Hij was verliefd geworden en had zich overgeleverd aan een onstuimige passie, een verzengende liefde die niet te stoppen was en zonder de gevolgen te overzien was hij er ingedoken en in dat spel was hij vergeten dat er een andere vrouw in zijn leven was. Hij hield van mij, ik had nooit een seconde geloofd dat hij niet van mij hield, ik had me veilig gevoeld, ik vertrouwde hem, geen moment had het geleken dat hij mij niet toegewijd was. Voor zover ik op die leeftijd wist wat toewijding was. Hij zou bij haar weggaan en bij mij blijven. Dit was een ongelukkige omstandigheid, daar moesten we even doorheen. Ondertussen streelde hij me. Hij knoopte mijn blouse open en streelde mijn borsten, nam mijn tepels tussen zijn vingers en kneep er zachtjes in. Ik dacht dat hij me wilde troosten, de liefde met me wilde bedrijven omdat hij zijn zinnen niet onder controle had, omdat zijn liefde hem verblindde voor de werkelijkheid.

Ik wilde hem terug, ik wilde hem niet kwijt. Het kwam niet in me op om met het meubilair te gaan smijten, het kwam niet in me op om te gaan gillen zodat zijn vrouw ons zou horen en hij ontmaskerd zou worden als een bedrieger, ik was verblind en zag alleen mijn minnaar, de man die me lieve dingen in mijn oor had gefluisterd, die me zijn eeuwige trouw had beloofd. Ik was een kind, ik wist van niets, ik wist niet dat hij niet genoeg aan liefde had, ik wist nog niet dat mannen van alles zeggen maar dat het gaat om wat ze doen. Hij vree met me en ik dacht dat het liefde was. Hij streelde mijn lichaam en ik dacht dat het betekende dat hij van me hield, dat hij bij mij wilde blijven, dat hij me begeerde, ik wist niets van begeerte, ik wist alleen van liefde, als meisje weet je niets van lust en begeerte, als meisje weet je alleen van liefde. Nee, dat is niet waar, als meisje weet je alleen van romantiek, als meisje weet je niets van lust en begeerte en al helemaal niets van liefde. Een meisje ziet alles voor liefde aan. Ik dacht dat romantiek hetzelfde was als liefde.

Ik had een onbegrensd verlangen naar liefde en begeerd worden, ik liet me strelen, ik liet me doen, hij drukte me achterover op het bed. Ik was niet opgewonden, ik wilde niet vrijen maar ik liet hem, omdat ik dacht dat het van mij verwacht werd en ik deed altijd wat er van me verwacht werd. Om liefde te krijgen deed ik wat er van me verwacht werd. Dus liet ik met me doen. 'Wacht hier,' zei hij. Hij ging het huis weer binnen. Ik hoorde hem de trap op lopen. Ik dacht, hij gaat haar vertellen wat er aan de hand is, nu komt alles goed. Ik hoorde stemmen, haar stem die kort iets zei zonder te verstaan wat en daarna hoorde ik hem weer de trap af komen. Zachtjes deed hij de deur open en weer achter zich dicht. Hij had een sleutel in zijn hand en deed de deur op slot. Hij ging met zijn hand door zijn haar en kwam dichterbij. Hij gromde zachtjes. Ik dacht dat hij zachtjes mijn naam zei. Of iets liefs. Hij pakte me vast. Gehaast en nerveus begon hij me uit kleden, hij ritste zijn broek open en hijgde erbij dat we moesten op schieten, dat zijn vrouw op hem wachtte, ik verzon er zelf bij dat hij me zo begeerde, dat hij zoveel van me hield dat dit niet kon wachten en zijn vrouw wel en dat hij daarna naar binnen zou gaan, alles zou opbiechten en dan voor mij zou kiezen want iemand die je zo begeerde daar ging je voor kiezen, die wilde je een leven lang bij je hebben. Zo dacht ik in mijn meisjeshoofd. Dus ik liet hem.

Ik hoorde het water uit de kraan in de aluminiumbak druppelen. Ik sloeg mijn armen om hem heen en deed mijn ogen dicht. Ik was niet nat, hij drong binnen, het deed pijn, ik zette mijn tanden op elkaar en zette door, omdat ik hem terug wilde, omdat ik niet opzijgezet wilde worden deed ik wat hij wilde. Ik deed alsof ik hem begeerde. Ik gaf hem wat ik dacht dat hij wilde hebben in de veronderstelling dat het voldoende zou zijn om hem bij me te houden, ik verwarde seks met liefde. Ik deed mijn ogen dicht en dacht aan mijn toekomst, hoe we zouden trouwen en mijn vrienden witte rozen over ons heen zouden gooien, rijst voor ons uit zouden strooien, hoe ik gelukkig zou worden omdat ik zijn ware liefde was. Daar kwam hij op dit moment achter, hij had het eerst niet begrepen, hij had het allemaal niet begrepen, het was allemaal te verwarrend geweest. Zijn vrouw, hij ging zijn vrouw vertellen dat hij van een ander hield en hij zou bij mij blijven. Ik schoof alle andere gedachten weg. Ik liet hem. Hij fluisterde er van alles in het Frans bij, woorden die ik met moeite kon verstaan, *Tu es un chaud lapin*, of *toi, petit diable lubrique*, zoiets. Kooswoordjes, opwindende woordjes om tegen je geliefde te zeggen. Later heb ik de film in mijn hoofd teruggedraaid en weer bekeken zoals John Travolta doet in *Blow Out* en hoorde ik hem *putain* zeggen. Kreunend kwam hij klaar, met een paar stoten. Het deed pijn. Ik kreunde van pijn maar liet het op begeerte lijken, op bevrediging. Hij draaide me om, de volmaakte vernedering van de vrouw was niet compleet zonder haar anaal te nemen. Ik zag het aan voor ongebreidelde lust en liefde. Onvoorbereid nam hij me anaal. Ik beet mijn lip stuk. Hij trok zich uit me terug. Ik draaide me om. Hij knoopte zijn broek dicht, grijnsde en gaf me een kus op mijn mond. 'Salut,' zei hij. Ik dacht dat hij bedoelde 'tot zo' of 'tot straks'. Maar het betekende *goodbye and good riddance*, het betekende, tot nooit weer ziens. Vaarwel.

Het brein doet rare dingen met een mens om het te beschermen tegen pijn en vernedering, het kan hele zinnen op een onjuiste manier vertalen. Het brein is een soort Google-vertaalmachine, er klopt geen sodemieter van.

Hij aaide me nog even over mijn hoofd en kneep in mijn linkerschouder. Hij deed de deur open, draaide zich om en zei: 'Morgen verzinnen we een oplossing.'

Hij deed de deur op slot. De andere deur was ook op slot. Hij had me opgesloten in de garage.

Het wond hem op dat er een vrouw om hem huilde, naar hem verlangde. Het breken van een hart wond hem op. Het idee dat zijn vrouw een kamer verderop op hem lag te wachten, het idee dat hij haar even later zou bespringen, voorverwarmd door het meisje dat voor hem zat te snotteren en hem met grote niet-begrijpende ogen aankeek.

God mag weten waarom ik niet ben gaan gillen. Waarom ik niet de hele boel bij elkaar heb geschreeuwd. Op de deur ben gaan bonken. Stennis heb gemaakt. Amok. Waarom ik niet ben gaan slaan. Hem. Haar. Het huis. Alles.

Willoos en monddood heb ik me op laten sluiten. 'Als ik me dood hou ben ik veilig,' moet ik gedacht hebben. Een oude en beproefde overlevingsstrategie. Doodhouden. Hou je adem in en stik niet. Ik hou me dood in de hoop dat het onheil overwaait en mij niet meeneemt, mij niet raakt.

Sommige mensen gaan verlamd van angst en pijn door het leven en kunnen niets anders dan hopen dat het niet waar is, of zich illusies maken over een beter bestaan.

Illusie. Goddank voor de illusie. Waar zouden we zijn zonder de illusie om ons mee te verdoven. Om de realiteit mee buiten de deur te houden. Rot god. Rot realiteit. Wat moet je met de realiteit als je jezelf ook voor de gek kunt houden? Omgaan met de realiteit vereist wakker worden in je bestaan. En dat is pijnlijk. Dus leven we liever verder, ondergedompeld in een vals bestaan. In de hoop de pijn over te kunnen slaan. Hopen op beter. Hopen dat er een God bestaat die alles anders zal maken. Hopen dat het niet waar is.

Say it ain't so, Joe please, Say it ain't so. I'm sure they're telling us lies, Joe please tell us it ain't so.

26

PÛNAIRE

Ik lag in het spijlenbed in de garage. Ik hoorde het bed boven in de slaapkamer bonken op de vloer. Tien minuten daarvoor had hij mijn tranen gedroogd en me verkracht. Al wilde ik toen nog denken dat hij onstuimig de liefde met me had bedreven en dat ik daar niet zoveel zin in had gehad maar het had toegelaten omdat hij mijn minnaar was, mijn geliefde. Ik had het toegelaten omdat ik een goede vrouw wilde zijn, een goede minnares, ik wilde de beste zijn, ik dacht dat hij dan bij me zou blijven, dat hij naar boven zou gaan om het een en ander uit te leggen, een oplossing zou zoeken om onze liefde te laten voortbestaan. Maar hij ging naar boven en bedreef enkele minuten later de liefde met zijn vrouw. Iets wat hij, vreemd genoeg, met mij in de garage onder de slaapkamer niet kon laten. Misschien realiseerde hij zich niet dat ik alles kon horen. Misschien wond het hem op. Misschien wilde hij doen alsof er niets aan de hand was. Of wilde hij het vrouwtje extra verwennen omdat hij iets verkeerds had gedaan. Wilde hij het vast goedmaken voor hij zijn bekentenis zou doen. Het was een voorschot op de bekentenis. Een ingehouden bekentenis. Seks is het cement van een huwelijk. Het houdt de boel bij elkaar. Ook wat uit elkaar zou moeten donderen omdat het niet deugt. Ze hadden lawaai gemaakt, ik had hem horen kreunen en haar horen gillen. Ik had de deken over mijn hoofd getrokken. Ik nam een paar kalmeringstabletten in maar viel niet in slaap.

De volgende morgen hoorde ik hen de trap af komen. Even later werd er op de deur geklopt. Mijn hart sprong op. Hij kwam me halen. Hij had een oplossing gevonden.
'Ik ben wakker,' riep ik. De sleutel werd omgedraaid. Een vrouw

stak haar hoofd om de hoek van de deur. 'Hallo, ik ben Ellen,' zei ze, 'de vrouw van Patrick.'

Ze ging naast me op bed zitten. 'Je zult wel vreselijk in de *penaire* zitten,' zei ze. Ze sprak het uit op z'n Frans. Logisch. Als het een Frans woord zou zijn geweest. Maar *penaire* is geen Frans. Penarie is in het Frans '*être en panne*'. Penarie is doodordinair Bargoens voor rottigheid. Daar is geen woord Frans bij. Maar onze Ellen maakte haar handen niet vuil aan Bargoens. Met een kleine hypercorrectie maakte ze het stukken mooier dan het was. Aan het lichte accent dat aan haar uitspraak van de oo en de aa kleefde, hoorde ik dat ze uit Utrecht kwam. Het is gewoon een straatmeid, onze Ellen. Maar daar wilde onze Ellen niet aan herinnerd worden. Ellen doet chic.

Ellen. Nederlandse naam, Nederlandse vrouw. Het was toch gek dat ik wist hoe ze heette nog voor ik haar ontmoet had. Juist voor er op de deur werd geklopt lag ik te bedenken hoe de vrouw van mijn minnaar heette. Het lag voor de hand dat ze Frans zou zijn en Christine of Juliette zou heten, maar de enige naam die in mijn hoofd dingdongde was: 'Ellen'. Ik had haar stem gehoord die nacht. Misschien dat het daardoor kwam. Misschien lag haar naam in de klank van haar stem verborgen. Ik had haar stem gehoord toen ze zijn naam uitriep bij het vrijen vannacht. Een paar keer. Ze deed alsof. Ik hoorde het aan haar stem. Onze Ellen is een indrukmakertje. Een bestdoenertje. Het was een penaire-orgasme. Zo fake als maar zijn kan.

Ik keek haar aan en wilde zeggen: Het is pûnaarie. Het is Bargoens. Penarie is ontleend aan het Latijnse *penuria* wat betekent: in de nesten zitten. In de rats zitten. In de puree zitten. *Etre dans la purée*. Dat zou jij toch moeten weten met je Franse echtgenoot die tevens mijn minnaar is. Of beter gezegd: was. Was mijn minnaar tot hij het aan haar opbiechtte.

'Je zult wel vreselijk in de *penaire* zitten.' Ze zei het nog een keer. Waarschijnlijk om een reactie mijnerzijds te ontlokken. Ik bleef haar met een lege blik aanstaren. Ik had net drie kalmeringspillen ingenomen dus erg helder van geest was ik niet.

'Patrick heeft me alles verteld,' zei ze. Ze leek rustig, ze leek aardig. Ze keek me aan en glimlachte. 'Hij is iets met je begonnen om de mannen in het dorp te bewijzen dat hij geen homo was. Ik woon in Nederland, door mijn werk als mannequin kan ik niet altijd bij hem zijn, ik ben veel op reis, en de mannen in het dorp, ach je weet hoe mannen zijn. Hij werd gepest omdat hij nooit met een vrouw werd gezien en daarom is hij iets met jou begonnen. Hij heeft expres jou uitgekozen omdat je rood haar hebt, want daar heeft hij een vreselijke hekel aan, en zo wist hij zeker dat hij niet verliefd op je zou worden. Daardoor vond hij je niet leuk in bed.' Ze pauzeerde even en keek me weer glimlachend aan. Ze draaide aan een van de gouden ringen aan haar vingers. Ze zei het alsof ze me vertelde dat de hond een nest puppy's had gekregen, vriendelijk en enigszins opgetogen. Het was geen onaardige boodschap, ze vertelde het me omdat het haar beter leek dat ik dit allemaal zou weten. Ze vertelde het me omdat het beter was voor ons allemaal. Mijn tong lag willoos in mijn mond. Ik vermoedde dat er geen enkele verandering in mijn ogen te lezen viel, want onverdroten ging ze verder.

'En je hebt syfilis,' zei ze. 'Misschien wel in een vergevorderd stadium.'

Ik zei niets.

Had hij haar dit verteld of verzon ze het ter plekke? Was dit haar manier om een rivale uit te schakelen of was het zijn manier om zijn vreemdgaan te rechtvaardigen? En geloofde ze het dan ook? Was Ellen net zo gek op illusies als ik? Ik was niet in staat om te zeggen dat het onzin was. Ik was overdonderd door de gebeurtenissen. Ik was als een mak schaap dat zich naar de slachtbank liet brengen. Er zijn drie vluchtmechanismen waar een mens uit kan kiezen: vluchten, vechten of doodhouden. Ik hield me weer dood. Ik was verlamd.

Vermoedelijk omdat ze het onbegrip en ongeloof in mijn ogen zag, ging ze verder: 'Hij heeft het deze zomer gekregen en heeft zich ervoor laten behandelen en daarna is hij met je doorgegaan om zeker te weten dat hij het van jou had gekregen. Om zeker te weten dat het niet van mij afkomstig was, begrijp je wel? Daarom is hij met je doorgegaan. Om te kijken of hij het wel van jou had.'

Om te kijken of hij het wel van mij had, dreunt het na in mijn hoofd. Ik heb geen syfilis. Van wie had ik syfilis moeten krijgen? Van Bas, de jongen die me onhandig had ontmaagd omdat ik vond dat het er maar eens van moest komen? Van Nico Vreeland? De lieverd die maanden achter me aan had gelopen en met wie ik een schuchtere poging tot verkering had gedaan?

Ellen was slim. Ze zei op een heel omslachtige manier dat ik een gore slet was. Het doet me denken aan de monoloog van Dennis Hopper in *True Romance*, wanneer hij vlak voor hij wordt neergeschoten, de maffiamoordenaar, gespeeld door Christopher Walken, op subtiele wijze uitscheldt voor *nigger* door uit te leggen dat Italianen eigenlijk afstammen van negers. Persoonlijk zou ik het helemaal niet erg vinden om een beetje negerbloed te hebben, maar Christopher Walken had het er in *True Romance* reuzemoeilijk mee. Die schoot Hopper dwars door zijn kop nadat deze zijn verhaal had gedaan. En zo deed Ellen het ook. Je hebt syfilis en hij moest je nog een paar keer neuken om te kijken of hij het wel van jou had. En ja hoor!

Het was een straatvechtertje, onze Ellen. Ze kon keurig 'penaire' zeggen, maar er was niets chics aan deze vrouw.

Hij had mij gebruikt om me te besmetten, en zo zichzelf weer te besmetten om zeker te weten dat hij zich had laten besmetten door mij en niet door zijn vrouw, om er zeker van te zijn dat zijn vrouw hem niet bedroog. En dat hele verhaal was zijn excuus voor het feit dat hij was vreemdgegaan. Pleurislijer. Is pleuris soms Bargoens voor syfilis? Een ziekte die niet zelden onopgemerkt blijft. Voor minder deed ze het niet. Een ziekte die in een gevorderd stadium gepaard gaat met ernstige neurologische en psychiatrische verschijnselen en de meest vreselijke zweren en, wanneer hij niet behandeld wordt, dodelijk is op de lange duur. Ze keek erbij alsof ze zojuist mijn leven had gered.

Ik was gebruikt als proefdier. Hij had mij gebruikt als proefwipkonijn. Dat wilde ze me laten geloven. En ik geloofde het. Ik moest wel. De mededeling dat je syfilis hebt kun je niet wegwuiven. Zoals je ook niet wegwuift wanneer iemand je vertelt dat een ex-geliefde gediagnosticeerd is met hiv. Dan ga je toch even voor de zekerheid bij de dokter langs.

Ik heb me maandenlang naar het ziekenhuis gesleept. Syfilis heeft een incubatietijd van drie maanden. Dus het kon de kop nog opsteken. Voorzichtigheid was geboden. Het kon nog altijd grijnzend tevoorschijn komen zoals de alienbaby uit de borst van John Hurt plopte. Zomaar opeens zou het er kunnen zijn. Maar er was niets aan de hand. Natuurlijk niet. En zo had de tegenstander een voorsprong.

O ja, en ze zei ook nog dat hij niet zaligmakend was. Nee, dank je de koekoek. Zoveel begreep ik ook nog wel toen hij wit wegtrok op het moment dat hij me zag, 'Mijn vrouw is hier,' prevelde en me in de schuur verstopte.

De schaamte is het ergst. Die houdt je stil. Wie wil er met syfilis rondlopen? Of ervan verdacht worden het te hebben? Ik moet het haar nageven, het was briljant bedacht van een vrouw van achtentwintig om een meisje van zeventien de stuipen op het lijf te jagen. Je zou meer gewicht in de schaal moeten kunnen leggen op die leeftijd. En wat ik ook nooit begrepen heb is dat zij niet hém van de trap heeft gegooid maar mij. Wat moet je verder met hem? Een vreemdganger blijft een vreemdganger. De wonderlijke afwezigheid van vrouwelijke solidariteit blijft me verbazen. Wat zou de wereld er toch een stuk beter uitzien als vrouwen de handen ineen zouden slaan.

Wat een overlevingsinstinct allemaal niet kan doen. Niets is sterker dan het instinct. En het instinct van de vrouw is het instinct om datgene te doden wat eventueel nageslacht in de weg kan staan. Dat gaat voorbij aan ontwikkeling en intelligentie. Iedere vrouw moet de beste zijn want wie de beste is, heeft de meeste kans om te worden bevrucht.

Mijn ouders heb ik verteld dat hij omgekomen was. Verkeersongeluk. Tegen een tractor gereden op een Franse D-honderdzoveel. Zo'n kronkelige tweebaansweg door het platteland. Een beetje vaart in de bocht met een onverwachte tractor op de weg en huppekee. Dat verhaal ging erin als koek. En zo kreeg ik aandacht en troost in plaats van de dooddoener 'er zwemmen nog meer vissen in de zee'. Verder kwam mijn moeder niet als ik liefdesverdriet had. Maar na dit verhaal zat ze opeens 's nachts aan mijn bed wanneer ik lag te gillen in mijn slaap. Alleen in mijn dromen voelde ik de pijn, om vervolgens alles wat ik kon voelen uit te zetten zodra ik wakker was. De komende twintig jaar.

27

IN LIEFDE EN OORLOG IS ALLES TOEGESTAAN

'Je vertelt het nogal onbewogen. Wat voel je erbij?'

'Niets. Ik heb het nog nooit aan iemand verteld.'

'Nog nooit?'

'Nee, ik ben thuisgekomen en schreef in mijn agenda: *Vanaf vandaag ben ik niet langer degene die ik was*. Ik heb het begraven en heb er nooit meer aan gedacht.'

'Waarom heb je er nooit over gepraat?'

Het is even stil. Ik kijk drs. Wüsthof in zijn mooie blauwe ogen. Ik hou mijn adem even in.

'Ik denk omdat ik me zo vreselijk schaam.'

'Door die schaamte heb je op alles wat er in je leven is gebeurd anders gereageerd. Ik denk dat je nooit meer van je hebt laten houden en daardoor nooit meer iemand dichtbij hebt laten komen. Niet zozeer door wat er is gebeurd, maar door de schaamte die je over jezelf voelt. Wat voel je als je denkt aan wat er is gebeurd die laatste avond in Montmédy?'

'Gebeurd is gebeurd. Ik voel er niet zoveel bij.'

'Laat ik je dan een andere vraag stellen. Wat voor gevoel heb je over jezelf overgehouden door wat er is gebeurd?'

'Over mezelf?'

'Doe je ogen eens dicht en denk aan die avond. Denk aan wat er gebeurd is en probeer te voelen hoe je je toen voelde.'

Ik slaak een diepe zucht en doe mijn ogen dicht. Ik ben weer in de garage.

'Ik geef mezelf de schuld. Dan had ik maar niet zo stom moeten zijn, dan had ik maar niks met hem moeten beginnen, ik had er niet naartoe moeten gaan, ik had de tekens moeten zien, ik heb het laten gebeuren, het is mijn eigen schuld. Ik voel me een slecht mens. Ik deug niet. Ik ben waardeloos. Ik ben lelijk. Niet de moeite waard. Vies. Goede, mooie mensen overkomt zoiets niet. Slechte dingen gebeuren met slechte mensen, dat denk ik. Ik neem het mezelf kwalijk dat het is gebeurd, dat ik op hem verliefd ben geworden. Ik heb me nog nooit zo alleen gevoeld, ik ben afschuwelijk, dat voel ik, ik voel dat ik afschuwelijk ben. Ik wil niet meer zijn wie ik ben.'

'Je was jong, je wist van niets, je kende het leven niet. Je bent veel te streng voor jezelf. Hoe voelde je je bij Damien?'

'Goed. Een goed mens. Mooi en waardevol. En zo heb ik me eigenlijk nooit eerder gevoeld bij een man. Voor het eerst van mijn leven voelde ik me niet alleen.'

'Zie je wat een cadeau hij is geweest? Door hem ben jij je anders gaan voelen over jezelf en ik denk dat je bent ingestort omdat je niet terug wilt naar hoe het was en je denkt dat je van hem afhankelijk bent voor dat gevoel. Maar het goede nieuws is dat dat niet waar is. Je kunt dat gevoel ook voor jezelf ontwikkelen. En dan is het van jou en neemt niemand je het meer af. Je eigen, innerlijke geliefde tot leven wekken. Je gaat leren van jezelf te houden en van jezelf te laten houden door je beschadiging te leren kennen en er niet meer bang voor te zijn.'

'Mijn beschadiging leren kennen?'

'Ja.'

Ik heb Patrick alleen gezien en meegemaakt terwijl we verliefd waren. We hebben nooit afscheid genomen. De laatste keer dat ik hem zag hadden we de liefde bedreven, althans in die veronderstelling leefde ik. Wat heb ik gedaan met die avond? Ik heb het weggestopt. Wat heb ik gedaan met mijn gevoelens voor hem? Ik heb het allemaal weggestopt. Ik ga mijn beschadiging leren kennen. Letterlijk. Ik ga Patrick opzoeken. Ik wil hem met mijn ogen van nu zien. Nieuwe informatie opslaan. Ik wil *Memories* maar dan anders. Hoe zie ik hem nu? Ik wil mijn computer updaten. Er zijn nieuwe updates beschikbaar, wilt u die nu installeren? Ja, ik wil.

'Door die gevoelens toe te laten kun je door je verdedigingsmechanisme heen breken. En dat is precies het mechanisme waarmee je je mannen uitkiest. Je kiest mannen uit met je verdedigingsmechanisme en niet met je hart. Ik denk dat alleen Damien je hart heeft geraakt, waardoor je je beschadiging bent gaan voelen en waardoor je het nu kunt helen. Je hart moest eerst breken om zich te kunnen openen. Begrijp je? En om jouw hart te breken, met al die dikke muren eromheen, daar was veel voor nodig.'

Ik knik en steek nog een macaron in mijn mond. Het duizelt me. Ik kijk op mijn horloge. Het uur is bijna om. Ik heb het koud.

'Eva?'

'Ja?'

'Het is jouw schuld niet.'

Ik begin te lachen.

'Hoe bedoel je?'

'Het is niet jouw schuld.'

'Ja, dat weet ik.'

'Het is niet jouw schuld.'

Hij zegt het zacht en kijkt me aan, hij staat op en loopt om het bureau heen en komt langzaam naar me toe.

'Het is niet jouw schuld.'

'Dat weet ik heus wel.'

'Het is niet jouw schuld.'

Hij slaat zijn armen om me heen.

Ik begin zachtjes te huilen.

'Laat maar gaan, gooi het er maar uit.'

'Het spijt me zo.'

Ik ben misbruikt. Vernederd. Besmeurd. Weggegooid. Mijn onschuld is me afgenomen, mijn kwetsbaarheid. Daarna heb ik nooit meer de moed gehad om iemand dichtbij te laten komen. Er laaide een diepe woede in mij die iedereen op afstand hield, een diepe angst die mij deed onderduiken zodra iemand toenadering zocht. Ik was niet meer dezelfde. En ik wilde niet zijn wie ik was. Ik was niet meer naïef. Ik was op een verkeerde manier wijs geworden. In een relatie vergeet ik van mezelf te houden. Ik hou alleen nog van de ander en zet mezelf opzij. Ik heb me nooit opengesteld. Niet alleen uit angst om gekwetst te worden maar ook uit schaamte, uit angst om gezien te worden en afgekeurd, afgewezen. En omdat ik mezelf zo opzijzet, voel ik mijn grenzen niet. Ik ben grenzeloos. Ik heb mijn best gedaan, alleen maar mijn best gedaan in plaats van me kwetsbaar op te stellen en het gezonde risico te lopen om verlaten te worden.

In liefde en oorlog is alles toegestaan.

Ik weet wat me te doen staat.

One of these days i'm gonna catch you offguard
I'm gonna tear your playhouse down
Pretty soon
I'm gonna tear your playhouse down
Room by room

– Ann Peebles

28

MONTMÉDY

Met mijn Kangootje rij ik richting Frankrijk. Desirée heb ik verteld dat ik naar Rungis ga, het voedselcentrum net buiten Parijs. Voor de liefhebbers van het goede leven, is de vroegmarkt van Rungis het paradijs. Het is de enige vroegmarkt in de wereld die een dergelijk uitgebreid palet van verse producten aanbiedt. Vis, vlees, kaas, fruit, groenten en bloemen worden met vrachtwagens aangevoerd naar deze 232 hectare grote markt. Ik ga er minstens één keer per jaar naartoe. Meestal wanneer ik het koken zat ben, wat met enige regelmaat gebeurt. Daar dompel ik me onder in producten zo fantastisch, zo prachtig dat mijn liefde weer opbloeit en ik met nieuwe energie verder kan. Ik ga ook naar Rungis maar ik heb Desirée er niet bij verteld dat ik een omweg maak via Montmédy. Er is geen reden om het haar niet te vertellen, maar ik heb er gewoon geen zin in. En wat zou ik haar moeten vertellen? Ik ga wraak nemen op mijn eerste liefde? Bovendien past het bij de missie die ik heb om het in het geheim te doen. Ik heb me geheel volgens de regels van het spioneren vermomd. Ik heb de donkerbruine Gina Carbonara-pruik opgedaan en groene contactlenzen gekocht. Als je iets doet, moet je het goed doen. Wanneer ik in de achteruitkijkspiegel kijk, schrik ik van mijn spiegelbeeld. De groene ogen steken fel af bij het bruine haar en accentueren de vele sproeten in mijn gezicht. Ik wil de onzichtbare observator zijn. Als ik als mezelf ga is er een kans dat ze me herkennen en word ik in de situatie gesleept, dan moet ik me tot de situatie gaan verhouden en dat wil ik niet. In vermomming hoef ik niet na te denken over de consequenties van mijn daden, ik kan mijn fantasie de vrije loop laten. Op het moment dat ik mijn vermomming afleg, zijn ze immers door een ander gepleegd en kan ik met een schoon geweten verder. Wat ga ik doen? Ik heb geen idee. Ik laat me verrassen door de situatie.

In mijn auto ligt altijd een klein Japans mes, voor het geval zich een onverwachte picknick voordoet, iets wat in Frankrijk niet ondenkbaar is. Met kazen en hammen op een heuvel onder een boom, vers stokbrood snijden en smikkelen maar. Zoals een klusjesman altijd zijn gereedschap bij zich heeft in de auto, zo heb ik altijd een mes bij me. Een pot mayonaise en een Global GS-2 Office-mes met een lemmet van dertien centimeter. Het is ooit achtergebleven in mijn auto na een klus en ik heb het een plekje gegeven in het dashboardkastje. Daar steekt het in een van de vakjes in het klepje, naast een klein maar fel zaklampje. Een slimme meid is op calamiteiten voorbereid.

Zal ik hem herkennen? Ik heb me nog niet eerder gerealiseerd dat het intussen weleens een vieze uitgezakte vent zou kunnen zijn. Halfblind van de pernod. Een buik. De meeste Franse mannen blijven er vrij goed uitzien, net als de Franse vrouwen trouwens. Het zou iets met het Franse eetpatroon te maken kunnen hebben. Ik heb weleens gelezen dat als wij in Nederland de aardappels met jus zouden laten staan, de hart- en vaatziekten drastisch af zouden nemen. Hij is nu begin vijftig. Hij was 28 en ik zeventien. Misschien is hij nog steeds *drop dead* aantrekkelijk. Je weet het niet. Misschien val ik weer voor hem met alle gevolgen van dien. Blijk ik de ezel die zich in het algemeen wel zeker een aantal keren stoot aan dezelfde steen. Blijkt de man een verleidingskunstenaar te zijn die mij weer om zijn vinger windt en alles met me doet waar hij al jaren van droomt, maar geen vrouw zo gek kan krijgen.

Herkennen ex-geliefden elkaar wanneer ze elkaar toevallig passeren op straat, als ze elkaar twintig, dertig jaar niet hebben gezien? In *Memories* herkennen ze elkaar altijd meteen, maar ja, dan weten ze dat hij eraan komt, dan is het geheugen opgepoetst en zijn ze erop voorbereid. Dan ligt hun beeltenis klaar en liggen de details van het gezicht vers in het geheugen. Het zijn de kleine details waardoor men een gezicht herkent. Een kleine knak in de neus, een lui oog, een licht flappend oor.

Ik heb op internet eerst gezocht op de naam Simson. Het bleek een doodlopend spoor. Daarna ben ik begonnen bij de basis en heb 'Montmédy Chatelain' gegoogeld. Ik had meteen beet. Mijn vermoeden over de valse achternaam klopte. Het heeft me precies drie minuten speurwerk gekost. Lang leve het internet. Ik kwam bij Hôtel Le Cheval Blanc uit. Inmiddels uitgegroeid tot een charmant boutique hotel met tien kamers. Het wordt gerund door het echtpaar Patrick en Ellen Chatelain. Blijkbaar hebben ze het hotel van Carla en Herman overgenomen.

So down memory lane I go. A sentimental journey.

Wat wil ik? Wat ga ik doen? Geen idee wat ik ga doen. Misschien praten. Dat is er nooit meer van gekomen. Nadat Ellen naast me op bed was gaan zitten en me had verteld dat ik was gebruikt als soatest had ik haar gevraagd of ze Patrick wilde vragen om nog even bij me langs te komen. Ik wilde nog even met hem praten. Om het af te sluiten. Hij is nooit gekomen. Of ze heeft het nooit gevraagd. Dat weet ik niet. Maar hij kwam niet. Ze heeft me op de trein gezet en is met me mee naar Nederland gereisd. Om er zeker van te zijn dat ik naar Nederland zou gaan. Ze heeft me nog net niet voor de deur afgezet. Ik realiseer me nu pas hoe bang ze voor me is geweest. Toen was ik alleen maar bang voor haar. Goed afsluiten is belangrijk, heeft Ernest gezegd. Patrick heeft me mijn kracht en mijn macht ontnomen en me vernederd. Dat kom ik terughalen. Ik kom mijn kracht en mijn macht terughalen. Ik wil iets in mezelf veranderen, ik wil iets afgooien, verwijderen, uitgummen, goedmaken. Ik wil... ik weet niet zo goed wat ik wil, ik weet wel dat de afloop die ik nu zal kiezen een andere zal zijn dan die ik meer dan twintig jaar geleden had gekozen. Dat is wat de tijd doet. Die verandert de loop der dingen, die verandert je kijk op de zaken, de tijd vervormt en laat je een andere blik op de zaken ontwikkelen. De tijd neemt je mee, trekt je dieper in je eigen ziel en laat je diepere wensen en vermogens zien.

Het is tien voor halfvijf in de middag wanneer ik Montmédy binnenrij. Ik passeer het Hôtel de Ville en rij de parkeerplaats op. Ik stap uit de auto en strek mijn rug. Het weer is zacht voor de tijd van het jaar. Ik haal een paar keer diep adem en snuif de geur op. De geur van verbrand hout in open haarden. Het hele dorp ruikt ernaar. Het is stil. Het hoogseizoen is voorbij. De citadel boven op de heuvel ligt er verlaten bij. De Franse vlag wappert dapper. Ik wandelde er weleens naartoe om de zwerfkatten die daar rondliepen eten te geven. Ik knoop mijn jas dicht, loop het plein over en wandel naar Café du Rivage, dat een terras heeft dat uitkijkt over het riviertje de Chiers. Het is troostvol dat sommige dingen niet veranderen. De pui is in een andere kleur geverfd, maar het heet nog steeds Du Rivage. Ik duw de deur open. Hetzelfde geluid, dezelfde geur. Het is alsof de tijd heeft stilgestaan. Het is een bruin café met Perzische tapijtjes op de tafels. Binnen zie ik geen bekende gezichten. Niemand die naar me kijkt of me opmerkt. Achter de bar geen ouder geworden bekenden. Ik ga aan een van de tafeltjes zitten en bestel een glas rode wijn. Ik zit moed te verzamelen. Ik zie ertegenop om naar het hotel te gaan. Misschien is het toch beter om door te rijden naar Parijs, in een lekker hotelbed te kruipen om morgenvroeg naar Rungis te gaan.

Ik wil mezelf bedwelmen en verdoven met smaken en geuren in plaats van de pijn van wat er ooit gebeurd is onder ogen te komen.

Het huis waar Patrick destijds woonde ligt wat hoger in het dorp net na een scherpe bocht. Even verderop is een grote boerderij met loslopende kippen en ganzen die vroeger regelmatig midden op de weg liepen. In de verte uitgestrekte weilanden. Ik parkeer een eindje verderop langs de kant van de weg en loop ernaartoe. Als ik achter me kijk zie ik het dorp beneden aan de heuvel liggen. Ik nader het huis. Er brandt geen licht. De lavendelblauwe luiken aan de straatkant zijn gesloten. Ik buig over het tuinhek en probeer door het keukenraam te kijken. Het huis ligt er vervallen en verlaten bij. Het is onbewoond. Ik doe het tuinhek open. Het sleept over de tegels. Ik til het op en loop de tuin in. Het onkruid staat hoog. Er ligt brandhout in de hoek. Een bijl leunt tegen de muur van het huis. Ik voel aan de deur van de garage, hij zit los. Na enig morrelen gaat hij open. Ik ben hier nooit meer geweest sinds *that odd and faithful night*. Mijn ademhaling versnelt, mijn hart begint te bonzen. Langzaam en rustig ademhalen, ik beweeg mijn ogen snel heen en weer van links naar rechts. Dat helpt tegen de paniek heeft drs. Wüsthof me geleerd. De garage is leeg op wat verroest gereedschap en wat blikjes verf na. Ik sta in het midden en draai een paar keer om mijn as. Zoals een hond een paar rondjes draait voor hij in zijn mand gaat liggen draai ik rond mijn as om mijn veiligheid te vinden, om er zeker van te zijn dat ik alleen ben. Dan begin ik te schreeuwen. Ik schreeuw om het huis tot leven te wekken, om het verleden tot leven te wekken zodat ik de afloop kan veranderen, ik schreeuw van woede, van machteloosheid, ik voel de machteloosheid die ik toen gevoeld moet hebben, ik voel de woede die ik heb weggestopt, de pijn, de vernedering. In de eenzaamheid van de kale verlaten garage kan ik het toelaten, hier waar het is gebeurd, hier mag het, hier wordt mijn herinnering waar, duw ik het niet langer weg en vergoelijk ik het niet langer, hier kan ik mijn innerlijke werkelijkheid voelen.

Ik voel me weggegooid, als een waardeloos ding weggegooid. Er is hier niemand die me ziet, alleen het huis, en het huis was altijd al getuige, daarmee durf ik het te delen, het huis weet als enige wat er gebeurd is. Als een bondgenoot is het ook verlaten en afgesloten. Het huis ziet eruit zoals ik me voel. Ik schreeuw net zolang tot ik op mijn knieën op de vloer lig, met mijn vuisten op de grond sla en met lange uithalen voor het eerst vanuit het diepst van mijn ziel begin te huilen.

Het lijkt wel alsof ik me nu voor het eerst veilig voel om het verleden terug te halen. Of misschien heeft het verdriet om Damien me zo uitgeput dat ik de kracht niet meer heb het nog langer binnen te houden. Ik heb verdriet om de vernedering, verdriet om het nooit meer zorgeloos verliefd kunnen worden. Ik ben nooit meer vol overgave verliefd geweest. Totdat ik Damien tegenkwam en alles anders was. Ik heb verdriet omdat ik nooit meer heb kunnen of willen geloven dat iemand van me hield. Ik heb nooit meer iemand vertrouwd en mannen uitgezocht die die vooringenomenheid bevestigden. Het was alsof er een defect was opgetreden in mijn hersens, een defect in mijn vermogen tot liefhebben. *Error, bestandsnaam bestaat al* en het downloaden van een nieuwe liefde kan niet plaatsvinden. Ik voel voor het eerst hoe ik mezelf heb afgeschermd, afstand heb gehouden, de liefde onmogelijk heb gemaakt uit zelfbescherming. Mannen heb uitgekozen om pijn te voorkomen, en mezelf daardoor juist heb gekwetst, maar je laten kwetsen door mensen die de moeite niet waard zijn, is altijd minder erg dan iets wezenlijks verliezen, iets verliezen wat mooi en waardevol is. Als je niets hebt, kun je ook niets verliezen. Het gaat om de durf, de moed iets te verliezen.

Het is waar wat drs. Wüsthof zei. Die moed heb ik nooit meer gehad. Ik heb me afgesneden van mijn gevoel uit angst om iets moois te voelen, maar vooral uit angst om het niet aan te kunnen het weer te verliezen. Ik ben bang geweest voor de angst. De angst doet pijn, doet meer pijn dan het verlies zelf. De angst gaat om mij, om hoe ik me voel, dat ik altijd zal verliezen want ik ben niet de moeite waard, iets in mij is gebroken en kan niet meer vertrouwen, geloven dat iemand bij mij zal willen zijn. Ik wil het niemand aandoen, ik duw iedereen weg, uit liefde voor de ander. Ik wil niemand met mezelf opzadelen. Ik gun iedereen iets beters. *'Some people are afraid of the summer because they know the winter will come.'*

29

HÔTEL LE CHEVAL BLANC

Het bordje HÔTEL LE CHEVAL BLANC met vijf sterren staat een aantal keren langs de weg met hoge bomen aan weerszij. Ik draai linksaf het terrein op. Mijn hart bonst. Ik kijk weer in de achteruitkijkspiegel. Wat als hij me dwars door de vermomming herkent? Me vrolijk en zich van geen kwaad bewust verwelkomt? Ach, in dat geval ben ik een excentrieke vrouw geworden die er lol in heeft om er soms een beetje anders uit te zien, een vrouw die af en toe een vakantie van zichzelf neemt door een pruik op te zetten. Ik til mijn koffertje uit de kofferbak en loop over het kiezelpad naar de ingang. Ik moet doen alsof ik hier voor het eerst ben. Ik kijk omhoog naar het gebouw. Het gebouw lijkt terug te kijken en te knikken, blij me te zien. Ben je daar dan eindelijk, ik had je eerder verwacht. Hoe is het met jou, met mij gaat het goed. Ik glimlach. Het is een lief gebouw. Dit gebouw is altijd goed voor me geweest. Dat heb je soms met gebouwen, die zijn lief voor je, daar hangt een sfeer en energie die je gunstig gestemd is. Hier ben ik gelukkig geweest. En het is alsof ik zo mijn verleden in kan stappen, omdat het zo ongelofelijk weinig veranderd is. Maar dat is niet zo. Het heeft nu vijf sterren. Het is gemoderniseerd, aangepast aan de moderne eisen. Het zwembad is in werking. De tuin is bijgehouden. Zo rommelig als het toen was zo keurig is het nu.

De voordeur van het hotel staat open. Ik druk op het belletje van de receptie. *Kling*. Het echoot door het trappenhuis. Ik kijk om me heen.

Een boutique hotel heeft de luxe van een hotel terwijl het de sfeer uitstraalt van een guesthouse. Rust staat hier hoog aangeschreven, stond er op het internet. Het is klassiek en rustiek ingericht. Het restaurant heeft een 'Bib Gourmand', een aanduiding van Michelin die aangeeft dat het een voordelige en goede maaltijd serveert. Hertengeweien hangen aan de muur naast schilderijen van jachttaferelen. Patrick hield van de jacht.

Eenvoudig, romantisch en smaakvol, ik kan niet anders zeggen. Aan de rechterzijde, de tuinzijde van de receptie, is het restaurant, met een terras dat in de winter wordt omgebouwd tot serre. Aan de linkerzijde van de receptie was altijd het kantoortje met de keuken ernaast en aan het lawaai te horen is dat nog steeds zo. Vanuit het restaurant is er een ouderwetse klapdeur naar de keuken. De deur van het kantoortje gaat open. Een vrouw van middelbare leeftijd met afhangende mondhoeken verschijnt. Ze heeft kort bruin haar, keurig in model geföhnd. Veel gouden ringen aan haar iets te dikke vingers. Aan de rechterhand wat nicotinevlekken op haar wijs- en middelvinger. Ze kijkt me aan. Mijn hart stokt in mijn keel. Heel even vergeet ik dat ik een pruik op en groene lenzen in heb. Ik knipper met mijn ogen. Er zit een vuiltje achter mijn linkerlens.

'*Excusé*,' mompel ik en begin aan mijn ooglid te trekken in de hoop dat het vuiltje met wat traanvocht weg zal spoelen. Als mijn lens er nu maar niet uit valt. Gelukkig beschik ik over een zeldzaam talent: ik kan één oog dichtdoen terwijl het andere gewoon doorgaat alsof er niets aan de hand is. Met één oog dicht zeg ik: '*J'ai fait une réservation.*'

Met één oog dicht is de kans in elk geval nog kleiner dat ze me herkent.

'*Un moment s'il vous plaît. Votre nom?*'

'Desirée Neely. N-e-e-l-ie-Grec.' Het lijkt me beter mijn echte naam niet te gebruiken. Hij gebruikte zijn echte naam immers ook niet. Ik ga de vijand met zijn eigen wapens bestrijden. Zei ik bestrijden? Ik bedoel natuurlijk observeren.

Ik heb geen idee of ze zich mijn naam zal kunnen herinneren. Geen idee of ze zich mij überhaupt kan herinneren. Misschien was het een incident, iets onbelangrijks. Misschien was het een voorval zoals er zovele zijn geweest. Ik heb geen idee hoeveel gewicht ik in de schaal van het huwelijk tussen Patrick en Ellen gelegd heb. Ik vermoed niet al te veel anders zouden ze wel uit elkaar zijn. Al kan ik me niet aan de indruk onttrekken dat het voor Ellen misschien best een goed idee zou zijn, scheiden. Die omlaaghangende mondhoeken en verticale lijnen op haar wangen voorspellen niet veel goeds. Stond er op internet niet iets over een gemoedelijke en ontspannen sfeer? Er doemen beelden in me op van Basil en Sybil in *Fawlty Towers*. Ik onderdruk een lach. Ze heeft hetzelfde uitgestreken gezicht als Sybil. Professioneel. Beheerst. Keurig. *Impeccable.* Doodongelukkig.

Ondertussen kijkt ze in de computer en heeft ze mijn reservering gevonden. Ik heb een e-mail gestuurd en een standaard e-mail teruggekregen, ondertekend met 'uw gastvrouw, Ellen Chatelain'. Mijn reservering werd bevestigd nadat ik had betaald met de creditcard van de zaak. Zoals de waard is, vertrouwt hij zijn gasten.

Haar nagels zijn roodgelakt. Ik wrijf voorzichtig in mijn oog en stel me voor dat ik haar zo dadelijk aankijk terwijl er een groene lens aan mijn wimpers hangt. *Excusé enchantée.*

'U hebt om een kamer op de bovenste etage gevraagd?' Ze kijkt me onderzoekend aan met haar lichtgrijze ogen. Alsof ze wil peilen waarom iemand in godsnaam op de bovenste etage zou willen slapen.

Ik zou kunnen zeggen: 'Ja, want vermoedelijk is dat het goedkoopst.' Maar dat klinkt benepen zuinig en bovendien is het de waarheid niet. Ik wil mijn oude kamertje bekijken. Je doet een *sentimental journey* of niet natuurlijk. Ik zou ook kunnen zeggen dat ik het – heel gek – in deze contreien prettig vind wanneer er niemand boven me slaapt. En met Ellen in de buurt is dat zeker geen slecht idee. Maar ik ben bang dat ik dan te veel moet uitleggen. Ze zou het niet begrijpen, onze kleine Ellen die er toch verdraaid – ja, ik zeg het eerlijk en zeker en vast objectief – een stuk ouder uitziet dan haar leeftijd. De tijd is niet goed geweest voor Ellen. Ja, ja, dat heb je ervan.

'Ik kijk graag ver weg en ik kijk graag in het groen van de bomen,' zeg ik.

Ze knikt. 'Het is mooi hier, ja.'

Ze had net zo goed kunnen zeggen: 'Het is een mooi boek maar ik heb het al uit.'

Ik steek mijn hand uit. 'Desirée, enchantée.' Ze kijkt verbaasd naar mijn hand: 'oeh bah vies beest' ligt er op haar gezicht te lezen, maar ja, een nieuwe gast die poeier je niet met een vies gezicht af, dus neemt ze voorzichtig mijn hand voor de helft in de hare en schudt hem licht terwijl er een minzaam lachje op haar gezicht verschijnt: 'Ellen.' Ze spreekt het uit als Ellân. Ze is het hypercorrigeren nog niet verleerd.

Om maar meteen met de bij de hoorns gevatte koe in huis te vallen vraag ik: 'Is de eigenaar aanwezig?'

Ze kijkt me koel aan.

'Ik ben de eigenaar.'

'Ah.'

'Samen met mijn man.'

'O.'

Onze Ellen laat zich niet snel verleiden tot een kletspraatje. In een opwelling zeg ik: 'Ik werk namelijk voor het Nederlandse blad *Delicious*, een blad over lekker eten voor de ware liefhebber, ik schrijf over eten en ik zou graag een artikel schrijven over uw keuken. Ik heb op internet gelezen dat het eten hier uitstekend is, u hebt al jaren een Bib Gourmand, toch? Ik zou graag uw chef-kok interviewen.'

Om hem een paar mooie recepten te ontfutselen. En wie weet wat ik nog meer met hem doe.

'Mijn man heeft de supervisie over de keuken, hij heeft jaren in de keuken gestaan, maar nu werkt hij nog maar twee dagen.'

Is dat een ja of een nee? Of een: nee, de chef-kok kunt u niet interviewen maar mijn man de supervisor wel?

'Dan zou ik heel graag uw man interviewen. Zou dat mogelijk zijn?'

'Het was fijn geweest als u ons dit bij uw reservering had laten weten, dan hadden we er rekening mee kunnen houden. U overvalt me hier wel een beetje mee.'

Ellen is streng en geeft ferm haar grenzen aan. Ik kan nog wat van haar leren.

'Het spijt me dat ik u hiermee overval. De artikelen zijn normaal gesproken gericht op de Nederlandse keuken maar ik ben zo onder de indruk van de uitstraling van dit hotel, ik heb net buiten de veelbelovende menukaart bekeken en opeens bedacht ik dat ik het nuttige met het aangename kon combineren.'

I smother her with love.

'Kent u het blad?'

'Nee, ik ken het niet.'

Gelukkig.

'U bent toch Nederlandse, heb ik dat niet gelezen op de site?'

'Ja,' ze schakelt moeiteloos over op het Nederlands, 'maar ik ben nog maar zelden in Nederland, ik concentreer me op Franse bladen.

Die vind ik interessanter.' Ze zegt het met een zuinig trekje om haar mond.

'Uw uitspraak is werkelijk voortreffelijk.'

Op de Utrechtse tongval na dan.

'Dank u.' Er verschijnt een klein glimlachje op haar gezicht. Ah, ja, gevoelig voor complimentjes, die krijgt ze te weinig natuurlijk.

'Ik verwacht hem straks thuis, ik zal het hem vragen.'

Ja, doe dat.

'Heel graag, dank u. Hij werkt vanavond niet, begrijp ik?'

'Nee, hij werkt alleen op zondag en maandag wanneer onze chef vrij is.'

Het is vandaag donderdag en ze verwacht hem straks thuis. De Sherlock Holmes in mij is ontwaakt. Ik ben in het hol van de leeuw terechtgekomen. Mooi zo. Kom Watson, we hebben het een en ander uit te pluizen.

'U woont in de buurt?' Ik ga onverdroten door met vrienden maken, het feit dat Ellen aan alle kanten uitwasemt dat ze geen zin heeft in prietpraat met de buren sla ik voor het gemak even over.

'Wij betrekken een appartement in het hotel, ja.'

'Ah.' Komt dat even wonderschoon goed uit.

'In het hotel?' herhaal ik brutaal met de nadruk op 'in.' Ik maak een grote cirkel met mijn rechterarm waarmee ik de vraag over waar precies dat appartement zich bevindt uitdruk. Ze blijft me stoïcijns aankijken. Ik laat me niet uit het veld slaan. Ik ben immers journaliste en die mogen alles vragen.

'Woont u in een van de hotelkamers?'

Op domme vragen krijg je vaak goede antwoorden. Ze lacht een minzaam lachje.

'Nee, we wonen in een appartement dat aan het gebouw is gebouwd.'

Zijn er kinderen? Een hond? Katten? Konijnen? Hamsters? Dode konijnen? Kasten met skeletten erin? Hangen er dode, illegaal afgeschoten varkens in de schuur te besterven? Hoe goed is je huwelijk? Hoe is het met de seks gesteld? Wordt er nog een beetje van bil gegaan in huize Chatelain? Ik kan de gekste vragen bedenken maar ik hou het even voor gezien.

'Wilt u vanavond in het restaurant eten?'

'Heel graag.'

'Dan verwachten we u om halfacht in het restaurant. We beginnen met een aperitief, om ongeveer acht uur wordt het menu opgediend. Alle gasten eten tegelijkertijd.'

Bon.

Ik krijg een sleutel, een echt hele ouderwetse sleutel met een gouden, weliswaar beduimeld maar toch, kwastje eraan. Wel zo charmant, want laten we eerlijk zijn: zo'n kaartje dat je in het slot moet steken, ik kan er niet aan wennen. Bij een hoteldeur hoort een sleutel. Een sleutel die hangt aan een bord achter de receptionist. Zodat je precies kunt zien wie er op zijn kamer is en wie niet. Zo hoort dat, dat is de aardigheid van een hotel, dat je anoniem bent maar mocht je je vervelen dan kun je altijd nog de andere hotelbewoners bespieden. Zo zien we dat in films en zo willen we dat in het echt terugzien. En gezien het feit dat ik me in de film *Sherlock Holmes en de zaak Simson* bevind, moet alles zijn zoals in de film. Net als in de film, ik wil het. Dat hebben ze in elk geval goed begrepen. Een klein hotel is overzichtelijk, in deze streek komt nauwelijks criminaliteit voor, en als je echt kostbare zaken bij je hebt dan kunnen die in de kluis die in het kantoortje naast de keuken staat. Ik krijg de sleutel van kamer nummer 9.

Ik denk dat ik de rest van mijn leven doorga met een pruik op mijn hoofd. Verlost van mezelf. Verlost van het voortdurende besef dat andere mensen registreren wat ik doe. Met een pruik op, vermomd, registreren ze het nog steeds maar ik ben er niet meer. Ik heb de grote verdwijntruc op mezelf toegepast. Ik kan het iedereen aanraden.

Als Eva voel ik me hier op mijn hoede en een beetje bang, maar als Desirée met halflang bruin haar en groene ogen is er niets aan het handje. Ik kan doen wat ik wil en me net zo misdragen als Desirée zou doen als ze een weekendje weg was in haar eentje. Wat zou Desirée in mijn geval doen? Interessante vraag.

Ik sleep mijn trolleykoffertje op wielen achter me aan de drie trappen op. Mijn oude kamertje is uitgebroken en samengevoegd met het andere personeelskamertje. Het zolderraampje is vervangen door een groot raam. Het is nu een mooie ruime kamer met eigen badkamer en een balkonnetje waarop je uitkijkt over de tuin. Ik zet de balkondeuren open. Een frisse wind waait door de kamer. Ik laat me achterover op bed vallen en kijk naar het bewerkte plafond. 'Hallo,' zeg ik hardop, 'hoe is het nou? Lang geleden. Je ziet er goed uit. Je hebt de tand des tijds goed doorstaan.' *Unlike Ellen*. Ik grinnik. Ik sla het bed open en voel aan de lakens. Kamgaren. Heerlijk zacht.

Ik sta op, kleed me uit, doe de pruik af en stap onder de douche. Ik trek andere kleren aan. De zwarte wollen jurk met de hoge col. Ik borstel mijn haar ondersteboven hangend. Het is een weldadig gevoel nadat het de hele dag onder de pruik heeft gezeten. Wat rouge op de wangen, een beetje meer eyeliner op het bovenste ooglid, rode lippenstift en ik doe de pruik weer op. Ik trek een dikke zwarte panty en mijn Chloé-laarzen aan. Mijn grote zwakte. Laarzen. Gekocht op net-a-porter.com waar ik zo min mogelijk naartoe surf omdat het me mijn creditcard doet trekken en ik veel te vaak, veel te veel geld uitgeef. Ze zijn zwart met kwastjes aan de achterkant. Met een lekkere hak die elegant is maar niet zo hoog dat je er alleen met over elkaar geslagen benen mee kunt zitten. Deze laarzen lenen zich voor het betere speurderswerk. Ik zet een zonnebril achter mijn oren in mijn haar. Ik ga maar eens een wandelingetje maken door de tuin.

De deur valt achter me in het slot en ik spits mijn oren. Ik heb zin om net als Sherlock Holmes op mijn tenen door het hotel te sluipen, om met mijn rug langs de muren te glijden en voorzichtig met alleen mijn hoofd om de hoek te kijken.

Ik wil weten waar ze wonen. Tralalalala, zing ik opgetogen vanbinnen. Waar is wat? Waar is wie? Eens even kijken, die deur aan de overkant van de gang, is dat nog steeds een appartement? Wordt het verhuurd? Ik voel aan de deur. Hij zit op slot. Ik leg mijn oor tegen de deur te luister. Stilte. Misschien is het de bruidssuite geworden.

Ik loop de tuin in. Er ligt een dik pak bladeren. Ik ben dol op de herfst. Er staat een lage najaarszon die de tuin overspoelt met prachtige herfstkleuren. Terwijl ik de bladeren wegschop wandel ik naar het zwembad. Het is leeg en overspannen met een dekzeil. Daarbovenop ligt een dikke laag dode herfstbladeren. In de hoek van de tuin staat een kleine grasmaaimachine. Ik loop naar het tuinhuisje en zet mijn handen naast mijn ogen om naar binnen te kunnen kijken. Het is een opslagplaats voor terrasstoelen en tafeltjes en andere tuintierlantijnen. Ik draai me om en kijk naar het hotel. Op dat moment draait er een auto het terrein op. Niet aarzelend zoals een nieuwe gast zou doen maar driftig, gehaast en trefzeker.

Ik zet mijn zonnebril op mijn neus. Een man stapt uit. Ik voel mijn blik verstarren en mijn lichaam verstrakt zich. Kan niet missen, dat moet hem zijn en hij is niets veranderd. De Griekse neus, de hoge jukbeenderen. En de sieraden. Zilveren armbanden en leren bandjes om zijn polsen. Er glinstert iets op zijn borst. Het gouden plakje. Hij heeft het nog steeds om. Flitsen. Flitsen van herinneringen die door mijn hoofd schieten. Een open geknoopt overhemd, dat over zijn jeans hangt. Een polstasje. Verrek. Hij draagt nog steeds een polstasje. Is er een revival van de jaren zeventig in de herenmode? Of lopen alleen Franse mannen nog met een koket polstasje? Wie is hij nu? Misschien heeft onze Patrick zich wel ontwikkeld tot een uiterst aimabel, liefdevol, empathisch, invoelend mens en een loyale en be-trouwbare partner. Met het klimmen der jaren mag een man allicht wat milder worden. En banger om alleen gelaten te worden. Mannen van boven de vijftig kunnen als een blad aan de boom omslaan en opeens schoothondjes worden, alleen maar uit angst om alleen dood te gaan. Want de dood gaapt, krabt zich op de kont en maakt zich klaar om toe te slaan. Hij is nog steeds aantrekkelijk. Eerlijk is eerlijk. Hij loopt het hotel in zonder acht te slaan op de vrouw in de tuin.

Via de serre betreed ik het restaurant en zoek een tafeltje bij het raam uit. De open haard brandt. Kaarsen, linnen tafelkleden, nep-orchideeën op tafel, houten vloer, gepast muzakje op de achtergrond en een serveerster in het zwart met een – kom er maar eens om in Amsterdam – wit, halfrond schortje afgezet met een kanten randje legt de menukaart op tafel en vraagt of ik het huisaperitief wil. Een ouderwetse kir. Op basis van echte champagne en niet die verma-ledijde prosecco. Er gaat niets boven echte champagne met florale noten, krachtig, rijk aan fruit maar vooral met stevige bubbels. Ik nip aan mijn kir. Het begint donker te worden. Ik kijk naar mijn spiegelbeeld in het raam. Ik herken mezelf nauwelijks.

Er golft een groot geluksgevoel door me heen.

Laten we de kaart eens even bekijken.

Wildsoep
Knolselderijsoep met geroosterde pompoen met truffelolie
Salade met hertenham, uienchutney en gebakken bospad-
denstoelen

*Carpaccio van wild zwijn geserveerd met een frisse salade
en vossenbessendressing*

*Herfststamppotje met spruitjes en cantharellen
Hertenbiefstuk met vossenbessensaus
Hazenrugfilet met saus van pinot noir
Eendenborstfilet met een saus van bramen en een gekara-
melliseerd witlofje
Fazant gevuld met bospaddenstoelen met zuurkool en dragon-
saus
Stoofpotje van wild zwijn met veenbessensaus*

Het jachtseizoen is geopend.

Waar heb ik zin in? In wild zwijn. In de christelijke iconografie is
een everzwijn het attribuut van de gepersonifieerde wellust. Wel zo
toepasselijk. Een everzwijn, bij Toutatis!

Daarna neem ik een lekkere ouderwetse onovertroffen Irish coffee. Bij wild hoort een Irish coffee, zo besluit ik vandaag. Niet bijzonder, maar wel lekker. Met halfgeslagen ongezoete room, precies
goed. Er wordt een bakje mokkaboontjes bij geserveerd. Niet bijzonder, maar wel lekker.

Net als ik verdiept ben in het wonder van een Irish coffee zegt er
iemand tegen me: 'U wilde me spreken?'

Ik kijk op in het gezicht van Patrick. Mijn hart staat stil. Ik heb zo
weinig aan hem gedacht de afgelopen jaren, en nu staat hij opeens
voor me, dat is op z'n zachtst gezegd best een beetje raar.

Ik open mijn mond en in een *split second* vergeet ik mezelf en wil
ik 'hee hoi hai' of iets anders amicaals zeggen. Ik schraap even mijn
keel, excuseer me en terwijl ik mijn hand uitsteek zeg ik: 'Desirée
enchantée.'

'Wat een grappige achternaam.'

Hij maakt een grapje. Ik kan me niet herinneren dat hij gevoel
voor humor had.

'Heeft uw vrouw verteld dat ik u wil interviewen?'

'Zullen we elkaar tutoyeren?'

'Maar natuurlijk.'

Ik kijk hem in zijn ogen. Ik herken hem. Ik weet nog wie hij is.

'Mag ik?' Hij wijst naar de stoel tegenover me.

'Ja, natuurlijk, ga je gang.'

Hij neemt plaats.

'Mijn vrouw vertelde dat je een stuk wilde schrijven over ons.'

Dat heeft ze dan niet goed begrepen, ik heb geen enkele behoefte om haar te spreken, ik wil jou spreken. Onder vier ogen.

'Ja. Ik ben geïnteresseerd in eten en koks in het algemeen en zou je graag interviewen, over je kijk op eten en dergelijke. Ik maak een serie artikelen over de goede eenvoudige keuken. Ik heb vanavond overigens heerlijk gegeten.'

'Dank je. Wat heb je genomen?'

'Ik heb voor het wild zwijn gekozen. Ik ben dol op wild. En vooraf had ik de knolselderijsoep. Het was bijzonder.'

'Dank je.' Hij glimlacht. Er ligt iets droefs in zijn blauwe ogen.

'In welke kamer logeer je?'

'Kamer 9, lekker hoog, lekker stil.'

'Ja. Dat is zo. Ik kan wel kijken of een van de luxere kamers vrij is, dan kun je daar je intrek nemen.'

Niets. Geen, ah ja, ik heb bijzondere herinneringen aan die kamer, geen licht in zijn ogen, niets. De herinnering aan mij is dood. Ik ben verstopt in een kluis in zijn hoofd, ik hoor bij iets waar hij niet aan terug wil denken. Maar de beerput zal opengaan, hij zal eraan moeten geloven.

Ik kijk naar zijn gezicht en ik kan er niets aan doen maar ik voel tranen opwellen, ik wil wegrennen, ik voel van alles wat ik niet wil voelen.

Dat kleine beetje ijs in mijn hart, donker ijs was het, zwart bevroren, misschien heeft hij het een ogenblik doen smelten en had ik daardoor die wilde dromen.

Een zin die ik me herinner uit een gedicht dat ik voor hem heb geschreven. Zou hij het nog hebben? Het zich herinneren? Misschien is het een idee als ik opsta en het nu ten overstaan van alle gasten declameer en kijk wat zijn reactie erop zal zijn? Ik weet wat ik wil. Ik wil een herinnering kapotmaken, veranderen. Veranderen in realiteit. Mijn huidige realiteit.

Ik kijk hem recht in zijn gezicht aan.

'We kunnen het interview nu wel doen, als je wilt,' zegt hij.

'Liever morgen als het je uitkomt. Ik heb nu al wat wijn op en ik ben moe. Bovendien vind ik het prettig om het op een rustige plek te doen, onder vier ogen, zodat ik me goed op het gesprek kan concentreren.'

'Ja, dat moet wel lukken.'

Hij kijkt naar mijn borsten die door de zwarte wollen jurk worden omsloten.

'Na het ontbijt? Om een uur of twaalf?'

'Prima. Je vrouw zei dat jullie in het hotel wonen, wat moet ik me daarbij voorstellen?'

'We hebben een paar jaar geleden de bibliotheek hiernaast uitgebroken en er een stuk aan laten bouwen. Waarom kom je morgen niet naar het appartement, daar zitten we rustig.'

'Uitstekend idee.'

Precies wat ik in gedachten had.

Boomshakalaka.

30

CONTACT

Na het ontbijt ga ik naar het appartement aan de achterzijde van het hotel. Met mijn laarzen aan wandel ik door de tuin en schop de gekleurde herfstbladeren voor me uit. Ik zit in het najaarszonnetje op de rand van het bedekte zwembad. Ik kijk op mijn horloge. Het is kwart over elf. Misschien nog wat vroeg. Ik wandel het bos in om me voor te bereiden op het gesprek zonder goed te weten wat ik met dat gesprek zou willen aanvangen. Het lijkt of ik in een tijdmachine ben gestapt om een episode uit mijn leven opnieuw te bezoeken en de afloop te veranderen. Ik ga hem weer verrassen maar deze keer ben ik voorbereid. Ik stel me voor hoe ik met een dramatisch gebaar de pruik afdoe, mijn masker aftrek en mijn ware gezicht laat zien. Ik wil met hem doen wat hij met mij heeft gedaan. Oog om oog, tand om tand. Verkrachten. Vernederen. Bezoedelen.

Boven op mijn kamer onderwerp ik mezelf aan een laatste inspectie. Ik trek mijn laarzen uit en stap in mijn zwarte lakpumps. Er zit nog steeds een kloddertje prinsessenglazuur op de rechterschoen. Ik hou de schoen onder de warme kraan, laat het glazuur smelten en poets het eraf. Het laat een dof plekje achter. Ik heb de zwarte wollen jurk aangetrokken, hij komt tot net boven de knie, een rood korset met jarretelles eronder. Zwarte kousen. En de pruik. Ik heb mijn haar er los onder gepropt. Ik heb het van achteren vastgepakt, de staart een slag omgedraaid, op mijn hoofd vastgehouden en daar de pruik over-heen gezet. Lenzen, eyeliner, rode lippenstift en een sterk hart. Nooit een ex onder ogen komen zonder tot de tanden gewapend te zijn.

Ik loop heupwiegend en neuriënd de gang door naar het apparte-ment. Halverwege maak ik een klein danspasje. Voor de deur van het appartement houd ik stil. Ik kan nog terug. Ik hoor stemmen. Opgewonden stemmen. Ruzie. Een heuse Franse ruzie. Ik hou mijn oor tegen de deur. Ik hoor hem vloeken en haar krijsen. Gezellig. Het is een gezellige boel bij de familie Chatelain. Misschien nog maar even wachten. Ik wandel terug de gang in en blader wat in de folders die op de receptie staan. Een plattegrond van Montmédy, een folder met bezienswaardigheden en openluchtactiviteiten. Even later loopt Ellen met een boos gezicht langs de receptie de deur uit. Ik zeg haar in het voorbijgaan gedag en ze knikt professioneel terug, met een flauwe glimlach, omdat het moet, omdat ik gast van het hotel ben en ze op de hogere of lagere hotelschool heeft geleerd dat ze altijd voorkomend moet zijn tegen haar gasten, maar van harte gaat het niet. Ze stapt in haar Suzuki Vitara. Ik zet de foldertjes terug in het houdertje en loop naar het appartement. Voor de deur haal ik een paar keer diep adem. Ik klop.

De deur wordt met een ruk opengedaan.

'Afgekoeld?'

'Sorry?'

'O, ben jij het.' Hij gaat met zijn hand door zijn haar. Hij heeft zich niet geschoren, zijn haar zit in de war, ik ruik een zweem van alcohol.

'Ben ik te vroeg? Zal ik straks even terugkomen?'

'Nee, nee, kom binnen. Ik verwachtte iemand anders, maar kom binnen.'

Ik ga naar binnen. Ik kijk naar het kettinkje om zijn nek met het yin-yangteken. Ik was yin en hij was yang, fluisterde hij in mijn oor in die zwoele zomernachten. Als iemand het nu tegen me zou zeggen zou ik schaterlachend wegrennen. Maar destijds maakte het indruk. Ik was een kind. Ik had geen benul.

Hij heeft een trillend spiertje bij zijn oog.

Ik strijk met mijn handen over mijn heupen mijn jurk glad. Ik ben geen kind meer. Ik ben een tot de tanden gewapende vrouw en als ik mijn mond opendoe kan ik twee lange hoektanden laten zien. Ik heb dorst. Zijn ogen glijden met mijn handen mee. Ik kijk hem glimlachend aan.

'Wil je wat drinken?'

'Nou graag.'

'Wat?'

'Wat?'

'Ja, wat wil je drinken?'

'Wat heb je?'

'Campari, witte wijn, grappa, je kunt het zo gek niet bedenken.'

'Nee, het is me nog te vroeg voor een drankje. Een kopje koffie, lukt dat?'

'Een kopje koffie, komt eraan.'

Voor hij wegloopt om de koffie te halen glijden zijn ogen nogmaals over mijn lichaam. Hij is nog steeds een liefhebber. Ook dat komt goed uit. Langzaam ontvouwt zich een plan in mijn hoofd.

Wit leren bankstel, een groot lcd-scherm, dezelfde neporchideeën als in het hotel.

Plavuizen op de vloer. In het midden van de vloer ligt een koeienvel. Een open haard. Brandhout ernaast gestapeld. Kranten op de vloer. Wat reproducties van romantische natuurtaferelen aan de wand en een foto van Patrick waarop hij een kleurige fazant bij de poten omhooghoudt. Een treurig kijkende hertenkop hangt boven de haard.

'Zelf geschoten?' vraag ik naar de bekende weg.

'Ja, inderdaad. Ook het vlees dat we in het restaurant serveren heb ik zelf geschoten.'

'Zo, zo.'

'Ja.' Hij lacht verontschuldigend, blijkbaar in de veronderstelling dat de meeste vrouwen griezelen van het jagen op onschuldige diertjes. Maar ik vind de bio-industrie vele malen misdadiger. Als je toch vlees eet, gaat er niets boven wild. Je eet een gezond dier dat vrij van antibiotica en niet doorgefokt is, en dat tot zijn plotse dood een normaal leven heeft kunnen leiden. Milieuvriendelijker en ecologisch verantwoorder vlees is er niet.

'Ga zitten.'

'Dank je.'

Ik neem plaats in een wit leren stoel, sla mijn benen over elkaar en laat mijn rechterbeen wat heen en weer zwaaien.

'Is je vrouw er niet?' vraag ik terwijl hij in de open keuken met serviesgoed in de weer is.

'Nee, die is even boodschappen doen in het dorp. Ze zal zo wel komen.'

Mooi. Dat komt goed uit. Ik zwaai weer wat met mijn been en bewonder mijn zwarte lakpump. Mooi glanzend gepoetst met een klein dof plekje.

Ik kijk naar hem terwijl hij koffiezet. Ik herken zijn concentratie. Wat ga ik doen met 'Simson', de grootste plakker van Nederland? Praten? Ik denk niet dat het zin heeft om te praten. Dat hebben we bij Oscar gezien. Dat wordt draaien en liegen. Misschien kan hij het zich niet eens herinneren. Een herinnering vervormt in het geheugen van mensen. De dingen worden groter of kleiner, belangrijker of juist onbenulliger.

Mijn iPhone. Waar is mijn iPhone waarmee ik het interview kan opnemen? Ik zou bijna vergeten dat ik een journaliste speel. Ik rommel in mijn tas. Ik vind van alles, een lippenstift, een verloren gewaande handschoen, een plastic douchemuts, haarspeldjes, een toupeerkam, een klein zwart aantekenboekje dat ik voor mijn telefoon aanzie, een tube contactlijm, ach wat stom, die zit nog steeds in mijn tas en het porseleinen schaaltje ligt nog steeds in twee stukken in de badkamer, en dan ah, daar is mijn iPhone. Onwillekeurig check ik mijn berichten. Nog iets gehoord van Damien? Geen berichten.

Ik leg mijn telefoon op tafel en gooi de andere spulletjes weer in mijn tas. Ik kijk naar de tube lijm in mijn hand. Simson. De grootste plakker van Nederland. Ik heb een idee. Ik leg de tube op tafel.

Hij komt de kamer binnen met een dienblad en twee kopjes koffie erop. Daarnaast staan twee kleine glaasjes en een fles.

'Ik heb er toch maar iets sterkers bij gedaan. Daar heb ik wel behoefte aan. Het is een amandellikeur. Hou je daarvan?'

'Ik ben dol op amandellikeur.'

'Mooi. Ik ook. Het is iets wat ik zelf maak. Distilleren is een hobby van me. Distillatie is voor mensen die een kwaliteitsproduct willen maken. Kwaliteit is alles. Als je alcohol met een slechte smaak gebruikt voor het maken van een likeur, zal het eindproduct ook slecht smaken en wie wil er nu likeur met een slechte smaak?'

'Niemand.' Ik zeg het wijs en alsof ik geïnteresseerd ben.

'En een klein glaasje kan geen kwaad, dat maakt de tongen los, nietwaar?'

Inderdaad. En wie weet wat nog meer. Met mijn veronderstelling dat hij aan de drank is gegaan zit ik er niet ver naast. Het is halftwaalf in de ochtend. Maar goed, er zit altijd wel ergens een vijf in de klok.

Hij zet de koffie voor me neer. Samen met het glaasje en een schoteltje mokkaboontjes.

Het zijn kleine dingen die ik me herinner van die avond. Zijn adem die naar kauwgom rook. Zijn aftershave. Chanel pour hommes. De geur van Gitanes. Het gouden plakje om zijn hals dat tegen mijn kin tikte.

'Ik maak ook eau de vie.' Hij zegt het als een kind zo blij. Eindelijk zit er een vrouw tegenover hem die bereid is te luisteren.

'Eén momentje, dan zet ik de recorder aan. Dit zijn leuke dingen om in het artikel te verwerken.' Ik stel de recorder in.

'Hij loopt.'

Ik buig voorover naar het schaaltje mokkaboontjes.

'Ook zelfgemaakt?' vraag ik terwijl ik een mokkaboontje in mijn mond steek en even aan mijn wijsvinger zuig terwijl ik hem aankijk.

Hij kijkt naar me als een pyromaan naar een hooiberg.

'Nee, die koop ik in. Er staan wel bonbons op de kaart die ik zelf maak.'

'Juist. Ik stel voor dat we gewoon een beetje babbelen, ik distilleer er later wel een verhaal uit.'

'Ha, dat is grappig, we distilleren allebei.'

Ja, grappig hè, dat vond ik nou ook.

'Proost.' Ik hou het likeurglaasje omhoog. 'Prachtige plek is dit. Hoe lang hebben jullie dit hotel al?' Ik neem een slokje. 'Uitstekende likeur overigens.'

'Ja. Wil je nog een beetje?'

'Lekker. Graag.' Hij schenkt ook zichzelf nog eens in.

'Voor welk blad was dit interview ook alweer?'

'*Delicious*, een glossy over lekker eten voor de echte liefhebber.' Ik nip aan mijn koffie.

'Je spreekt erg goed Frans.' Hij slaat de likeur in een keer achterover.

'Ja. Ik heb een tijdje in Frankrijk gewerkt en gewoond. Ik ben ook kok geweest, maar vond het veel te zwaar werk en ben culinair journaliste geworden.'

Ik knipper een paar keer en glimlach weer bemoedigend.

Ik wissel à la Sharon Stone in *Basic Instinct* met ruisende kousen van been.

'Is dat Chanel?' vraag ik terwijl ik mijn neus snuffelend in de lucht steek.

'Je hebt een goede neus. Ik gebruik inderdaad Chanel. Vroeger gebruikte ik Chanel pour hommes maar tegenwoordig heet hij Chanel pour monsieur en hij is iets anders van toon.'

'Jammer. Zo'n heerlijke geur mag je nooit veranderen.'

'Ken je hem?'

En of ik hem ken.

Ik sta op.

'Mag ik eens ruiken?'

'Waaraan?'

'Aan jou, ik wil graag even aan je snuffelen. Een chef-kok leeft van zijn neus dus de geur die hij draagt is interessant. Toch? Ik vind het wel een mooie insteek voor het verhaal.'

'Ja, dat zou kunnen, misschien wel, ja.'

Ik sta op, loop naar hem toe en buig me voorover.

Ik snuffel aan zijn hals.

'Lekker,' fluister ik in zijn oor.

Hij draait zenuwachtig heen en weer op de bank en grinnikt.

'Leuk interview,' mompelt hij.

'Ja, vind je het leuk?' Ik ga wijdbeens voor hem staan.

'En dit? Vind je dit ook leuk?'

Ik trek langzaam mijn jurk omhoog tot de rand van mijn kousen en de clips van mijn jarretelles te zien zijn.

'Ik zal maar eerlijk zijn. Ik ben hier niet voor een interview, ik ben hier voor jou.'

Mijn stem is schor van geveinsde opwinding, ik zeg het zoals een slechte actrice in een soap zou doen. Ik zeg het zoals Desirée zou doen.

'Voor mij?'

Het siert hem dat daar iets van ongeloof in te bespeuren valt.

'Ik kan er niets aan doen. Vanaf het eerste moment dat ik je zag werd ik als een magneet tot je aangetrokken.'

Ik ruik de geur van Gitanes. Hij rookt nog steeds. Smerige gewoonte. Hij ruikt naar een asbak.

Ik haal mijn hand door zijn haar – het is wat dunner dan vroeger – en duw zijn hoofd een beetje achterover zodat ik hem in zijn gezicht kan kijken. Hij kijkt me aan. Het werkt. Zijn gezicht gaat van verbouwereerd via geïnteresseerd naar pure wellust. Ik breng het allemaal teweeg met een paar simpele woorden. Briljant. Ik verbaas mezelf. Er is een actrice aan mij verloren gegaan. Ik zweer het je.

Voorzichtig reikt hij met zijn rechterhand naar mijn been, voorzichtig alsof hij bang is zich eraan te branden. Iets wat niet geheel ondenkbaar is. Ik gooi er nog een schepje bovenop. Ik breng mijn gezicht langzaam dichterbij, maak mijn lippen nat, doe mijn mond halfopen. Ik ga langzaam wijdbeens op zijn schoot zitten. Ik kreun zachtjes en duw mijn lichaam tegen het zijne aan. Hij drukt zijn lippen op de mijne en duwt zijn tong naar binnen. We zoenen hartstochtelijk. Zijn concentratie herkende ik zojuist, maar zijn zoenen doen geen bellen rinkelen. Het is net of hij anders zoent. Ik kan me niet voorstellen dat ik dit destijds lekker vond. Hij zoent met een puntige, gespannen tong en beweegt hem ook veel te snel. Nee, niks aan.

Ik voel zijn hand op het blote gedeelte van mijn dij. Hij aarzelt. Hij heeft wat meer aanmoediging nodig. Ik beweeg mijn heupen tegen zijn kruis. Hij heeft een erectie. Ik laat mijn handen langs zijn armen glijden, pak zijn handen vast en duw ze tegen de leuning van de bank.

'Ik wil je,' fluister ik en ik duw mijn heupen wat steviger tegen hem aan.

'O god, wat is dit lekker.' Het voelt goed om te liegen. Het is heerlijk. Niks eerlijk zijn en kwetsbaar tonen. Allemaal gelul. Ik snap nu waarom mannen en vrouwen zo graag liegen in de liefde, vertel een verhaal waarvan je weet dat de ander het wil horen en het hoeft niets, maar dan ook niets met de waarheid te maken te hebben. Het gekke is dat het werkt. Ik ga er zelf bijna in geloven.

Ik hijg: 'Ik ben nat, neem me,' in zijn oor en draai rond op zijn erectie.

Hij grijpt me vast en begint mijn billen te masseren. Hij heeft opeens haast. Hij heeft besloten om het ervan te nemen voordat Ellen thuiskomt. Hij trekt mijn jurk omhoog tot boven mijn borsten. Ik zit op zijn schoot in een rood korset met jarretelles en zwarte kousen. Dat is nog eens een verrassing op de vrijdagochtend, hoe kan een mens zo met zijn neus in de boter vallen, ik zie het hem allemaal denken.

Als dit een film was, zou ik nu Ellen thuis laten komen. Met een boodschappentas in haar hand, waar een grote bos prei uitsteekt, staat ze in de deuropening en treft haar man en een half ontklede journaliste aan. Een vos verliest wel zijn haren maar niet zijn streken. Daar is geen kruid tegen gewassen, neerschieten is de enige remedie. Maar Ellen komt niet thuis. Hij is alert en opgewonden. De spanning van de kans dat hij betrapt zal kunnen worden door Ellen windt hem op. Net als dat het hem toen opwond om me te nemen terwijl zijn vrouw op hem wachtte. Ik ken zijn zwakke plek. Hij trekt het korset een stukje omlaag en begint op mijn tepel te zuigen.

'Rustig,' zeg ik, 'ik wil ervan genieten.'

Het gaat erin als koek. Ongelofelijk. Ik dacht dat ik een dom schaap was, maar het is van alle geslachten en van alle leeftijden. Ik zeg alles wat hij tegen mij zei die zomer.

'Ik vind je woest aantrekkelijk. Ik weet niet wat me gebeurt, ik heb dit nog nooit meegemaakt, dat ik me zo aangetrokken voel tot iemand.'

Ik duw hem achterover. 'Ontspan.' Dat laat hij zich geen twee keer vertellen. Hij gaat op de bank liggen en maakt het zich gemakkelijk. Ik maak zijn broek open. In mijn herinnering was hij groter. Maar ja, ik was jonger natuurlijk. En kleiner ook, dan lijkt hij allicht groter. Met twee vingers onder zijn ballen masseer ik zachtjes zijn perineum. Hij kreunt en ik voel dat hij zich ontspant. Ik buig voorover en neem hem in mijn mond. Ik zuig er een paar keer aan. Hij legt zijn hand op mijn hoofd, ik kijk omhoog. Hij heeft zijn ogen dicht. Ik laat los en neem hem in mijn hand. Terwijl ik hem zachtjes aftrek reik ik naar de tafel en pak de tube lijm. Ik neem hem weer in mijn mond. Dit vraagt om wat acrobatiek. Kijk eens mama, pijpen zonder handen. Ondertussen draai ik het dopje van de tube en terwijl ik hem in en uit mijn mond laat glijden, druk ik de tube leeg op zijn buik en duw zijn lul op de lijm terwijl ik er met lange halen overheen lik en er woest bij kreun, een paar seconden maar tot de lijm is opgedroogd. Ik ga rechtop zitten en kijk naar mijn werk. Zijn harde lul ligt op zijn buik. Ik voel er even aan. Hij zit vast.

'Neem hem weer in je mond,' zegt hij schor.

'Dat zal niet gaan schat.'

'Waarom niet?'

'Omdat ik hem aan je buik heb vastgeplakt.' Ik trek de pruik van mijn hoofd en schud mijn haar los.

Hij kijkt me aan.

'Herken je me nog?'

Hij begint te schreeuwen.

'Rustig blijven liggen, dat is het beste.'

Ik trek mijn jurk omlaag.

'Het was me een waar genoegen je terug te zien.' Ik pak mijn tas en loop naar de deur.

'Niet bewegen, echt niet doen, dan gaat het maar scheuren en dan wordt het echt heel akelig allemaal. Dag. En bedankt, hè.' Ik geef hem een vette knipoog en loop de deur uit.

Als ik de deur uitloop passeer ik Ellen in de gang. Ze is op weg naar het appartement. Ik draai de pruik op mijn wijsvinger in het rond en zeg haar vriendelijk gedag. Ze groet me terug en werpt een verbaasde blik op de pruik. Ik lach en gebaar iets verontschuldigends over een vrouw en haar kapsel.

Ik rij over de snelweg richting Parijs-Rungis.

Uma Thurman in de allerlaatste scène van *Kill Bill*. Dat gevoel.

Living well is the best revenge.

Met dank aan:

Henk, Conchita, Jeroen, John, Suzanne, Mama.

Met speciale dank aan:

mijn steun en toeverlaat Juliette en Joop voor het vertrouwen.
Annemieke voor het meelezen en de moed die ze me heeft gegeven.
Bobby voor zijn enthousiasme en steun.
Mathias voor het meedenken en de peptalks.

Verantwoording:

De quote op pagina 64 komt uit *Where The Wild Things Are* van
Maurice Sendak en de haiku op pagina 133 is van Matsuo Basho.

Ik heb me laten inspireren door de volgende boeken:

Nigella bites, Nigella Lawson

De dikke van Dam, Johannes van Dam

Het monsterverbond, Carolien Roodvoets

Als hij maar gelukkig is, Robin Norwood

De herontdekking van het ware zelf, Ingeborg Bosch

Isadora's blues, Erica Jong

Hoe red ik mijn eigen leven, Erica Jong